Eu e Esse meu Coração

C. C. Hunter

Eu e Esse meu Coração

Tradução
Denise de Carvalho Rocha

JANGADA

Título do original: *This Heart of Mine*
Copyright © 2018 Christie Craig
Publicado mediante acordo com St. Martin's Press, LLC.
Copyright da edição brasileira © 2018 Editora Pensamento-Cultrix Ltda.

1ª edição 2018.
30ª reimpressão 2025.

Todos os direitos reservados. Nenhuma parte desta obra pode ser reproduzida ou usada de qualquer forma ou por qualquer meio, eletrônico ou mecânico, inclusive fotocópias, gravações ou sistema de armazenamento em banco de dados, sem permissão por escrito, exceto nos casos de trechos curtos citados em resenhas críticas ou artigos de revistas.

A Editora Jangada não se responsabiliza por eventuais mudanças ocorridas nos endereços convencionais ou eletrônicos citados neste livro.

Esta é uma obra de ficção. Todos os personagens, organizações e acontecimentos retratados neste romance são produtos da imaginação do autor e usados de modo fictício.

Editor: Adilson Silva Ramachandra
Editora de texto: Denise de Carvalho Rocha
Gerente editorial: Roseli de S. Ferraz
Produção editorial: Indiara Faria Kayo
Editoração Eletrônica: Join Bureau
Revisão: Vivian Miwa Matsushita

Dados Internacionais de Catalogação na Publicação (CIP)
(Câmara Brasileira do Livro, SP, Brasil)

Hunter, C. C.
    Eu e esse meu coração / C. C. Hunter; tradução Denise de Carvalho Rocha. – São Paulo: Editora Jangada, 2018.

    Título original: This heart of mine.
    ISBN 978-85-5539-121-7

    1. Ficção norte-americana I. Título.

18-19689   CDD-813

Índices para catálogo sistemático:
1. Ficção: Literatura norte-americana 813
Iolanda Rodrigues Biode – Bibliotecária – CRB-8/10014

Jangada é um selo editorial da Pensamento-Cultrix Ltda.

Direitos de tradução para a língua portuguesa adquiridos com exclusividade pela
EDITORA PENSAMENTO-CULTRIX LTDA., que se reserva a
propriedade literária desta tradução.
Rua Dr. Mário Vicente, 368 — 04270-000 — São Paulo, SP
Fone: (11) 2066-9000 — Fax: (11) 2066-9008
http://www.editorajangada.com.br
E-mail: atendimento@editorajangada.com.br
Foi feito o depósito legal.

Para o doador e a família do doador de quem meu marido recebeu um rim e uma sobrevida: muito obrigada por nos conceder a preciosa dádiva do tempo.

Para a dra. Anna Kagan, nefrologista de transplantes que tratou meu marido, cujo temperamento amoroso ao cuidar de seus pacientes me inspirou a criar a dra. Hughes, personagem deste livro. Obrigada por sua bondade e por todo o esforço que fez para manter meu marido vivo e bem. Obrigada também pelo abraço sincero que me deu na UTI; ele aqueceu a minha alma e disse muito não só sobre a sua grande capacidade como médica, mas sobre a pessoa maravilhosa que você é sob o jaleco.

Para o dr. Bree, cardiologista do meu marido, que nos assegurou que o coração dele funcionaria melhor se fizesse um transplante de rim. Suas palavras nos deram esperança, quando outros pareciam querer roubá-la de nós.

Para meu marido, que enfrentou uma doença grave sem quase nunca reclamar. Você estabeleceu padrões tão altos em termos de coragem e superação que não sei se vou conseguir um dia alcançá-los, mas vou tentar. Obrigada por ser o homem que é. O homem que eu amo.

AGRADECIMENTOS

Escrever um livro exige tanta dedicação que, muitas vezes, o autor só consegue escrever se tiver o apoio das pessoas à sua volta. Por isso, quero agradecer à minha família, aos meus amigos e à minha agente, Kim Lionetti, que, depois de ouvir essa ideia, disse: "Você vai escrever este livro!". À minha nova editora, Sara Goodman, que assumiu o projeto editorial já em andamento e ajudou-o a se tornar o que ele é hoje – obrigada por todo o seu trabalho. E para Rose Hilliard, que fez este livro decolar e cuja crença em mim e no meu talento nunca vacilou.

13 DE MAIO

— Acabou, Eric. Aceite isso. Desista, ok? – As palavras ecoam do celular para a noite escura.

Eric Kenner se senta à mesa do quintal e ouve a mensagem de Cassie uma, duas, três vezes. Ouvindo a bomba da piscina vibrar, sentindo a dor em seu peito vibrar.

– Não vou desistir. – A dor fica mais forte. Não é justo! Ele não consegue aceitar.

Olhando para trás, vê a luz acesa no quarto da mãe. São apenas oito horas da noite, mas ela já vai dormir. Provavelmente tomou outro calmante. A mãe também não consegue aceitar.

Por que a vida tem que ser tão difícil? Será que jogaram uma praga nele?

Eric aperta a tecla para repetir a mensagem. Espera ouvir a voz de Cassie fraquejar, indicando que ela não queria dizer o que disse. Mas a voz dela não fraqueja, só o coração dele.

Ele se levanta de repente e derruba a cadeira, fazendo-a bater com força contra o concreto. Ele arremessa o móvel na piscina. A cadeira flutua, mas ele se sente afundando, se afogando.

Anda a esmo pelo deque e depois resolve entrar. Atravessa a cozinha, a sala de estar e para em frente a um cômodo esquecido, o escritório do pai.

O pai saberia o que fazer.

Eric entra. Quando fecha a porta, a fechadura faz um clique, rompendo o silêncio. O cômodo cheira a poeira, mofo e livros antigos. Através da janela, a iluminação do jardim da frente derrama uma luz prateada no cômodo. As paredes beges estão envelhecidas. O espaço parece solitário e abandonado.

O enorme relógio na parede já não se move. Ali, o tempo foi interrompido – assim como a vida do pai.

O olhar de Eric pousa na bandeira, a mesma que o oficial militar lhes entregou no dia do sepultamento. Ela está sobre o sofá de couro desgastado, ainda dobrada, como se esperasse que alguém a guardasse.

Eles chamaram o pai de herói – como se isso tornasse mais fácil aceitar a morte dele. Ledo engano.

Aquela teria sido a última missão do pai. No dia em que partiu, prometeu mundos e fundos – acampar com os filhos, refazer o motor do antigo Mustang parado na garagem... Promessas que morreram com ele.

Eric contorna a mesa de mogno e desaba na cadeira. Ela range como se reclamasse de que ele não é o homem que seu pai foi. Eric se inclina para a frente e abre a primeira gaveta.

Engolindo um nó na garganta, que mais parece um pedaço do seu coração partido, seus olhos se fixam num objeto. Ele estende o braço e o pega. É pesado e frio contra a palma da mão.

Olha para a arma. Talvez possa consertá-la.

Se encontrar coragem.

1

UM MÊS ANTES
13 DE ABRIL

— Mas que puta sorte! — Eu me deito na minha colcha rosa, com o celular no ouvido, sabendo que Brandy está nas nuvens, e fico feliz por ela. Olho na direção da porta para me certificar de que minha mãe não está por perto, prestes a me dar uma bronca pelo palavrão. Mais uma vez.

Ela não está.

Ultimamente, não consigo mais controlar o meu linguajar. Mamãe culpa os programas de TV. Ela talvez tenha razão. Mas uma garota tem que ter alguma diversão, não é?

— Aonde ele vai te levar? — pergunto.

— No Plabo's Pizza — A voz de Brandy já não tem o mesmo tom agudo de euforia. — Por que... por que você não vem conosco?

— No seu encontro? Está louca?

— Você vai ao médico, depois poderia...

— Não. Mas não *mesmo*! — Eu ainda odeio ir ao consultório médico. Se as pessoas olharem com atenção, podem ver o tubo que entra no meu corpo. Mas não é nem por isso. — Eu prefiro *morrer* do que ficar segurando vela...

— Não diga isso nem brincando! — A bronca magoada de Brandy faz a voz dela ficar mais aguda outra vez. Mais cheia de dor.

— É só uma figura de linguagem – justifico, mas em muitos sentidos não se trata apenas disso. Eu estou de fato morrendo. Já aceitei isso. As pessoas da minha vida é que não.

Então, para elas, eu finjo. Ou tento fingir.

— Mas se você...

— Pode parar. Não vou ficar segurando vela.

O silêncio paira no ar. É então que percebo: meu comentário sobre a "puta sorte" da minha amiga faz com que ela sinta pena de mim. Brandy está preocupada com a possibilidade de eu estar com inveja. E tudo bem, talvez eu esteja um pouco mesmo. Mas minha avó costumava dizer que não há nada de errado em ver alguém com um lindo vestido vermelho e pensar: "Quero um vestido como o dela". Só não é legal pensar: "Quero um vestido como o dela e quero que ela tenha uma verruga no nariz".

Eu não desejo que Brandy tenha verrugas. Ela gosta de Brian há anos. Ela merece Brian.

E eu, não mereço algo melhor que as cartas ruins dadas a mim pelo destino? Pode apostar que sim. Mas o que posso fazer? Chorar? Fiz isso, mas já superei essa fase.

Agora tenho uma lista de coisas para fazer antes de morrer. E tenho meus livros.

Os livros fazem parte da lista. Quero ler uma centena. Pelo menos uma centena. Comecei depois de ter alta no hospital da primeira vez em que sobrevivi a uma infecção causada pelo meu coração artificial. Estou no décimo oitavo livro agora. Nem vou mencionar quantos eram romances água com açúcar.

— Leah — Brandy começa a falar de novo.

A campainha da porta me faz consultar o relógio cor-de-rosa sobre a mesa de cabeceira.

Hora de estudar. Álgebra. Odeio essa matéria. Mas quase gosto de odiar álgebra. Porque eu já a odiava antes de ficar doente. Odiando as mesmas coisas que odiava antes, eu me sinto mais como eu costumava ser.

— Tenho que desligar. A sra. Strong está aqui.

Bato os calcanhares na lateral da cama e os bicos de Pato Donald das minhas pantufas abrem e fecham. Ultimamente, ando com mania de usar pantufas de personagem de desenho animado. Elas dão aos meus pés um ar feliz. Mamãe comprou três pares para mim: Mickey, Pato Donald e Dumbo.

– Mas... – Brandy tenta novamente.

– Não. Mas você vai me contar tudo depois. Todos os detalhes picantes: se ele beija bem, se tem um cheiro bom, quantas vezes você o flagrou espiando seu decote.

Sim, estou com um pouco de inveja. Mas não sou uma cadela sem coração. Bem, talvez eu seja. Eu realmente não tenho coração, mas não sou uma cadela. Carrego um coração artificial numa mochila. Ele me mantém viva.

– Eu sempre te conto tudo – garante Brandy.

Não conta, não, mas costumava contar. Olho para o ventilador de bolinhas girando no teto. Até Brandy pisa em ovos quando fala comigo, com medo de dizer algo que me lembre da minha triste sina, algo que me leve a sentir pena de mim mesma. Estou farta disso. Odeio quando as pessoas ficam fazendo rodeios em vez de falar a verdade.

– Leah! – mamãe me chama.

– Tenho que ir. – Desligo, pego a mochila onde carrego meu coração e me preparo para enfrentar a aula de álgebra.

Tenho um ódio mortal dessa matéria, mas ela é o item número um da minha lista de coisas a fazer antes de morrer. Bem, não álgebra propriamente, mas me formar no Ensino Médio. E não quero que me entreguem o diploma de bandeja. Quero conquistá-lo.

Vejo minha mãe na entrada da sala de jantar, que agora é uma sala de estudos. Ela está esfregando as palmas das mãos nos quadris. É um tique nervoso, mas não tenho ideia da razão do nervosismo dela agora. Sobrevivi à última infecção e à anterior. Ela ouve meus passos e olha para mim, franzindo a testa. Outro sinal de que a coisa é séria.

Eu paro. Por que ela está tão nervosa?

– O que foi?

– A sra. Strong não pôde vir hoje. – Ela se afasta pelo corredor com mais rapidez do que disparou as palavras apressadas.

Ouço alguém na sala de jantar. Fico desconfiada. Hesitante, entro na sala. Minhas pantufas de Pato Donald estancam quando vejo um garoto de cabelos castanhos sentado à mesa.

– Merda. – Mordo os lábios na esperança de que não tenha falado alto demais.

Ele sorri. Sinal de que ouviu. E o sorriso dele é tão lindo quanto aqueles dos romances água com açúcar que ando lendo. Sorrisos tortos, de deixar as pernas bambas ou a cabeça vazia. Juro que meu coração artificial bate descompassado.

Ele é um dos gêmeos Kenner, Eric ou Matt, os dois garotos mais gatos da escola. Eu costumava conseguir distinguir um do outro, mas agora já não tenho certeza de nada. Será que penteei o cabelo? Será que escovei os dentes? Será que estou de sutiã?

Passo a língua nos dentes, tentando limpá-los discretamente.

Desvio os olhos e fito o chão, balançando para a frente e para trás sobre os calcanhares. Os bicos dos Patos Donalds balançam comigo. Eu deveria correr de volta para o quarto? Mas não iria parecer ainda mais patética aos olhos dele? E, se eu fizer isso, ele vai embora. Levanto o olhar e percebo que não sei se quero que ele vá embora. Gosto de olhar para ele.

– Oi – ele cumprimenta.

– Oi – repito e percebo que estou escondendo a mochila atrás da perna. Puxo a bainha da minha blusa vermelha para cobrir o tubo que se estende da mochila até o lado esquerdo das minhas costelas, entrando por um orifício que mais parece um segundo umbigo. Sim, estou escondendo a coisa que me mantém viva.

– A sra. Strong não pôde vir hoje – esclarece ele, como se percebesse o que estou sentindo e se achasse no dever de justificar sua presença ali. – Ela me pediu para substituí-la.

– Por quantos pontos extras na sua nota? – Fico esperando ele me dizer que se ofereceu para vir só por gentileza. E, se for verdade, isso significa que aceitou dar aulas para mim apenas porque sente pena. Nesse caso, não sei se quero ter aulas com ele. Prefiro ser o meio pelo qual ele pode conseguir uma nota melhor.

Brandy me disse que todo mundo na escola sabe do meu coração artificial.

– Dois pontos extras. Ando meio relaxado ultimamente e não entreguei uma lição de casa. Você vai me fazer conseguir média B.

– Você deveria ter exigido pelo menos uns três pontos a mais.

Ele sorri novamente.

– Não acho que ela concordaria...

Eu me aproximo e tento adivinhar qual dos dois gêmeos ele é. Procuro encontrar uma maneira de perguntar, mas tudo em que penso parece estranho. *Suponhamos que ele seja Matt.*

Tenho uma queda por Matt desde o sétimo ano. Pode ser só ilusão, mas no primeiro ano do Ensino Médio achei que ele gostava de mim também. Não que alguma vez tenha se declarado. Ele era do time de futebol e eu, do clube do livro. Ele era popular. Eu... não era. Então comecei a namorar Trent. Um cara do clube do livro. Mas terminei o namoro assim que descobri que meu coração estava morrendo.

– São seus livros? – ele pergunta.

Não entendo a pergunta, até ele apontar para minha mochila.

Droga! Entro ligeiramente em pânico. Já tenho várias respostas prontas que inventei quando mamãe, com medo de eu estar me transformando numa agorafóbica, começou a insistir para que eu saísse um pouco de casa. Mas não consigo me lembrar de nenhuma delas. O silêncio começa a pesar.

Então resolvo falar a verdade.

– Não. É o meu... coração.

– Merda... – Ele cospe minha palavra favorita.

Eu solto uma risada.

Os olhos dele encontram os meus, e ele também sorri. Aquele sorriso meio torto. Minha mente paralisa. E eu me sinto derreter por dentro.

– Ah, você está brincando... Não está?

Concordo com a cabeça, depois nego, como se não soubesse a resposta.

O sorriso dele vai apagando como uma lâmpada ao se girar o dimmer do interruptor.

– Sério?

– Sério. – Ando até uma escrivaninha num canto. Com uma mão, pego meu livro de matemática numa gaveta e o coloco diante da cadeira em frente a ele. Acomodo a mochila com meu coração na cadeira ao lado, de um jeito que ele não possa ver o tubo.

Quando ergo os olhos, ele está fazendo exatamente o que eu esperava: examinando os livros para não ter de olhar para mim. As pessoas têm dificuldade para me encarar, para encarar minha morte, talvez até mesmo para encarar a própria mortalidade. Eu entendo, mas isso ainda me incomoda.

Ele vira uma página. O silêncio é tão profundo que quase posso ouvir a página flutuar no ar até cair sobre as outras.

– A sra. Strong disse que deveríamos começar do Capítulo 6.

– Isso mesmo. – Desapontada, abro o livro e considero a possibilidade de dispensá-lo, alegando que já sei a matéria e posso explicar à minha mãe por que ele foi embora. Mas olho para ele e de repente me sinto egoísta.

Afinal, ele está recebendo dois pontos extras por essa aula!

Ele olha para mim e, antes que eu possa desviar os olhos, nossos olhares se encontram e se mantêm assim. Sustentamos o olhar por mais tempo do que deveríamos, porque de repente parece... tempo demais. Íntimo demais. Como se tivéssemos ultrapassado uma barreira invisível. Como acontece quando um estranho se aproxima demais numa fila.

Nós dois desviamos o olhar.

Ele fecha o livro bruscamente. E vacila.

– O que aconteceu? – pergunta, quase num sussurro. Seu tom é triste, gentil e de alguma forma sexy.

Eu me admiro que tenha perguntado. A maioria das pessoas não faz isso.

– Um vírus. Ele matou meu coração. – Odeio o olhar assombrado que vejo nos olhos dele. A sensualidade desaparece. – Um vírus altamente contagioso.

O olhar de pena no rosto dele se transforma em medo. Ele merece a pegadinha.

Mas não resisto. O riso brota na minha boca e me sinto instantaneamente mais leve.

– Muito engraçado... – Ele solta uma risadinha.

Um pensamento maluco me ocorre: é como se a risada dele estivesse... enferrujada. E é então que me lembro. E me sinto de fato uma cadela sem coração por ter esquecido.

Não faz nem um ano que o pai dele, que era militar, morreu em combate. Eu estava no hospital; foi logo depois que a minha doença foi diagnosticada. O pai de Matt estava em todos os noticiários locais, que mostravam as imagens dos militares mortos e pediam a todos um minuto de silêncio.

Senti como se meu sorriso escorresse dos olhos, dos lábios e se estatelasse no chão. Sei que ele vê no meu rosto a mesma expressão de pena que vi no rosto dele segundos atrás.

– Sinto muito – digo. – Pelo seu pai. Acabei de me lembrar.

Ah, droga. Agora fiz com que o sorriso desaparecesse do rosto dele. Eu deveria ter ficado quieta.

– Pois é... – Ele volta a encarar o livro. – É um saco.

– Mais ou menos como isso – falo, indicando a mochila com a cabeça.

Ele olha de relance outra vez a cadeira onde está meu coração.

– Foi mesmo um vírus?

– Sim. O vírus causou miocardite.

O olhar dele se demora na mochila.

– Como funciona?

Taí uma pergunta que ninguém nunca fez.

– Como um coração de verdade. É uma bomba. Ela envia meu sangue, através das artérias, para o meu corpo todo. – Explico resumidamente sobre a cirurgia que conectou ao meu corpo à bomba que está na mochila e as baterias que tenho de carregar na tomada regularmente.

Ele faz uma careta, até esfrega o peito, como se sentisse a mesma dor que senti.

– Então esse tubo entra dentro de você?

Eu toco a blusa, bem abaixo das costelas, onde o tubo entra no meu corpo.

– Bizarro, né?

– É, mas está mantendo você viva, então... não é.

Concordo. Passos hesitantes no corredor desviam meu olhar do dele.

Minha mãe para na porta.

– Querem alguma coisa para comer ou beber?

Ela esfrega as palmas das mãos no jeans outra vez. Seu olhar preocupado recai em mim. Minha mãe está com receio de que eu vá brigar com ela por ele estar aqui. Por mais estranho que pareça, eu não vou.

Minha mãe sabe que a única pessoa da minha antiga vida que deixo que se aproxime da "Leah moribunda" é Brandy. E só deixo porque não adiantaria querer afastá-la. Tanto minha mãe quanto meu pai me incentivam a sair de casa. Socializar. Até mencionaram a possibilidade de eu voltar a frequentar o colégio. Detestei a ideia. Quero me formar, mas encarar os meus colegas com essa mochila nas costas... Isso não dá. Sem chance.

Tenho boas razões para isso. No sétimo ano, Shelly Black teve leucemia. Ela ia para o colégio careca, com um lenço na cabeça. Todo mundo tentava não demonstrar quanto era difícil olhar para ela daquele jeito. E a garota não era nem minha amiga. Mas meu coração se condoía por ela. Prefiro ficar sozinha do que impor isso às pessoas. Então olho para o garoto lindo de cabelos castanhos na minha frente e me pergunto se é isso o que ele sente agora.

Mas pensando bem, foi ele quem decidiu vir à minha casa. Está me fazendo perguntas e parece interessado nas respostas. E é bom conversar com ele. Sou uma adolescente normal conversando com um amigo. Um amigo muito gato.

Já que não vou voltar para a escola, então por que não tirar vantagem da situação?

– Posso trazer refrigerante e batata frita. – A voz de minha mãe me traz de volta à realidade.

Espero ele responder. Ele agradece, mas recusa o lanche.

Minha mãe vai embora e nós dois mergulhamos na álgebra. Passamos os vinte minutos seguintes estudando cálculos; depois resolvo algumas equações e ele corrige para ver se eu entendi. Não é nenhum bicho de sete cabeças, mas é mais difícil do que estudar com a minha mãe. Não consigo me concentrar na matéria, porque estou concentrada nele. Me perguntando qual dos gêmeos ele é. Matt? Eric? Eric? Matt?

Volto a verificar minhas respostas antes de empurrar o caderno na direção dele. Enquanto ele corrige as minhas equações, eu o analiso. A curva dos lábios. O desenho do queixo. A leve sombra da barba, que mostra que ele já se barbeia.

Para me distrair, esfrego os polegares nos indicadores e dou uma espiada nele através dos cílios.

— Você acertou tudo — pelo tom de voz, ele parece orgulhoso da aluna. Seu sorriso reflete a mesma emoção. Ele volta a colocar o caderno na minha frente. — Quer resolver mais algumas?

Quero dizer que não, mas tenho medo de que ele vá embora. E estou mais gananciosa do que nunca. Quero meus quarenta e cinco minutos completos na companhia dele.

— Pode ser.

Depois, sem pensar, despejo:

— Pode só me responder uma coisa, em vez disso?

Nossos olhares se cruzam novamente.

— Só se eu puder perguntar também.

— Tudo bem. — Esfrego a sola das pantufas no assoalho de madeira sob a mesa. — Eu primeiro. — Como vou perguntar isso? — Eu... eu costumava saber diferenciar os dois gêmeos. Mas agora...

Ele dá um sorrisinho, quase como se estivesse decepcionado.

— Agora não sabe mais? Não consegue dizer qual dos dois eu sou?

— Confesso que não... — Franzo a testa e coloco sobre a mesa minhas mãos agora escorregadias de nervoso. — Então, qual dos dois você é?

Ele apruma os ombros na cadeira. A postura dele é um pouco desleixada. Um ombro está mais alto do que o outro. Não era Matt que costumava se sentar assim?

— Como você nos distinguia antes?

— Fisicamente ou está se referindo à personalidade? — Agora estou achando que ganharia mais se tivesse ficado de boca fechada.

– As duas coisas. – A expectativa brilha nos olhos dele.

Como se a minha resposta fosse importante. Como se eu tivesse que ter muito cuidado com o que vou dizer.

– Bem, Eric usava o cabelo mais comprido. O cabelo do Matt era mais cacheado nas pontas. – Incapaz de me conter, olho para o cabelo dele e me lembro de quando me sentava na carteira de trás e ficava me perguntando se os fios eram tão macios quanto pareciam. Várias meninas mais ousadas do que eu brincavam com os cachos dele. Sempre me perguntei se teria coragem de fazer o mesmo. Não tive. A coisa mais corajosa que já fiz no colégio foi fundar o clube do livro.

Meus olhos se afastam do cabelo dele.

– E um de vocês tinha os ombros mais largos.

– Qual de nós dois? – Ele se senta mais ereto, o peito estufado, os ombros para trás.

Fico com receio de responder, mas seria mais esquisito ainda se ficasse quieta.

– Eric? – Tento decifrar a expressão dele, mas ele parece fazer uma cara neutra de propósito. – Não que vocês dois não... estejam em forma... – digo sem achar um jeito melhor de me expressar, mas sentindo meu rosto imediatamente arder, como se eu ficasse reparando no corpo deles.

Ele sorri.

– O que mais?

– Quanto à personalidade, Matt é mais quieto, mais reflexivo. Eric é mais falante.

Ele pega seu lápis e começa a rolá-lo entre as palmas, como se estivesse pensando nas minhas respostas.

O lápis para. Juro que meu coração parece acelerar no peito como faria o de verdade.

– Então qual dos dois eu sou? O malhado e falante ou o magro e quieto?

– Não quis dizer magro e quieto. Quis dizer menos malhado e mais quieto. – A vontade de dizer que eu preferia Matt está na ponta da língua, mas e se ele for Eric?

Ele solta uma risada e o som é como mágica; menos enferrujado, mais envolvente.

Tenho certeza de que é Matt. Eric não teria o mesmo efeito sobre mim. Talvez eu tenha imaginado coisas, mas poderia jurar que Matt... reparava em mim. Não acho que isso acontecesse com Eric. Ele já tinha muitas líderes de torcida se jogando em cima dele. Não que Matt não tivesse sua cota de garotas sorrindo para ele e brincando com seus cachos. Ele só não parecia apreciar tanto essa atenção quanto Eric. Às vezes isso o deixava até meio constrangido.

Minha mochila emite um bipe, interrompendo o silêncio confortável que tínhamos finalmente encontrado.

O temido alarme me diz que tenho menos de trinta minutos de bateria. Pânico transparece nos olhos de Matt. Ou será que é Eric?

– É normal – explico, mas, por causa daquele bipe, do maldito tubo, do meu próprio coração morto, eu me sinto tudo, menos normal.

– Então, vai ser assim para sempre? – pergunta ele.

Nego com a cabeça.

– Não, na teoria só até eu conseguir um transplante.

– Na teoria? – Seu olhar me avalia.

Olho na direção do corredor para me certificar de que minha mãe não está por perto. Até agora a verdade tem dado certo com ele, então decido não mudar a abordagem.

– Eu tenho um tipo sanguíneo raro. AB. As probabilidades de conseguir um transplante não são as melhores.

– AB? – Ele franze a testa. – Não é tão raro. Eu tenho esse tipo sanguíneo. Se fosse um rim, eu te doaria um dos meus.

Solto uma risada, mas é forçada. Odeio pensar num transplante. Não apenas porque não acho que vá acontecer, mas porque alguém teria que morrer para que eu sobrevivesse, e acho isso muito errado. Mas é o que meus pais e até Brandy estão fazendo, torcendo para alguém morrer. Isso é ainda pior do que desejar que alguém tenha verrugas.

– Mas... – A pausa parece significar alguma coisa. – Você... você vai viver assim até que haja um coração disponível?

Ok. *A verdade não funcionou.*

– Sim – digo o que ele quer ouvir. O que todo mundo quer ouvir. Não importa que eu tenha contraído duas infecções por causa do coração artificial e cada uma delas quase tenha me matado. Não importa que ninguém tenha sobrevivido mais de quatro anos com um coração artificial. Não importa que centenas de pessoas com sangue tipo AB estejam esperando por um novo coração, uma vida nova, um milagre.

Ele franze a testa.

– A maneira como diz isso dá a impressão de que você não acredita.

Preciso me esforçar mais.

– Tenho certeza de que um dia vai acontecer – minto, e depois de repente não quero mais mentir. Não tenho que mentir. Não com ele. Eu me sento mais ereta na cadeira. – Mas, sabe, é preciso muito mais energia para ter esperança do que para aceitar a morte. Prefiro gastar minha energia aproveitando o que tenho agora.

– Isso é mesmo uma merda... – A expressão de tristeza dele se aprofunda.

– É uma merda, você tem razão. Mas estou bem com isso. – E na maior parte do tempo, estou mesmo. No começo ficava dizendo a mim mesma que tinha que ter esperança, que conseguiria um coração. Mas quanto mais leio sobre as estatísticas, mais percebo que as chances de eu conseguir um coração são praticamente nulas. E em vez de me enganar ou ficar andando por aí com cara de coitada, decidi aproveitar ao máximo o tempo que me resta. Por isso, elaborei a lista de coisas a fazer antes de morrer. E estou mais feliz agora. Mesmo.

Ele consulta o relógio.

– Acho que está na hora de eu ir.

Quero dizer que ele não precisa sair correndo. É muito triste dizer que a aula dele foi a coisa mais divertida e vibrante que aconteceu na minha vida neste último ano?

Ele se levanta. Eu faço o mesmo, depois coloco a mochila no ombro, sempre escondendo o tubo.

Ele anda na direção do corredor. Eu o sigo. Estou olhando o cabelo dele, reparando no jeito como é cacheado nas pontas. Mais uma vez esperando que ele seja Matt. Estou tão entretida com os fios do cabelo dele que nem noto quando ele se vira para mim.

Vou com tudo na direção dele.

– Opa! – Ele pega nos meus ombros e me segura contra si. – Você está bem?

As mãos dele estão nos meus braços agora. Meus seios, contra seu peito.

Então me dou conta! Sinto algo que não sentia havia muito tempo. Emoção. A emoção de uma garota diante de um garoto, não a emprestada dos romances que leio.

Posso sentir o cheiro dele. Sabonete masculino ou desodorante; meio picante, bem masculino. O desejo de me inclinar e enterrar o nariz no ombro dele é tão forte que tenho que segurar as mãos.

– Está tudo bem – digo. *Não se afaste. Não se afaste. Por favor, não se afaste.*

Ele não se afasta. Olha para mim. Tão de perto que posso ver que seus olhos castanhos têm raias douradas e verdes. Uma voz dentro de mim diz que eu deveria dar um passo para trás, mas por nada neste mundo eu me afastaria dali. Estou morrendo mesmo... É errado querer isso?

– Eu... esqueci meus livros. – As palavras saem dos lábios dele num tom incerto. Seus polegares acariciam meus braços. Apenas o menor e mais suave dos atritos, que causa uma sensação boa demais...

Corro a língua pelo lábio inferior.

– Ah, eu... pensei que fosse me beijar. – Ouço minhas próprias palavras e me pergunto onde consegui coragem para dizer isso.

Ele arregala os olhos. Não com ironia, só de surpresa.

– Quer que eu beije você?

Eu sorrio.

– Se você é Matt, quero que você me beije desde o sétimo ano.

Seu olhar desce para a minha boca e permanece ali.

– Seu coração é forte o suficiente?

Eu começo a rir.

– E você beija tão bem assim?

– Talvez. – Um sorriso franze os cantos dos olhos dele. Ele se inclina em minha direção. Seus lábios estão contra os meus, suaves e doces. Todos os meus sentidos estão em voltagem máxima. Chego mais perto, abro a boca e passo a língua entre os lábios dele. Sim, é ousado, mas não vou viver por tempo suficiente para me arrepender.

Sua língua roça na minha. Uma mão segura a minha cintura, a outra desliza até a minha nuca. Ele vira delicadamente meu rosto para aprofundar o beijo. Sinto os lábios dele, cada contato da pele dele contra a minha. Eu me sinto incrível. Absolutamente viva!

Fico ainda mais ousada e me aproximo, correndo os dedos pelo cabelo dele. É ainda mais macio do que eu pensava.

Quando ele se afasta, olhamos um para o outro, ofegantes. A confusão em seus olhos diz que ele não me beijou por pena. Começamos a nos aproximar outra vez.

Seus lábios estão quase nos meus novamente quando o barulho da porta da frente se abrindo estraga o momento. Nos afastamos depressa e cruzamos o corredor até a sala de jantar. Ele pega os livros dele.

Meu pai entra e chama por minha mãe.

Eu ignoro.

Toda a minha atenção está no garoto parado à minha frente, os lábios ainda molhados do nosso beijo. Pego uma caneta na mesa, rabisco o número do meu celular numa folha de caderno, arranco-a e entrego a ele.

– Se você quiser conversar. Sobre todas as merdas da vida... – acrescento. Então fico preocupada, achando que estou parecendo uma idiota.

Ele pega o papel. Nossos dedos se encontram, sinto a eletricidade e não me importo mais de parecer idiota. Prometo não me arrepender depois. Se ele ligar. Ou se não ligar. Aquilo foi bom demais para eu me arrepender.

Nós nos olhamos novamente. Quero tanto beijá-lo outra vez que estou tremendo. A voz dos meus pais na cozinha ecoa e invade nosso momento mágico. Eu queria que estivéssemos em algum lugar diferente. Eu queria... queria... Mas antes de me enveredar pelo caminho perigoso de querer o impossível, tiro esses pensamentos da cabeça.

Ele começa a cruzar o corredor e eu o sigo até a porta. Ele põe a mão na maçaneta e depois se vira. Não dizemos nada, mas trocamos um sorriso. Em seus olhos, vejo um leve embaraço, um toque de incerteza e a sugestão de algo mais quente. Espero que seja desejo. Ele olha por sobre o meu ombro, como se para ter certeza de que estamos sozinhos, então roça o dedo nos meus lábios. Um gesto lento. Suave. Sensual.

Quero guardar na memória essa sensação. É deliciosa.

Ele se vira e sai, muito antes de eu estar pronta para me despedir.

Corro até a janela lateral, mas não fico muito perto para o caso de ele olhar para trás, só o suficiente para poder vê-lo andando pela calçada. Eu o vejo entrar no carro. Fico olhando enquanto ele desaparece rua abaixo.

Passo a língua nos lábios, ainda sentindo o gosto do beijo. Se eu morresse agora, morreria feliz.

Os passos de mamãe e papai ecoam atrás de mim. Eles dizem alguma coisa, mas eu ignoro. Estou ainda naquele momento mágico, revivendo tudo. A sensação do beijo. O gosto bom que ele tinha. A maciez do cabelo dele. A vida, como ela é doce... Mesmo que eu esteja morrendo.

Eu me inclino e pressiono a testa contra a vidraça. Está fria, o clima de abril ainda deixa um friozinho no ar. Então franzo a testa quando percebo: ele não chegou a me dizer quem era. Eric ou Matt? Eu me lembro do que eu disse sobre querer que Matt me beijasse desde o sétimo ano. Se ele não fosse Matt, teria me dito, não teria? Meu coração diz que era Matt, mas meu coração é artificial. Posso confiar nele? Droga, não sei quem beijei.

– Leah?

Eu me viro. Papai e mamãe estão me encarando com um ar feliz.

– Parece que foi tudo bem. – Mamãe abre um sorriso sincero. Do tipo que franze o nariz. Então me ocorre que não sei dizer qual foi a última vez que vi o nariz dela assim. Tenho que acrescentar isso à minha lista de coisas a fazer antes de morrer. Provocar na minha mãe mais sorrisos de franzir o nariz.

Eles me olham com um olhar travesso. Parte de mim se pergunta se mamãe viu nosso beijo. Eu não ligo. Se isso a faz feliz, eu o beijaria novamente. Não seria nada difícil.

– É. Correu tudo bem. – Eu me aproximo e abraço mamãe, depois papai. Aquele se torna um abraço a três. Ouço a respiração da minha mãe se agitar, mas não é o tipo de tremor ruim.

– Eu amo vocês dois. – A emoção embarga minha voz. Uma emoção feliz. Então me afasto e eu e minhas pantufas de Pato Donald disparamos na direção do quarto para carregar meu coração.

Embora o coração não funcione assim, tenho a impressão de que o beijo consumiu muita bateria.

Assim que conecto a bateria na tomada, pego o telefone para ligar para Brandy e contar as novidades picantes. Mas então paro. Conhecendo Brandy, sei que ela vai se sentir no dever de descobrir qual dos gêmeos eu beijei e até insistir para ele voltar à minha casa. Talvez seja melhor eu guardar isso só para mim. Será meu segredo. Um segredo que vou levar comigo para o túmulo.

2

A pizza está fria, com consistência de papelão. Por um instante, Matt Kenner tem a impressão de que está cortando a própria caixa, mas ele come o pedaço mesmo assim.

A pizza enche o buraco em seu estômago, mas não o vazio que sente no coração. Ele quer ligar para Leah. Quer vê-la outra vez. Quer beijá-la outra vez.

Sente vontade de dar um soco na mesa da cozinha. A morte já lhe roubou o pai. O barulho da porta de um carro se fechando faz Matt se sentar mais ereto. O abre e fecha da porta da frente se junta aos sons da casa na madrugada. Os passos do irmão ressoam no assoalho de madeira quando ele, certamente, é atraído pela luz da cozinha.

Matt olha para Eric parado na porta. Eric, o gêmeo mais malhado e falante. A mente de Matt divaga por um segundo, e ele se sente lisonjeado. Afinal, era *ele* que Leah queria beijar – não Eric. Matt devia a maioria de suas ex-namoradas ao irmão. Quando não conseguiam chamar a atenção do gêmeo mais popular, voltavam os olhos para ele. Matt nunca culpou o irmão, mas quem gosta de ser a segunda opção?

– Olá. – As chaves de Eric batem na mesa.

Ele vê a pizza, vai até o pote de doces e pega um saquinho de M&M's, depois desaba numa cadeira. Dá uma mordida numa fatia de pizza e joga três M&M's na boca. Eric acha que chocolate e pizza combinam muito bem.

Matt sente um odor desagradável misturado a cheiro de cerveja vindo irmão. Se a mãe deles estivesse acordada e consciente, daria uma bela bronca em Eric por beber e dirigir. Ela não está acordada. Nem consciente. Desde que o pai deles morreu, ela vai dormir às oito da noite, depois de tomar calmantes, apenas para levantar na manhã seguinte e continuar carregando seu fardo.

— Você deveria ter dirigido? — Matt faz o papel da mãe.

— Só tomei duas cervejas. — A expressão de desaprovação de Matt é mais a de um pai do que a de um irmão, mas o olhar severo não dura muito. O irmão também faz papel de pai para Matt às vezes.

Eric se equilibra nas duas pernas de trás da cadeira.

— Pensei que você fosse com Ted para a casa de veraneio do pai dele.

— Mudei de ideia.

— Por quê?

A resposta de Matt é um encolher de ombros. Depois que deixou a casa de Leah, só queria comer alguma coisa e ficar sozinho.

— Está falando com alguém? — Eric olha para o celular na mão de Matt.

— Não. Só pensando. — Matt põe o aparelho em cima do papel com o número de Leah.

Com a pizza equilibrada na ponta dos dedos na frente do rosto, Eric analisa o irmão, curioso.

— Pensando em quê?

— Leah McKenzie.

Não há nenhuma razão real para ele não contar a Eric.

— Quem? — Eric empurra a pizza para a boca, joga três balinhas lá dentro, mastiga e depois engole. — Espera aí, não é aquela garota que está doente? A bonita, de cabelos castanhos e olhos azul-claros, muito tímida?

Matt pega o telefone, finge ler algo no visor, mas sua mente está em Leah. *Eu... pensei que você fosse me beijar.* Ela não é mais tímida.

– Você gostava dela. Não era ela que você ficou ensaiando para convidar para sair, mas antes que se decidisse descobriu que ela estava namorando outra pessoa?

Matt sente Eric olhando para ele.

– Sim.

O irmão dá outra mordida na pizza. O ego de Matt murcha outra vez. No dia em que ele estava prestes a convidar Leah para sair, ele a viu no corredor da escola com Trent Becker.

Matt tinha perdido a chance. E esse foi o verdadeiro motivo que o levou a aproveitar a oportunidade de ir à casa dela hoje.

Sim, precisava de alguns pontos extras na média, mas já havia se resignado a ficar com uma nota baixa.

– Por que está pensando nela? – Eric baixa a cadeira no chão, se levanta e pega um refrigerante na geladeira. – Quer um? – pergunta enquanto mastiga a pizza.

– Quero. – Matt pega a lata da mão de Eric, coloca na mesa e sente o metal gelado queimando na palma da mão. – Fui à casa dela hoje.

– Por quê? – Eric abre o refrigerante, abafa o barulho efervescente e volta a se sentar onde estava.

– A sra. Strong lhe dá aula em casa, mas hoje não pôde ir. Então, me ofereceu uns pontos extras para substituí-la.

Eric franze a testa.

– Ela está muito doente ou tipo morrendo?

Leah aparece em sua mente, suave, sorridente e por algum motivo feliz.

– Ela não parece doente, mas... tem que carregar um coração artificial.

– Sério? Fica o tempo todo ligada a uma máquina?

– Ele é pequeno, cabe numa mochila. Mas...

– Mas o quê?

Matt solta um suspiro, esperando que isso alivie o peso em seu peito.

– Ela não acha que vai sobreviver. – É por isso que ele não entende como ela pode parecer feliz.

– Mas que droga! – A empatia muda o tom da voz de Eric. Ele dá um gole no refrigerante e observa Matt por sobre a borda da lata, como se soubesse que a história ainda não tinha acabado.

– Dei um beijo nela – confessa Matt. Esconder alguma coisa de Eric é impossível.

Gêmeos idênticos conhecem os segredos um do outro. É uma conexão estranha. A mãe deles costumava contar que Eric, com apenas 3 anos de idade, quebrou o braço jogando bola na casa de um amigo e que Matt foi procurá-la chorando, antes mesmo que ela soubesse do acidente, para dizer que seu braço estava doendo. Matt não conseguia se lembrar, então não podia dizer se era mesmo verdade.

– Por quê? – Eric quase engasga com o refrigerante.

– Ela pediu. Eu quis.

Eric bate a lata com força na mesa.

– Não! Você não pode fazer isso. Nem pense.

Matt encara a lata de refrigerante ainda fechada à sua frente. Sua vontade é atirá-la contra a parede.

– Foi só...

– Não! – O tom severo do irmão faz Matt levantar os olhos. – Olha pra nós. Nem... Nem superamos a morte do papai. Mamãe não vai conseguir aguentar outra perda. *Você* não vai aguentar outra perda. A gente ainda precisa se curar, droga! Nada de mais morte por aqui.

Por um triz, Matt não despeja sua raiva em Eric. Ele mesmo não tinha acabado de dizer isso para si mesmo? Não era por isso que não tinha ligado para Leah?

– Eu sei.

– Estou falando sério – diz Eric. – Não vamos suportar mais sofrimento.

– Eu já disse que sei! – Matt fecha os olhos, depois, volta a abri-los desejando não ter visto o sorriso de Leah, sua expressão sonhadora depois de beijá-lo. O silêncio paira na cozinha amarela. A cor lembra as pantufas de Pato Donald de Leah...

Eric termina a fatia de pizza e depois lambe os dedos. Matt sente a fatia que comeu pesar no estômago. O silêncio se estende por longos segundos.

– Onde você estava? – pergunta Matt, antes que o silêncio denuncie quanto aquilo é difícil para ele.

– Em nenhum lugar, na verdade.

A resposta evasiva faz Matt suspeitar que é mentira. Ele levanta uma das sobrancelhas.

Eric encolhe os ombros.

No mesmo instante, Matt descobre onde o irmão esteve.

– Está saindo com Cassie de novo?

– Dá pra parar de pegar no meu pé? – Eric deixa a cadeira cair sobre as quatro pernas com estrondo.

– Assim como você não pega no meu? – Matt pega seu refrigerante, então bate a lata na mesa. – O que você acabou de me dizer? Que a gente precisa se curar. Cassie não é o que eu chamaria de cura.

O irmão aperta a lata. O barulho do alumínio sendo esmagado denuncia a tensão.

– Primeiro, o que eu tenho com Cassie não é o que você está pensando. Segundo, envolver-se com alguém que está morrendo não está na mesma categoria de Cassie.

Morrendo. Matt se encolhe por dentro.

– Talvez não, e nada contra Cassie, mas ela já terminou com você duas vezes, e nas duas você entrou em depressão.

– Já disse, não estou namorando Cassie. Não se trata disso.

– Então o que é? – Matt ouve o tom da mãe na própria voz.

– Ela está com uns problemas. – Eric suspira, sentindo novamente algo do passado, uma dor do passado. Matt também sente.

– Que tipo de coisa?

– Quer parar?! – grita Eric; depois fecha os olhos arrependido. – Ela não quer me contar. Não quer contar a ninguém – diz cerrando os dentes. – Todo mundo está dizendo que ela está agindo de um jeito estranho, então fui conversar com ela e tive certeza de que tem alguma coisa acontecendo.

– Ela não pode pedir ajuda a uma das amigas?

A postura de Eric se enrijece.

– Não vou voltar com a Cassie.

Sim, você vai. Matt pode ver, mesmo que Eric não possa.

O barulho de descarga no banheiro da mãe faz Matt levantar os olhos, e a tensão muda de direção. Não que diminua, só toma outro rumo.

A morte do pai ainda dói, mas eles estão perdendo a mãe também. Em vez de sair do buraco em que caiu quando o pai deles morreu, ela está afundando cada vez mais. Vive e respira dor. Matt odeia isso. Ele respira fundo.

– Você ligou para a tia Karen?

– Sim – Eric balança a cabeça. – Ela vai ligar pra mamãe, mas não pode vir. Está trabalhando num caso importante. – Ele faz uma pausa. – Ela já veio duas vezes no mês passado. Não podemos esperar que faça mais do que isso.

Matt olha para as mãos em torno do refrigerante gelado.

– Então, nós precisamos fazer alguma coisa.

Eric acena com a cabeça.

– Talvez a gente possa tirar a mamãe de casa amanhã – sugere Matt. – Levá-la ao cinema e para jantar fora. Vou ver se consigo fazer com que vá correr comigo. Ela costumava fazer isso sempre.

Eric passa a mão no rosto.

– A gente também pode levá-la à loja de jardinagem. Ela adorava cuidar do jardim.

– Verdade – Matt fecha a caixa de pizza. – Quer mais um pedaço?

– Não. Estou cheio de M&M's. Além disso, fui ao Desai Diner hoje e comi uma comida dos deuses.

– Por isso esse cheiro. – O amor de Eric por comida indiana e chocolate com pizza era provavelmente a única diferença entre eles. Bem, isso e as garotas.

Matt devolve o que sobrou da pizza à geladeira; depois, pega a lata de refrigerante e o celular. Então, vê o pedaço de papel com o número de Leah, que tinha escondido embaixo do aparelho. Pega o papel, amassa-o e, sentindo como se estivesse amassando também seu coração, joga-o no lixo.

Eric está certo. Quando um membro da sua família sofre, todos sofrem junto. Ele não poderia fazer isso com a mãe e com o irmão.

3

15 DE MAIO

Matt acorda ofegante. Aperta os olhos, tentando entender as imagens impressas em sua mente: está correndo num bosque. Está com medo, mas não sabe do quê. *Foi só um sonho.*

Ele se senta na cama passando a mão nos olhos. Uma dor aguda explode em sua cabeça. Massageia a têmpora; a cabeça pulsa de dor a cada batida furiosa do coração.

Embora não saiba por que, está com raiva. Levanta-se e percebe que está zonzo. Sente-se caindo. Mas não está caindo, está agarrado à cômoda.

Quando consegue andar, vai ao banheiro em busca de analgésicos. Engolindo dois comprimidos amargos sem água, ele fita a imagem no espelho. Por um segundo jura que vê Eric em pé atrás dele, mas em seguida a imagem se desfaz.

Confuso, joga água fria no rosto. A dor desaparece, mas deixa uma sensação de entorpecimento.

Ao voltar para o quarto, percebe que a porta do quarto de Eric está aberta. O irmão costuma dormir com a porta fechada. Matt espia e vê que cama está desfeita, mas vazia. O relógio na mesa de cabeceira pisca. Três da manhã.

Matt vai até a cozinha achando que o irmão provavelmente foi comer uma tigela de cereal. Não há ninguém ali. A máquina de gelo vomita alguns cubos. O ar-condicionado zumbe, espalhando ar fresco pela casa. Ele sente frio.

Franzindo a testa, vai espiar pela janela da sala de estar. O carro do irmão não está lá fora. Onde diabos ele se meteu às três da manhã?

Droga, o irmão sabe que deve estar em casa antes da meia-noite. Claro, a mãe não impõe mais horários, mas eles concordaram em seguir as regras.

Ele corre para o quarto e liga para o irmão. Eric provavelmente está com Cassie outra vez. A promessa de não voltar com ela não durou nem duas semanas. No último mês, ele passou mais tempo com Cassie do que em casa. E Matt viu o efeito que isso teve sobre o irmão. Aquela garota não fazia bem a Eric.

Pega o celular já ensaiando o sermão que vai passar no irmão, mas então repara que tem uma nova mensagem. De Eric.

Quando ela chegou? Duas e cinquenta e três da manhã.

Logo antes de Matt acordar.

Lê a mensagem. *Preciso...* Nada mais. Quase como se Eric tivesse sido interrompido e acidentalmente batido o dedo em ENVIAR.

De que Eric precisava?

Matt aperta o botão de chamada. Um toque. Dois. Três. A ligação cai no correio de voz.

Olá, deixe uma mensagem.

– Merda! – Matt murmura. Depois do bipe, ele diz: – Onde você está, Eric? Me ligue. Agora.

Nesse instante, sente o irmão às suas costas. Suspira de alívio.

– Por que chegou tão tarde? – Ele olha para trás. Eric não está ali.

Não está ali.

Não. Está. Ali.

A dor na têmpora de Matt volta com tudo. O estômago se contrai. Ele se lembra do pesadelo de correr num bosque e, de repente, sabe o que aconteceu. Não tinha sido um sonho. Eric.

Calafrios rastejam pela espinha de Matt, passam pelo pescoço e chegam à cabeça. Ele não consegue respirar. O irmão está em apuros.

Ele sabe disso como seus pulmões sabem respirar. Como os olhos sabem ver. Como o coração sabe bater.

Sua mão comprime o celular e ele pensa em discar para a polícia. Mas para dizer o quê? *Meu irmão ainda não chegou em casa?* Eric só está três horas atrasado.

Como Matt pode explicar esse sentimento? Esse vazio, o sentimento de ausência que está se espalhando por seu corpo como um vírus? Ele sente o estômago revirar. Corre para o banheiro, mal conseguindo chegar ao vaso antes de vomitar. O barulho de vômito ecoa na casa escura.

Ele limpa a boca com as costas da mão. Lágrimas enchem seus olhos. Não!

Como explicar para a polícia o terrível sentimento que lhe diz que Eric não está apenas desaparecido? Que está morto?!

– Está tudo bem?

Matt mantém a cabeça sobre a privada, mas olha para a mãe.

Encostada na porta, ela está vestindo o mesmo moletom que usava na noite anterior. Seu cabelo loiro está uma bagunça, *ela* está uma bagunça.

– Está doente, querido?

Ele tenta encontrar a voz, mas não consegue. Sua voz não passa pela garganta. Não consegue falar. Vomita novamente.

Com as mãos nos joelhos, o coração batendo na boca, ele a vê estendendo a mão para o gabinete da pia. Ela pega uma toalha, joga água nela e se aproxima dele.

Passa o pano frio e úmido sobre a testa do filho e depois tira delicadamente a franja molhada da testa dele. Seus olhos verdes se encontram com os dele. Pela primeira vez depois de muito tempo, ele vê um resquício do que a mãe costumava ser.

Mas ele sabe que logo vai perdê-la novamente.

– O que há de errado, Matt?

– Lamento – diz a dra. Bernard. Ela parece lamentar de fato. Trinta e seis horas. Foi esse o tempo que passou desde que Matt acordou sabendo que o irmão tinha morrido. Trinta e seis horas para que os médicos dissessem a Matt e à mãe o que ele já sabia.

– Todos os testes confirmaram o que eu temia. Não há atividade cerebral.

O irmão está morto. Morte cerebral.

Trinta e seis horas atrás, ele e a mãe ligaram para a polícia, que não pareceu levar a sério o que eles disseram. Isso mudou às seis da manhã. Os policiais tocaram a campainha com a notícia de que Eric tinha sido encontrado num parque com um tiro na cabeça. Ele tinha sido levado no helicóptero de resgate para um hospital em Houston, onde os melhores médicos dali tentaram salvá-lo, mas não tinham conseguido. Ele se fora.

A polícia encontrou a arma ao lado do corpo. A pistola tinha pertencido ao pai. Resíduo de pólvora fora encontrado na mão direita de Eric. Um dos policiais usou as palavras "possível tentativa de suicídio".

Agora eles falavam em "suicídio".

Matt não aceitava essa ideia, mas estava sem forças para lutar. Lutar não era algo tão natural para ele quanto era para Eric. Mas assim que conseguisse respirar direito, iria provar que a polícia estava errada.

Sim, Eric andava deprimido e estava envolvido até o pescoço nos problemas de Cassie, mas se matar? Não Eric.

O irmão disputava e ganhava sempre. Colégio, garotas, esportes. Ele não sabia o que era desistir, nunca faria isso. Eric nunca desistia.

E acima de tudo, ele nunca deixaria Matt e a mãe daquele jeito. Ele sabia o que aquilo causaria a eles.

A mãe chora como um animal ferido, e tia Karen passa o braço em volta dela. Matt tinha ligado para a tia antes de qualquer outra coisa e lhe dissera que eles iam precisar dela. Ele não precisava dela, mas precisava de alguém para cuidar da mãe, porque ele não podia.

Matt não conseguia consolar a si mesmo, como diabos conseguiria consolar a mãe? Até respirar doía. Até piscar. Até continuar vivo.

A mãe e a tia estão no meio do cômodo, abraçadas. Três policiais ainda perambulam pelo hospital. Matt gostaria que eles fossem descobrir o que aconteceu com Eric em vez de ficar ali observando sua dor, como se isso, de algum modo, os alimentasse.

Sua mãe soluça enquanto a tia repete:

– Eu sei. Eu sei. Eu sei.

Tudo o que Matt sabe é que o irmão está morto. Ele se foi. Matt se deixa cair na poltrona no canto do quarto, apoia os cotovelos nos joelhos e tenta fazer seus pulmões aceitarem o ar que ele inspira.

Fica assim um tempo. De olhos fechados. Tentando se acalmar, mas não consegue.

Ouve a mãe chorando, ouve a tia consolando-a, ouve seu coração se partindo. E a distância ele ouve o bipe da máquina que força o ar a entrar nos pulmões de Eric.

Matt inspira.

Matt expira.

No ritmo da máquina.

É tudo que pode fazer. Respirar. Mas nem mesmo isso parece normal.

Fecha os olhos e quase cai no sono pela primeira vez desde que tudo aconteceu. É acordado por vozes.

Há uma senhora de terninho dizendo algo à sua mãe. Não quer ouvir, mas a mãe chora ainda mais. O que eles poderiam dizer, além do que já foi dito, para fazê-la sofrer mais? O olhar da tia o convida a se aproximar. Os olhos verdes dela, tão parecidos com os da mãe, têm mais alma, mais vida. Ela não tinha perdido o marido e o filho. Ele para ao lado da mãe.

– Não – a mãe diz. – Não.

– O quê? – ele pergunta.

A mulher concentra-se nele.

– Sou do centro de transplante. Eu sei que isso é muito difícil, a perda de vocês é muito grande, mas vocês têm a chance de salvar...

– Sim – ele diz antes que a mulher termine a frase.

No fundo da sua mente, ele se lembra de Leah e de outras pessoas que teriam uma segunda chance na vida. Mas seu coração dói demais para pensar nela; ele só sabe que Eric queria isso.

– Mas eu não vou conseguir viver sabendo que meu filho...

– Pare com isso, mãe! Eric queria ser doador. Você não pode negar isso a ele.

– Eu não vou deixar que façam isso.

Matt tenta encontrar paciência. Respira fundo, mas não adianta muito. Joga as mãos para cima.

– Eric e eu optamos por doar nossos órgãos quando tiramos a carteira de motorista. Ele disse que queria fazer isso. Não vou deixar você impedir.

– Ele nunca me disse nada.

Ele poderia ter dito se você saísse do seu quarto. Graças a Deus Matt consegue não dizer o que sente. No fundo, sabe que a culpa não é da mãe, nem de Eric.

– Bem, ele disse para mim. Está na carteira de motorista dele. – Olha para a mulher e vê que ela tem uma cópia do documento em sua prancheta. Pega a prancheta da mão dela e mostra à mãe.

Então volta a olhar para a mulher de terninho.

– Sim. A resposta é sim.

A mãe balança a cabeça, vira-se e se joga nos braços da irmã, soluçando.

O primeiro beijo está prestes a acontecer no romance que estou lendo. O telefone toca. Não é ele, digo a mim mesma.

Ouço o som do telefone novamente. Franzo a testa, agora completamente esquecida da história. Não tanto por causa do telefone, mas da esperança que não vai morrer. Já faz um mês.

Nem é meu celular que está tocando. Ele não ligaria para o telefone fixo da minha casa.

Então começo a pensar em cada motivo por que ele não teria ligado. Ele perdeu o número do meu celular. Antes de ligar, ele queria ter certeza de que meus pais não ficariam contrariados se ele me ligasse. Sim, infelizmente, mesmo depois de todo aquele tempo, cada vez que um telefone toca, eu prendo a respiração e espero minha mãe chamar meu nome e dizer que é para mim. Eu me permito desejar algo que não deveria.

– Leah! – A voz da minha mãe soa pelo corredor. Eu prendo a respiração, fecho o livro e olho para ela parada na porta do meu quarto. Ela está com o telefone na mão. E um olhar estranho no rosto. A esperança vibra no meu estômago como uma borboleta batendo as asas pela primeira vez.

– É para mim?

Ela assente com a cabeça.

Um sorriso que aquece meu peito. Eu me levanto e estendo a mão para pegar o telefone. Estou tremendo por dentro. Tento pensar no que dizer. Não quero parecer muito ansiosa, mas... Minha mãe não se move.

– Me passa o telefone.

Ela pisca.

– Nós... Você. Há um coração disponível.

A voz dela soa como se ela tivesse inalado gás hélio.

Não é Matt ou Eric. É... Tento digerir o que ela disse. Então é como se o tempo parasse. O ar que vem do meu ventilador de teto de bolinhas cor-de-rosa sopra na minha pele nua e sinto os pelos dos meus braços se arrepiarem.

– Tem certeza? – Balanço a cabeça, certa de que se trata de algum engano.

– Tenho.

– Merda – deixo escapar, percebendo que falei em voz alta. Meus joelhos começam a ceder e eu os travo. Meus planos não incluíam... sobreviver. Não que seja uma mudança indesejada; é só uma enorme mudança. Uma mudança que inclui... serrarem meu peito ao meio outra vez.

Caio de costas no colchão. A lembrança me tira de órbita. Me deixa atônita. Entorpecida. Ah, merda! Estou apavorada.

Minhas mãos tremem.

Mamãe sorri e chora ao mesmo tempo.

– Vamos? – Ela esfrega as mãos na lateral das calças. Para cima. Para baixo. Para cima. Para baixo.

O movimento está me deixando tonta, mas não consigo desviar o olhar. Eu não posso...

— Nós temos que ir. Eles querem você lá em uma hora e meia. Eu estou ligando para o seu pai. Pegue sua mala no guarda-roupa. Você vai ganhar um coração, filha! Você vai ganhar um coração.

Eu me sinto entorpecida e pesada, como se tivesse muita emoção no meu peito. Pego a bateria extra, que está carregada e pronta para uso. Coloco-a na mochila. Calço o tênis. Eles parecem muito apertados. Como se pertencessem a outra pessoa.

Em menos de cinco minutos estamos a caminho. Papai trabalha perto de Houston. Ele vai nos encontrar lá. Mamãe continua falando. Eu paro de ouvir. Olho pela janela e observo o mundo passar. Carros. Árvores. Casas. Pessoas.

Gostaria de ter me lembrado de trazer um livro. Algo para me ajudar a esquecer esse medo.

— Vai ficar tudo bem — diz mamãe quando estamos a alguns quilômetros do hospital, e estou quase certa de que ela já disse isso umas cem vezes até agora.

Quero acreditar nela. Eu realmente estou tentando. Tento não me lembrar das estatísticas de quantos não sobrevivem à cirurgia. Tento não pensar na pessoa que acabou de morrer. A pessoa cujo coração vai ser colocado no meu peito.

Eu me pergunto quantos anos ela tinha? Me pergunto se alguém está chorando por ela. Então minha visão fica borrada e percebo que estou chorando. Chorando por ela. Chorando porque estou com medo. Chorando porque, se algo der errado, vou morrer. Hoje. Eu poderia morrer. Hoje.

Não estou pronta. Talvez eu tenha me enganado quando aceitei isso. Ou talvez seja só porque não completei ainda minha lista de coisas a fazer antes de morrer. Não me formei ainda. Não li cem livros. Não descobri se beijei Matt ou Eric.

Não vivi o suficiente.

Matt está no corredor, encostado na parede. Ele ignora as enfermeiras, os médicos, os ruídos do hospital, os cheiros. Sua mãe e sua tia entraram no quarto para se despedir de Eric. Elas saem parecendo muito mais velhas do que quando entraram. Ele diz a elas para voltarem ao hotel.

Ele quer dizer adeus ao irmão sozinho. A mãe argumenta. Então, seus olhos tristes encontram os dele e ela cede.

Elas começam a se afastar, mas a tia dá meia-volta e o abraça.

– Tem certeza de que você está bem?

Não há como estar bem, mas ele se força a mentir.

– Sim.

Ele as observa caminhar pelo longo corredor, suas silhuetas ficando cada vez menores. Só quando elas desaparecem no final do corredor, ele entra no quarto do irmão. É como se seus pulmões estivessem cheios de algum líquido. Ele se senta numa cadeira ao lado da cama. Mas não consegue olhar para Eric.

A máquina emite uma sucessão de bipes e solta vários zumbidos. Por fim, ele se força a observar o peito do irmão subindo e descendo.

– Oi – diz Matt. Não acredita que o irmão possa ouvi-lo. Ou talvez possa. Olha para o rosto de Eric, quase totalmente enfaixado. "Lesão muito grave", disseram os médicos.

De olhos fechados, Matt fica ali, o coração batendo no ritmo da máquina. Tum-tum... Tum-tum... Tum-tum... Depois de um minuto, ou talvez dez, abre os olhos e vê o irmão. É ele, mas não é. Sua personalidade, sua essência se foram.

Ao consultar o relógio na parede, percebe que seu tempo se esgotou.

– O que aconteceu, Eric? – O maldito nó na garganta fica mais apertado. Os olhos se enchem de lágrimas. Ele toca a mão do irmão e prende a respiração quando sente que está fria.

Dá uma olhada para trás para ter certeza de que ninguém está parado na porta. Então se levanta e se aproxima do irmão.

– Você me disse, quando papai morreu, que tínhamos que continuar a viver por ele. Bem, agora eu tenho que viver por vocês dois. Não vai ser fácil.

Matt passa a mão no rosto. Seu peito está tão apertado que ele tem certeza de que vai explodir.

– Eu não sei como vou ficar sem você.

A voz está trêmula.

– Vou tentar. Vou fazer o que é preciso pela mamãe. – Ele faz uma pausa. – Mas estou chateado com ela agora. Se ela não tivesse... Sei que você não fez isso. E não vou parar de tentar descobrir quem fez. Eu prometo. Agora, vai dar umas voltas por aí com o papai. Diga a ele que eu o amo.

Matt ouve um leve rumor e olha para trás. Uma enfermeira está parada na porta. Seus olhos estão cheios de lágrimas. Ela vai até ele como se fosse abraçá-lo, mas ele estende a mão, afastando-a.

Ele sai correndo da UTI e encontra uma sala vazia. Deixa-se cair numa cadeira, enxuga as lágrimas e tenta recompor o que sobrou de sua alma dilacerada.

Reclina-se na cadeira, fecha os olhos e tenta se acalmar. Olha para a escuridão das pálpebras e deixa os pensamentos flutuarem para longe, sentindo-se tão cansado que talvez pudesse dormir alguns minutos...

Talvez.

Ele deixa os ombros relaxarem. Está quase dormindo quando vê e sente de novo. Vê Eric correndo entre as árvores. O medo oprime seu peito, o medo do irmão. Sente que alguém o persegue. Quase pode ouvir os passos golpeando o chão atrás de si. Quem? Quem iria querer ferir Eric?

Matt fica de pé e passa a mão no rosto. Sente Eric. Sente-o ali, ao lado dele.

– Você está tentando me dizer alguma coisa?

Espera por uma resposta e depois... Preocupa-se com a possibilidade de estar enlouquecendo.

Sem saber no que acreditar, vai para o carro. O calor adere à sua pele. O ar parece espesso. O suor lhe escorre pela testa. Ele enfia as mãos nos bolsos do jeans e pensa na mão fria de Eric. Olha ao redor e percebe que não sabe onde está, não sabe onde está seu carro. Fica parado ali. Fecha as mãos dentro dos bolsos e se lembra de que estacionou em frente ao pronto-socorro. Começa a andar rapidamente para lá, num labirinto de carros estacionados; quer sair logo daquele ar sufocante.

Um barulho de vozes próximo chega até ele. Algo familiar nas vozes faz com que procure de onde elas vêm. Vê a garota de cabelos castanhos com sua mochila duas fileiras de carros à frente. Leah e os pais dela. Os joelhos dele ficam bambos e quase se dobram. Seu olhar permanece sobre ela, no jeito como ela anda, um pouco devagar, os ombros caídos como se estivesse carregando peso demais. Não só um peso físico, mas emocional.

O ar fica entalado na garganta de Matt.

Eles estão entrando no hospital.

Então, de repente, ele sabe. Leah McKenzie vai ficar com o coração de Eric. Eric queria isso. Matt queria isso. Um sentimento que ele não consegue identificar toma conta de seu peito já tão cansado. Leah vai começar a viver. Eric está morto. Isso parece tão injusto...

Ele espera que os três entrem no hospital antes de ousar dar um passo. Então corre para seu carro.

Sentado no banco do motorista, ele segura o volante, como se, agarrando-se a ele, estivesse se agarrando também à sua sanidade. Dez minutos depois, ele ainda está agarrado ao volante.

Não tem pressa de ir embora. Fica sentado ali, tentando arrumar tudo o que está sentindo num pacote pequeno e bonito. Mas é impossível. Nem a morte do pai machucou tanto assim.

4

Eu não quero fazer isso!

Lágrimas. Abraços. Beijos. Depois, a enfermeira me diz o que me aguarda quando eu acordar da cirurgia.

Se eu acordar.

Minha mãe segura minhas mãos. Aperta com força, mas não o suficiente para me acalmar.

— Você vai ficar com um tubo na garganta, assim como na outra cirurgia — continua a enfermeira do setor de transplantes. — Você lembra?

Como se eu pudesse esquecer o que é acordar engasgando, sem poder engolir, ou a dor no peito que tinha sido serrado ao meio. Ainda assim me forço a fazer uma expressão corajosa pelo bem dos meus pais. Percebo a dor no rosto deles. É pior do que a minha.

— Só mais alguns minutos. — A enfermeira começa a manobrar minha maca.

Eles estão prestes a me levar para a sala de cirurgia e a pitada de coragem que eu tinha se esvai. Engulo as lágrimas. Não acho que eu possa largar a mão da minha mãe.

Começo a tremer. Eu preciso dizer algumas coisas a meus pais. Coisas que andei adiando. Começo a falar rápido.

– Eu amo vocês e sei tudo que têm feito por mim. Nenhum dos sacrifícios me passou despercebido. Se...

– Pare – mamãe grita, as lágrimas escorrendo no rosto pálido. Seus olhos verdes parecem grandes demais, com sofrimento demais. – Você vai ficar bem.

– Eu sei – minto. Meu pai também está com lágrimas nos olhos. Ótimo. Agora eu vou chorar.

– Precisamos ir – diz a enfermeira. Mas logo em seguida o anestesista entra na sala e se aproxima da maca. Ele já se apresentou. Sorri para mim.

– Pronta para começar vida nova?

Eu faço que sim, mas ainda não tenho certeza.

– Vou aplicar isso aqui em você para ajudá-la a relaxar – diz ele com uma voz reconfortante. Ele tem cabelos escuros e olhos castanhos suaves. Ele me lembra... Matt.

O homem enfia uma agulha no meu acesso venoso. Uma corrente fria e formigante corre pelo meu braço e sinto como se alguém estivesse estendendo um cobertor quentinho sobre mim. Meus medos flutuam para longe como vapor.

Mamãe me beija. Papai se inclina e sussurra:

– Eu te amo, boneca.

As palavras dele são a última coisa que ouço. E a última coisa que vejo é mamãe e papai olhando para mim enquanto me afasto na maca. Mamãe está chorando e limpando as mãos no jeans. Papai está sorrindo, mas também tem lágrimas nos olhos.

A última coisa que sinto é uma lágrima deslizando. A última coisa que penso é *Eu não quero morrer*. Eu quero viver. Nem tanto por mim, mas por eles.

Dor. Dor. Dor. Sinto como se alguém tivesse me serrado ao meio, mas, pensando bem, eles serraram mesmo. Quase dou as boas-vindas à dor, porque sei que isso significa que estou viva.

Mas fico no *quase*, porque dói pra caramba. E eu quero mesmo é que a dor vá embora.

Tento engolir. Não consigo. Engasgo. Lembro que é o tubo do oxigênio. Digo a mim mesma para não lutar contra isso. Para relaxar a garganta. Eles não vão tirá-lo até saber que consigo respirar sozinha.

Relaxe. Relaxe. Relaxe.

Uma voz profunda, distante, enche meus ouvidos. Não tenho certeza se é alguém de fato distante ou só mentalmente distante. Mas acho que está com raiva. Não consigo entender o que está dizendo. Mas acabei de fazer uma cirurgia. Por que alguém estaria com raiva de mim?

Tento abrir os olhos. É muito difícil, minhas pálpebras parecem inchadas e pesadas. Espero ver as paredes brancas da sala de recuperação, uma enfermeira pairando sobre mim. Espero ouvir o sinal sonoro dos monitores. Espero sentir no ar um cheiro amargo e adstringente.

Nada é como eu esperava.

Eu vejo árvores com folhas da cor da primavera voando sobre mim.

Sinto o cheiro de terra úmida e da noite. Sinto cheiro de medo.

Estou correndo na mata. Meu coração está batendo na garganta. Eu caio. O sabor acre de puro terror explode em minha boca.

Dor. Dor. Dor.

Não no peito, na minha cabeça. Tudo que vejo é luz. Luz branca. Luz brilhante. Merda. Estou morrendo?

Tento gritar. Não posso.

Então tudo desaparece. O pânico. A dor na cabeça. E de repente eu não estou mais lá. Estou aqui.

Sinto o cheiro de hospital. Vejo as paredes brancas. Sinto a dor... no peito. Os bipes do monitor enchem meus ouvidos.

A enfermeira está ao meu lado. Ela sorri.

– Está tudo bem. Apenas relaxe. Você está indo bem.

Fecho os olhos e me deixo vagar para longe. Não de volta para a floresta, mas de volta para o nada. Eu não sinto dor ali.

Horas depois, não sei se são duas da tarde ou duas da manhã, acordo em meio a um bosque novamente. Correndo, assustada. Alguém diz meu nome. Eu pisco. Estou de volta ao hospital. Alguém segura minha mão. Eu reconheço esse toque. Mamãe.

Olho para o lado. Mal posso virar a cabeça, pois há tubos entrando e saindo de mim por todos os lugares.

Minha mãe e meu pai estão sentados ao lado da cama.

Eles parecem péssimos. Cansados. Assustados. Mas felizes. Eles sorriem. Eu não posso sorrir, mas sei quanto isso vai significar para eles, então tento. Espero que eles possam pelo menos ver o sorriso nos meus olhos.

Ouço o sinal sonoro do monitor marcando meu batimento cardíaco.

Correção. Não é o meu coração.

Mas ele bate no meu peito. Está me mantendo viva.

Será que se sente em casa? Sente falta de seu antigo dono? Será que ele mudou alguma coisa em mim? Será que vou me sentir eu mesma? Vou amar do mesmo jeito?

Lembro-me de que disseram algo sobre isso nas aulas de transplante que fiz para estar na lista de candidatos. Infelizmente, não guardei a informação. Não achei que conseguiria um coração.

Em meio à dor e à incerteza que marcam toda essa minha vida duvidosa, um pensamento me ocorre. Eu vou viver.

Eu não vou apenas me formar no Ensino Médio. Eu vou ler mais de cem livros. Vou sair com garotos outra vez. Vou experimentar mais beijos de deixar os joelhos bambos.

Eu posso parar de me resignar e começar a ter esperança. É permitido agora.

De repente, mal vejo a hora de me curar. Eu quero começar a viver.

Estou cansada de morrer.

– Eu trouxe flores pra você também, mas eles levaram embora – se queixa Brandy. – Eu ia brigar se tentassem levar isto também. – Ela me entrega um livro.

É de uma autora de ficção fantástica que nós duas adoramos.

– Uau! Quando foi que saiu?

– Na semana passada.

– Obrigada. Vou começar hoje. Vai ser bom ler uma história sobre um amor vampiro. – Olho para ela sorrindo.

– Você é alérgica a flores agora?

– É por causa do pólen, mas obrigada de qualquer maneira.

Esta é a primeira vez que a vejo desde a cirurgia, mas mamãe me disse que ela não sai do hospital desde então. Ela também me disse que elas se abraçaram e Brandy chorou. Ela é esse tipo de amiga. Como um bom band-aid, ela cola na gente.

Eu a vejo pôr uma mecha loira atrás da orelha. Deve estar deixando o cabelo crescer. Reparo que está vestindo a camiseta roxa que lhe dei de aniversário com a inscrição: "Leitora Compulsiva". Ela adora roxo e lê tanto quanto eu.

De repente, Brandy para e olha para mim.

– Você parece tão bem... Eu estava preocupada, achando que você talvez... fosse parecer doente.

– Você parece bem também. Está deixando o cabelo crescer.

Ela revira os olhos.

– Brian quer ver como eu fico de cabelo comprido. Eu disse que iria deixar crescer, mas já decidi que vou cortar de novo. Nenhum namorado vai me dizer como devo usar meu cabelo.

Eu solto uma risada.

Ela continua me encarando.

– Eu não sei se é a sua pele corada apenas... Você está parecendo mais você mesma de novo. Não tem nada a ver com isso. Mas... Tenho que te dizer uma coisa. Não me leve a mal. Mas você tem que parar de usar cor-de-rosa. Não é a sua cor.

Eu dou risada outra vez.

– É, a minha mãe tem mania de rosa.

Um dia desses vou ter que dizer a ela que não gosto muito dessa cor. Há dezenas de balões de hélio cor-de-rosa e cor-de-rosa com bolinhas amarrados a uma cadeira no canto do meu quarto muito pequeno, muito branco e muito estéril. Mamãe até me comprou uma nova manta rosa, para o caso de eu ficar com frio. E o novo pijama que ela me trouxe combina perfeitamente com os balões.

E isso sem contar o que ela fez com o meu quarto em casa da última vez em que fiquei internada. Parece até que uma garrafa de groselha explodiu lá dentro.

Uma das máscaras brancas retiradas do dispenser colocado na porta do meu quarto está pendurada no pescoço de Brandy. Eu garanti que ela não tem que usar máscara se não estiver doente. O médico me autorizou a dizer isso às pessoas, mas sei que, se mamãe entrar, ela vai ter um chilique. Felizmente, ela não vai chegar tão cedo.

– Eu me sinto muito bem – digo a ela. E não é nenhuma mentira. Os remédios estão me deixando meio enjoada e ainda sinto dor, mas faz apenas nove dias que passei pela cirurgia. Posso até ir para casa em alguns dias.

Mamãe até já mencionou a possibilidade de eu logo voltar a frequentar a escola. O médico recomendou que eu esperasse até janeiro. Eu concordo que devo esperar. Não porque tenha medo de não me sentir saudável o suficiente, mas, para ser sincera, porque estou apavorada. Não vou à escola há mais de um ano. Quando voltar, realmente quero me sentir como eu mesma de novo.

– Trent mandou um beijo – diz Brandy, a boa notícia iluminando seus olhos verdes.

– Sério? – pergunto. A única razão que me levou a terminar com ele foi o fato de eu estar morrendo. Trent me fazia feliz. Eu gostava dele. Gostava da personalidade dele. Gostava do sorriso dele. Gostava dos beijos. Mas não como gostei do meu último beijo. Por mais louco que seja, mesmo depois de mais de um mês, ainda não consegui esquecê-lo.

A porta se abre e a dra. Hughes, minha cardiologista, entra no quarto.

– Como está minha paciente favorita? – Ela pergunta tirando o estetoscópio do bolso do jaleco branco. Ela é alta e esguia. Eu gosto dela. Como não poderia? Ela chegou até a levantar a blusa para me mostrar a cicatriz que tem no peito, da cirurgia que precisou fazer para colocar uma válvula cardíaca quinze anos atrás.

– Tudo bem – sorrio. – Brandy – eu digo, apontando a dra. Hughes –, esta é minha médica favorita.

– Preciso sair? – Brandy pergunta, o tom incerto e o medo em cada palavra.

– Não – diz a médica. – Vou apenas auscultar o coração e dar uma olhada na incisão.

– Não quero ver nenhuma incisão. – Brandy corre para fora do quarto como se estivesse sendo perseguida por um psicopata.

A médica olha para ela e retorce a boca em desaprovação.

– Adolescentes – diz, como se eu também não fosse uma.

– Ela é supersensível, mas não sai do meu lado – justifico, defendendo minha amiga. – Vem me ver de três a quatro vezes por semana.

– Então vou perdoá-la. – A médica aponta para os meus pés cobertos pelo lençol. – Quem é hoje?

– Acho que o Dumbo. – Tiro o lençol, expondo minhas pantufas e mexendo os pés.

– Amo essas suas pantufas – diz sorrindo. – Você é uma figura. – Ela se aproxima um pouco mais. – Como está a respiração?

– Tudo bem. – Eu faço o exercício de respirar fundo e depois normalmente.

Ela me pede para desabotoar a blusa. Eu quase não ligo mais de mostrar os peitos. Acho que todo mundo no hospital já os viu. Eles tentam cobri-los com as laterais do pijama quando me examinam, mas nunca dá certo, o pijama sempre escorrega. Peitos são escorregadios.

Eu quase me despi para o sujeito da faxina outro dia. Ele entrou no quarto e, pensando que era alguém que precisava checar a incisão, comecei a desabotoar a blusa. Se fosse Mardi Gras, eu já teria ganhado uma fortuna em contas coloridas.

– Parece que está mesmo tudo bem – diz a dra. Hughes. – Sua mãe conseguiu o creme que pedi a ela? Você pode usá-lo daqui a uma semana, para ajudar com as cicatrizes.

– Sim. Ela me disse que sim. – Olho para a linha vermelha entre os meus peitos, depois para a cicatriz onde estava o tubo do dreno e para a outra onde o meu coração artificial estava conectado. Eu pareço um espantalho. Toda remendada. As cicatrizes não são bonitas, mas é um preço pequeno a se pagar para ter um futuro. E se minhas cicatrizes ficarem tão imperceptíveis quanto a da dra. Hughes, quase ninguém vai notar.

A médica fecha minha blusa.

– Os sonhos e as dores de cabeça diminuíram?

Abotoando a blusa do pijama, olho para ela e franzo a testa. O sonho que me fez acordar depois do transplante continua. Não se passa uma noite sem que eu não acorde assustada. Cada vez, vejo um pouco mais. Tenho certeza de que ouço uma voz ao fundo também. Quase posso distinguir o que está dizendo. Quase.

– Não – respondo. – Mas a enfermeira do transplante disse que provavelmente não vou ter mais depois que passar a tomar uma dose menor de esteroides.

Sonhos incomuns podem ser um efeito colateral dos esteroides que estou tomando para evitar que meu corpo rejeite o coração.

– Sim. Nós podemos baixar a dose daqui umas duas semanas. – Ela guarda o estetoscópio. – Fora isso, alguma reclamação ou elogio? Eu prefiro elogios.

Eu solto uma risada.

– Todo mundo é muito legal aqui. Minha única reclamação é que quero ir para casa. Ah, e a comida. Eles estão tentando me matar?

– Eu já vi piores. Exceto pelo bolo de carne. – Ela faz uma cara engraçada. – Vamos fazer um exame de sangue e, se estiver tudo bem, talvez quarta-feira você vá para casa.

– São três dias. Pensei que fosse daqui a dois dias.

– Isso é o que você ganha sendo simpática com as enfermeiras. Elas querem manter você aqui.

– Ok, posso começar a me comportar mal agora. Posso ser uma megera. – Eu estou brincando, mas a decepção é visível em minha voz.

– Você? Uma megera? Megeras não usam pantufas do Dumbo.

Eu finjo um sorriso. Ela vai embora. Brandy entra no quarto, em câmera lenta. Ela está com o celular na mão e franze a testa como se estivesse lendo uma notícia ruim.

– Tudo bem?

Ela continua lendo.

– O que foi?

Ela finalmente olha para mim, a expressão aturdida.

— Postaram uma coisa sobre Eric Kenner.

— O quê? — Só de ouvir o nome dele sinto um arrepio. Corrijo a postura. Quero acreditar que foi Matt quem me beijou, mas como vou saber?

— O que tem ele? — pergunto, esperando não parecer muito ansiosa, mas sinto o tremor na minha voz.

Ela arregala os olhos.

— Nossa! Então é verdade. Você não sabe?

— Sei o quê? — As palavras saltam da minha boca com impaciência.

— Ele se matou.

Eu me sento na cama e sinto uma dor aguda no peito. Meu coração, meu novo e frágil coração, começa a bater mais rápido. E isso não é bom. Respiro fundo, mas o ar parece espesso demais para eu engolir.

— Por... Espere aí. Por quê?

Ela se senta na beirada da cama. E me olha daquele jeito de quem tem uma fofoca muito interessante para me contar. Eu odeio fofocas. Ou talvez seja a morte que eu odeie.

— Todo mundo está dizendo que Cassie Chambers terminou o namoro e ele não aguentou o tranco. Mas Matt jura que o irmão não se matou. Ele está fazendo uma campanha para provar isso à polícia. Está pedindo no Facebook a todo mundo que conhecia Eric e acredita que ele não se matou para procurar o investigador encarregado do caso.

Estou tentando assimilar tudo que ela está dizendo, mas a minha mente não quer aceitar.

— Mas como... como aconteceu? Jesus, eles acabaram de perder o pai!

— Eu sei. — Brandy faz uma expressão triste.

Eu fico sentada ali, entorpecida, mas não entorpecida o suficiente. Aquilo dói.

— Quando foi?

— Há umas duas semanas. A polícia o encontrou perto do bosque, na rodovia 2920. Ele deu um tiro na cabeça com a arma do pai. Não morreu na hora. Um helicóptero de resgate o levou para o hospital, acho que para este hospital, mas disseram que ele teve morte cerebral.

Desligaram as máquinas um pouco depois disso. Todo mundo está deixando flores no lugar onde ele foi encontrado.

Meu peito está tão apertado que mal consigo respirar. Meu novo órgão está tentando lidar com minha primeira crise. Me pergunto se isso pode prejudicar a minha recuperação. Devia ter uma placa na porta do meu quarto dizendo "Proibido dar más notícias a Leah". Mas meus pensamentos vão mais longe, vão muito além de mim.

– E Matt? Como ele está? – A voz que grita no meu cérebro é tão alta que eu me encolho. E se foi Eric, não Matt? E se o cara que eu beijei e com o qual sonhei esse tempo todo estiver morto?

– Ele está mal. Quer dizer, eles eram gêmeos idênticos. Pensa, estavam juntos desde a barriga da mãe.

Outra onda de dor me agita por dentro como um tsunami. Sinto cada ponto da cicatriz arder no meu peito. Os pontos que seguram meu coração no lugar. Sinto-o batendo contra o osso do tórax. E fico sentada ali respirando, usando as técnicas que aprendi para controlar a dor e o pânico.

– Você está bem? – ouço Brandy perguntar.

– Estou – minto. – Só cansada.

– Quer que eu chame um médico? – Ela salta da cama.

– Não. – Não sei como, mas consigo fingir que não estou dilacerada por dentro.

Brandy vai para casa. Meus pais vão chegar a qualquer minuto. Pego meu celular e pesquiso o nome de Eric no Google.

O primeiro link é o anúncio do funeral. Meu peito formiga novamente. Não é que eu não tenha acreditado em Brandy. É que...

– Droga! Merda.

Como isso pode ter acontecido? Toco o link com o dedo para abri-lo, com a mão tremendo. Tudo dentro de mim está tremendo.

Leio o nome dele e a data embaixo: 5 de junho de 2001 – 15 de maio de 2018.

Meus olhos começam a ler a notícia, mas eu paro. Meus olhos voltam para a data. Para a última data. Para a data da morte de Eric.

Foi o mesmo dia da minha cirurgia. Na minha cabeça, ouço, "AB não é tão raro. Eu tenho esse sangue. Se fosse um rim, eu te doaria um dos meus". Um calafrio percorre minha espinha, desce pelos braços, pelas pernas, e me deixa eletrizada, como se eu tivesse colocado o dedo numa tomada. A incisão no meu peito começa a formigar.

Poderia ser, não poderia?

Coloco a mão no peito. Sinto a batida sob a palma da mão, como se o órgão estivesse tentando me dizer alguma coisa ou como se ele quisesse sair pela boca.

– Por favor, que não seja o coração do Eric...

5

TERÇA-FEIRA, 31 DE DEZEMBRO

É o coração do Eric.

Contemplo meu reflexo no espelho do banheiro e passo o dedo sobre a cicatriz, que ainda está vermelha e inflamada, embora eu já esteja usando o creme há sete meses e meio.

Sei que é o coração do Eric. Não só por causa do tipo sanguíneo ou da data da morte dele. Mas por causa dos sonhos.

Já faz meses e a dose de esteroides que estou tomando é quase nada em comparação ao que era antes. Mas os sonhos não apenas são mais vívidos como estão mais longos e detalhados. Eu sinto mais. Vejo mais. Sonho que estou no bosque pelo menos duas vezes por semana, às vezes mais.

Vejo os tênis nos meus pés enquanto corro. Mas os pés não são meus. São tênis masculinos... e de um número muito maior. Na noite passada eu vi minha mão. Vi o que eu tinha na mão. Era um revólver.

Não vi o que aconteceu com a arma. O sonho acaba quando vejo uma luz e sinto dor na têmpora direita. E sempre ouço a voz furiosa, embora não consiga distinguir as palavras. Minha intuição diz que não se trata da voz de Eric. Isso me faz acreditar que ele não estava sozinho.

E isso me leva a crer que talvez Matt tenha razão. Talvez Eric não tenha se matado.

Não sou tola. Li o jornal. Há muitas notícias sobre o suicídio de adolescentes. Eu sei que isso acontece. Também conheço outras pessoas que acreditam que foi suicídio. Mas meu coração, o coração de Eric, parece pensar outra coisa. Por mais bizarro que pareça, é como se ele estivesse me mostrando o que aconteceu nos últimos minutos da vida dele.

Eu realmente acredito nisso? Sim, acredito. E essa crença me assusta demais.

A única coisa que me assusta mais do que isso é pensar como vou contar a Matt. Como vou dizer a ele que estou com o coração de Eric. Como vou perguntar se foi ele quem me beijou. Como vou saber se ele me odeia porque estou viva e Eric está morto.

Matt acreditaria em mim se eu dissesse que uma parte de mim me odeia também por causa disso? Que saber que Eric morreu e eu estou viva parece errado?

Mas nada disso importa. Eu ainda preciso contar a ele.

Ele está desesperado para provar que o irmão não atirou em si mesmo. Eu sei porque leio as postagens dele no Facebook todos os dias. Não que ele saiba que sou eu. Inventei uma conta falsa no Facebook. Sou a Jenny Hamilton, de Dallas. Brandy, uma maga dos computadores, me ajudou. Ela me perguntou por que eu simplesmente não pedia para ser amiga dele.

Eu contei a ela que Matt, ou talvez Eric, veio me dar aula aquele dia.

Ela ficou brava comigo por não ter contado antes, mas superou. O problema é que ainda não contei tudo a ela. Não contei sobre o beijo nem sobre os sonhos. Especialmente não contei sobre estar com o coração do Eric. Ela vai achar que estou louca.

E se eu estiver mesmo?

Penteio o cabelo e decido deixá-lo solto. Deixo os fios castanhos caídos sobre os ombros. Então, passo uma maquiagem leve, mas quase não lembro como se faz isso. Parecer uma garota de capa de revista não é uma prioridade quando se está morrendo.

Vestida e maquiada, paro em frente ao espelho. Estou pronta? Pronta para hoje à noite e pronta para o colégio, que começa em seis dias? Não faço ideia.

Mas endireito os ombros, me encaro nos olhos e digo:

– Pronta ou não, aqui vou eu.

Vou para a festa de Ano-Novo na casa de Brandy.

A blusa vermelha de manga longa e tecido elástico me cai bem, mas não é muito confortável. O decote redondo é alto. Alto o suficiente para esconder minhas cicatrizes. O jeans se ajusta aos meus quadris. Os brinquinhos de argola prateados são os mais brilhantes que já usei. Parte de mim gostaria de usar acessórios mais marcantes, mas, quando coloco brincos maiores ou colares grossos, me sinto um pouco como uma garotinha brincando com as bijuterias da mãe.

Continuo olhando para o espelho. Pareço muito bem para uma garota que já está no seu terceiro coração. Sim, conto o artificial também. E também me sinto bem. Quer dizer, tão bem quanto alguém que está tomando imunossupressores pode se sentir.

Às vezes eles me deixam enjoada. Mas posso aguentar um enjoozinho à toa se isso significa que a minha vida não tem um prazo de validade.

Pego a bolsa, meus remédios da noite e me certifico de que não esqueci nenhum. Coloco tudo na bolsa. Fecho o zíper e tento fechar ali meus medos também.

Os médicos e a equipe de transplantes me disseram para tomar os comprimidos na hora certa e nunca, jamais, esquecê-los. Como se fosse uma questão de vida ou morte. E é. Apenas uma dose perdida e meu corpo vai ver o coração como um objeto estranho e começar a rejeitá-lo.

Saio do quarto, sabendo que minha mãe está esperando na sala em pânico. Esta é apenas a quinta vez que dirijo desde o transplante de coração.

Neste momento, não é dirigir que me deixa nervosa.

Eu quero fazer isso, quero minha antiga vida de volta, mas... Minha mãe e meu pai têm sido meu porto seguro, e estou sentindo um pouco a ansiedade da separação.

Mas tenho que aprender a viver de novo. Aprender a conviver com as pessoas. Com exceção dos meus pais, Brandy e os médicos, tenho vivido como uma eremita. Nem sempre por escolha, mas por causa de toda a preocupação com os germes.

Mas agora os médicos dizem que meu sistema imunológico está tão forte quanto sempre foi.

Está na hora. Leah McKenzie precisa enfrentar o mundo.

Encarar Matt.

Coloco a mão no estômago e tento acalmar o nervosismo que chega a me dar dor de barriga.

Quando entro na sala, mamãe e papai saem da cozinha e me sinto imediatamente culpada por estar mentindo para eles. Digo a mim mesma que não é tudo mentira. *Eu vou* à festa de Brandy, mas vou passar em outro lugar primeiro.

– Você está linda! – diz papai.

– Mais do que linda! – diz mamãe. – Onde estão seus comprimidos?

Pego a sacolinha de plástico dentro da bolsa. Sabia que ela iria querer checar. Ela abre a sacola e analisa os frascos lá dentro. Conta-os.

– Ok.

Depois os devolve para mim e estende a mão.

– Seu telefone?

– Ajustei o alarme para as oito e cinquenta e cinco; vou tomar os comprimidos assim que ele tocar – digo, mas ela ainda assim quer ter certeza. Não estou irritada, mas isso pode começar a ficar chato.

Depois de verificar se o alarme está mesmo acionado, ela me devolve o celular.

– Dirija com cuidado. E nada de abraços. Nem beijos. Você não pode pegar germes. E sei que é uma festa, mas você não pode comer...

– Vegetais crus, frutas frescas, bolo de carne. E nada de carne crua. Já sei – digo a ela. Porque como meu sistema imunológico está debilitado, sou suscetível a uma intoxicação alimentar, e certos alimentos estão proibidos. Porque podem tipo me matar.

– Deixe-a ir – diz meu pai num tom de voz solidário. – Ela tem 17 anos, não 7.

Digo isso a mim mesma. Mas a garotinha dentro de mim diz o contrário. Interiormente, tento cortar o cordão umbilical e me imaginar uma mulher adulta. Mas num segundo a imagem se esvai, porque não tem onde se apoiar.

Eu pisco, tentando me concentrar no que tenho pela frente.

Minha mãe suspira.

– Dê um alô quando chegar na casa de Brandy.

– Vou mandar uma mensagem. E, por favor, não me ligue de cinco em cinco minutos. É constrangedor. Não vejo meus amigos há um ano e meio. Não quero que pensem que vivo embaixo da saia da minha mãe.

Mamãe franze a testa e começa a me passar o mesmo sermão de sempre. Que ela me ama e eu só tenho que aceitar que ela vai ser um pouco superprotetora às vezes.

– Ela não vai telefonar – garante meu pai. Ele passa o braço em torno dos ombros dela, como se soubesse quanto é difícil para minha mãe me ver sair. E para mim também. – Mas passe uma mensagem, principalmente quando tomar os remédios, para que ela não me atormente. E esteja em casa a uma da manhã. Nem um minuto a mais.

– A uma da manhã? – protesta minha mãe, arregalando os olhos.

– Katherine – adverte o meu pai num tom de voz de quem não aceita discussão.

Ela fica calada, mas posso ver a contrariedade em seu rosto.

– Feliz Ano-Novo! – Abraço os dois e sussurro um "amo vocês" que vem do fundo do meu coração. Endireito os ombros, decidida a me reencontrar – a reencontrar meu velho eu – e deixo o meu porto seguro.

– Leve uma máscara – grita mamãe quando passo pela mesa do vestíbulo, onde ela deixa uma caixa de máscaras para as visitas. Sim, é puro exagero, mas é porque ela me ama. – Se alguém espirrar...

– Divirta-se! – despede-se meu pai, interrompendo-a.

Não olho para trás, porque sei que vai doer. Enfio a máscara na bolsa. Mas não tenho intenção de usá-la. Se alguém estiver doente, simplesmente vou embora.

Me demoro alguns minutos na varanda, para respirar e me recompor. Sinto uma agitação por dentro. É a droga da ansiedade da separação.

Eu poderia dar meia-volta. Ficar. E poderia passar a vida inteira enfiada dentro de casa. Levo apenas um minuto para encontrar coragem, e com ela a sede de independência.

Absorvendo a sensação de liberdade, marcho para o carro. O sol brilha enquanto caminho até o lugar onde meu pai já estacionou meu carro. O tempo não está tão frio quanto pensei e tiro o suéter antes de entrar no Honda. O céu está azul; a brisa calma carrega o aroma de Natal. E, de repente, me sinto feliz. *Estou viva.*

E também apavorada.

Não apenas por estar viva, mas por causa do que vou fazer: ver Matt.

Começo a dirigir em direção ao bairro dele. Mas vejo a saída para a rodovia. Para o lugar onde Eric foi encontrado.

Não sei por que sinto necessidade de ir até lá. Sem pensar muito, sigo meu impulso e começo a pegar a saída. Como se essa fosse a minha intenção o tempo todo e eu não soubesse.

Vou até o pequeno parque à beira da estrada e encontro a cruz branca cravada na terra. Meu coração está batendo rápido demais. Penso seriamente em passar reto pelo local. Mas no último minuto eu paro. Minhas mãos estão suando e o volante parece escorregadio. Fico olhando por cima do ombro, tentando visualizar partes do sonho.

Sem desligar a ignição, apenas observo. Então, vejo uma figura saindo da floresta. Meu primeiro pensamento é que possa ser Matt. Não é. É Cassie. Cassie Chambers, a namorada de Eric. Ela está chorando e não me vê à espreita.

Meu coração atinge uma velocidade vertiginosa. Por mais louco que pareça, me pergunto se Eric a vê através dos meus olhos. Se é ele que está fazendo meu coração bater como um tambor. Pensar que pode ser ele faz com que, de repente, eu me sinta extremamente triste.

Chocada, sentindo como se estivesse espionando Cassie, e preocupada por achar que não deveria ter ido até ali, piso no acelerador, esperando que ela não me reconheça nem reconheça meu carro. Mas, pensando bem, por que reconheceria? Nem sou da classe dela. Ela provavelmente nem sabe meu nome.

Dirijo até a casa dos Kenner e estaciono na rua. Quando ganhei meu carro, e antes de ficar doente, dirigia até ali de vez em quando na esperança de ver Matt. Algumas vezes eu os via, ele e o irmão, jogando basquete com os amigos na garagem.

Uma vez sei que ele me viu, porque acenou. Comentei no dia seguinte na escola. Menti e disse que estava levando uma encomenda na casa de uma amiga da minha mãe.

Fiquei muito envergonhada. Não é vergonha o que sinto agora. Minhas mãos estão agarradas ao volante se recusando a me deixar sair do carro. Meu coração bate quase no ritmo de um tema de filme de terror.

Por que estou com medo? Por que estou experimentando a mesma sensação que tenho no sonho? Um medo que, de algum modo, não parece nem mesmo pertencer a mim.

Eric está me fazendo sentir isso?

Forçando-me a soltar o volante, ligo o rádio e deixo a música me acalmar. Pratico uma técnica de respiração que uma enfermeira me ensinou no hospital, para a dor e o estresse. Meu medo diminui. Cinco minutos se passam.

Vejo a hora no painel e entro um pouco em pânico. Mando uma mensagem para a minha mãe dizendo que estou na casa de Brandy. A mensagem escrita atravessa o ciberespaço, mas ainda consegue ficar na minha consciência.

Então a verdade me assalta. Não é só a mentira espalhando culpa líquida pelas minhas veias.

É o fato de que Eric está morto e eu estou viva.

Estou muito tentada a ir embora, mas meu instinto diz que, se eu for, nunca mais terei coragem de encarar Matt. O segredo vai ficar guardado dentro de mim. E lentamente vai me envenenar.

Saio do carro e ando até a porta da frente. Ouço vozes. Há uma grande janela. Estou com medo demais para espiar. Em vez disso, só toco a campainha. Passo a palma das mãos nas laterais do jeans e paro quando percebo que adquiri o tique nervoso da minha mãe.

Vozes ecoam mais alto por trás da porta. Não, não são apenas vozes. Ouço risadas. Não esperava isso. Pelas postagens de Matt no Facebook, parece que ele está quase em depressão.

Estico o pescoço para olhar pela janela. Posso ver a sala de estar e a cozinha. Uma mulher, a sra. Kenner, acho, está ali.

Um latido de filhote de cachorro chega aos meus ouvidos, seguido por passos. De repente, não tenho certeza se foi uma boa ideia vir sem avisar. *Ah, merda! Que diabos eu estava pensando?*

A porta começa a se abrir. Minha mente implora para eu correr de volta para o carro, mas meus sapatos parecem grudados no chão.

A porta acaba de se abrir e Matt aparece. Ele tem um sorriso no rosto, como se alguém tivesse acabado de dizer algo engraçado, mas sua expressão desmorona quando me vê. Vejo seu sorriso cair e se estatelar a seus pés. Depois, a surpresa, e não o tipo bom de surpresa, faz seus olhos castanhos se arregalarem.

Sua postura fica rígida como se ele estivesse defendendo seu time de futebol. Ele olha para dentro e os latidos recomeçam. Sai apressadamente para a varanda e fecha a porta.

Não sei se é para manter o cão do lado de dentro ou eu do lado de fora.

Dou alguns passos para trás. *Mas que péssima ideia!* Meu... o coração de Eric bate na minha caixa torácica como se eu estivesse correndo uma maratona.

– Oi – Matt consegue dizer.

– Oi – repito seu cuprimento, porque não consigo pensar em outra coisa. Não consigo pensar em nada.

Nós nos encaramos por um segundo ou dois, mas o silêncio fica tão desconfortável que nós dois desviamos o olhar. Ir embora parece a melhor solução, mas tenho que fazer o que me propus. Olho para ele.

Há tantas emoções faiscando em seus olhos que não consigo distingui-las.

Não sei se, de algum modo, ele sabe sobre o coração de Eric ou se está constrangido porque me beijou e não me ligou depois. Ou talvez não saiba nada sobre o beijo porque Eric é que esteve na minha casa aquele dia.

O silêncio que paira em torno de nós fica estranho e depois beira o insuportável. Alguém precisa dizer alguma coisa e provavelmente sou eu. Mas juro que não sei por onde começar. Sim, eu ensaiei, praticamente memorizei palavra por palavra, mas agora me deu um branco.

Por fim, abro a boca e despejo as palavras.

– Eu só queria...

– Não é uma boa hora – Matt deixa escapar.

Constrangida e furiosa comigo mesma por estar ali, sinto meu rosto ficar vermelho.

– Ok. – Dou meia-volta tão rápido que é quase um rodopio e disparo para o carro. *Eu tentei. Tentei. Realmente tentei.* A culpa saiu de meus ombros. Mas por que ainda me sinto culpada? Estou viva e o irmão dele, morto.

– Leah? – A voz dele soa atrás de mim. A opção de fingir que não ouvi faz cócegas no meu cérebro. Mas não posso fingir. Paro.

Antes que me vire, ele está ao meu lado. A brisa me causa um arrepio. Está esfriando, mas não estou com frio. Estou entorpecida.

– Posso ir à sua casa daqui a algumas horas? – pergunta ele.

– Sim. – Então percebo o que acabei de dizer. – Não!

– Sim ou não? – Ele me olha confuso.

Eu estou confusa.

– Não – repito.

Ele parece preocupado com a possibilidade de que eu tenha um parafuso a menos.

– Sim. – Uma hora recupero o controle da minha boca. A explicação paira nos meus lábios. – Eu não... não vou estar em casa. Vou para uma festa na casa da Brandy.

– Brandy Hasting? – ele pergunta. – Ela ainda mora na casa em frente à de Austin Walker? Em Oak Woods?

Confirmo com a cabeça, surpresa por ele saber onde Brandy mora. Mas então me lembro de que ele e Austin são amigos.

– Posso passar lá? Não para ir à festa, só para conversar com você. Pode ser no carro ou algo assim. – As palavras dele soam apressadas. O vento as leva para longe e joga seu cabelo na testa. Está mais comprido do que de costume. E mais cacheado nas pontas. Me lembro do quanto é macio. Me lembro do nosso beijo. Lembro que ele não me telefonou. Ou será que não era ele?

O vento bagunça meu cabelo e o chicoteia em meu rosto. Prendo com as mãos os longos fios castanhos num rabo lateral e os seguro.

Nossos olhares se encontram novamente. Seus suaves olhos castanhos ainda brilham com uma emoção que não consigo decifrar. Mas encontrei a resposta que estava procurando. Eu beijei Matt Kenner. Como sei, não tenho certeza, mas aposto qualquer coisa que era ele.

O desejo de olhar para a boca de Matt bate forte, mas não fui até a casa dele para isso. Então olho para a rua outra vez.

A rajada de vento seguinte traz o perfume dele, sabonete com um picante aroma masculino. Eu me viro para ele. Está olhando para mim.

A preocupação estreita seus olhos.

– Vejo você daqui a algumas horas. – Ele enfia as mãos nos bolsos e depois as tira. Está nervoso. Por quê?

– Tudo bem.

Quase corro para o carro.

Quando olho para trás, pelo retrovisor, vejo que ele está me olhando enquanto me afasto. Sem sorrir. Sem franzir a testa. Sem piscar.

Meus pneus fritam o asfalto e, tomando carona comigo, vai a pergunta "será que ele sabe?". Matt sabe que fiquei com o coração de Eric?

6

Matt a observa se afastar. E quase desfalece antes de perceber que não está respirando. Será que ela sabe? Leah sabe que ficou com o coração de Eric? Foi por isso que ela veio?

Ou veio para dar uma bronca nele por não ter ligado. *Mereço uma bronca.*

Não ligar para Leah tinha sido um ato egoísta. Claro que Eric tinha dito para ele não ligar, mas Matt já tinha decidido fazer isso quando Eric chegou em casa aquela noite.

Sem dúvida, Matt a magoara.

Magoara uma garota que estava morrendo. Será que existe algo mais egoísta do que isso?

E provavelmente magoou outra vez agora. Fechando a porta assim tão rápido, como se sentisse vergonha por ela estar ali. Mas ele entrou em pânico. A mãe tinha sido contra doar os órgãos de Eric. E pela primeira vez, depois de uma eternidade, ela finalmente parecia estar lutando contra a depressão.

Será que descobrir que Leah está com o coração de Eric vai devastá-la outra vez?

Matt não sabe, mas não quer arriscar.

Observa o carro de Leah até ele virar a esquina. Parado ali, sente o coração tentando se esquivar dos golpes da culpa.

É errado querer que Leah saiba que está com o coração de um cara incrível no peito? É errado que, a partir do momento em que abriu a porta, tenha pensado sem parar no beijo que trocaram e imaginado como seria bom beijá-la novamente?

– Matt? – A voz da mãe o faz se virar.

Ela está de pé na porta, com um cachorrinho inquieto no colo.

– O que você está fazendo?

– Apenas dando instruções para alguém que estava perdido. – Numa escala de zero a dez, em que zero significa uma mentira ruim e dez significa uma mentira absurdamente ridícula, ele calcula que a dele deve estar entre 19 ou 20. Mentir nunca foi sua especialidade. Até recentemente. Agora ele está fazendo disso um hábito.

Ele não contou à mãe sobre sua campanha para provar que a morte de Eric não foi suicídio.

Começa a subir a calçada, arrastando junto sua culpa.

– Consegui ensiná-la a sentar – a mãe diz.

– Isso é muito bom! – Ele entra na casa e fecha a porta.

A mãe coloca Lady no chão. A filhotinha agacha bem na frente deles e, com orgulho, começa a fazer xixi no tapete bege.

A mãe ri. E ele pode jurar que aquele é o som mais agradável que ele já ouviu. Ele bem que queria ouvi-lo mais vezes. Seu pensamento diverge e ele pensa em Leah e no modo como ela riu no dia em que ele a ajudou a estudar. Como uma garota que achava que ia morrer podia rir daquele jeito?

Matt pega algumas toalhas de papel, se agacha ao lado da cachorra, aponta a mancha no tapete e diz a Lady um firme "não". Então, pega a cachorrinha e vai para o quintal.

A mãe vai atrás dele. Enquanto caminha para fora, ele levanta o queixo e tenta evitar que a cachorra lhe dê uma lambida na boca. A mãe ri.

Eles adotaram a cadelinha no Natal. Seu outro cachorro, Flops, também um labrador amarelo, morreu antes de o pai falecer.

Matt tem certeza de que adotar o filhote foi ideia da tia Karen. Ela vem visitá-los quase todos os finais de semana agora. Ele também tem certeza de que a tia está por trás da melhora da mãe. Cerca de um mês atrás ouviu as duas conversando na cozinha. Ou melhor, ouviu a tia falando e a mãe chorando. *Sei que você está sofrendo, mana. Mas o problema é que você não está vendo que não é a única. Você não perdeu tudo. Ainda tem Matt e ele precisa de você, caramba!*

Ele não gostou de ouvir aquilo. Mas, se ajudou a mãe, ele poderia tolerar. Além disso, era verdade. Ele precisava que a mãe ficasse bem.

Desde então, ele vê que aos poucos ela está mudando. Não está dormindo tanto. Está fazendo terapia. Provavelmente tomando menos comprimidos também. E começou a sair com ele para correr todas as manhãs.

– Ah! – exclama a mãe. – Ted ligou enquanto você estava lá fora. Ele disse que uns amigos vão ver os fogos de artifício. Quer que você vá com eles.

– Ele ligou no telefone aqui de casa? – Matt pergunta.

– Disse que ligou no seu celular, mas você não atendeu.

– Sim, eu ia retornar a ligação. – Na verdade, não ia.

– Por que não vai com eles? É bom começar o ano assistindo aos fogos.

– Não, prefiro ficar aqui com você.

Ela franze a testa.

– Estou pensando em sair com alguns amigos.

Uau. Seria a primeira vez.

– Você deveria ir. Vá – insiste ele.

– Eu vou se você também for.

Sabe que a mãe está falando sério. Se disser não, ela não vai sair. Ele não tem muita vontade, mas... Ah, até que seria bom. Ele precisa se encontrar com Leah, mas os fogos de artifício só começam às dez.

– Ok. Mas se você não for, vou ficar chateado.

– Eu vou. Prometo. – Ela sorri. Um sorriso de verdade. Ou ele acha que é. Mesmo que ela esteja fingindo, ainda assim é legal. O que se costuma dizer por aí? "Finja até que seja verdade." Talvez a mãe consiga voltar a ser feliz.

Talvez ele também consiga. Mas não até descobrir quem matou Eric e ver essa pessoa atrás das grades. E isso pode acontecer logo.

Cassie, que está com o pai na Califórnia desde o funeral de Eric, logo voltará para terminar o Ensino Médio. Ela não tinha atendido a nenhum dos telefonemas dele. Então disseram para ele parar de ligar. Mas agora que ela estava voltando à cidade, ele ia conseguir algumas respostas.

Algo lhe diz que Cassie sabe muito mais do que disse à polícia. Ele tem certeza de que ela sabe quem é o responsável pelo assassinato do irmão.

Estou sentada na cama de Brandy, no quarto dela, que, aliás, não é rosa. Cheguei uns dez minutos antes de contar, num tom bem casual, sobre a passadinha que dei na casa do Matt.

– Você está de brincadeira! – exclama Brandy, num tom nada casual e que só contribui para aumentar meu nervosismo.

– Só vou entrar no carro dele e conversar um pouco.

Ela sorri e esfrega as mãos tão rápido que quase vejo faíscas.

– Isso vai ser muito interessante...

– Isso não tem nada de interessante. Por favor, não dê a esse encontro mais importância do que tem.

Estou sendo sincera quando digo isso, mas preciso admitir que eu mesma estou dando mais importância do que deveria.

Estou tremendo por dentro. O que Matt vai dizer quando eu contar sobre os sonhos? Quando souber que o coração de Eric está batendo em meu peito?

A foto de Brandy e Brian na mesinha de cabeceira desvia a minha atenção e, como estou precisando de uma distração, pego o porta-retrato para olhar de perto. Eles parecem felizes. Brandy merece ser feliz.

Somos amigas desde a infância. Ela era nova na escola e eu concordei em dividir com ela as balas de goma em forma de ursinho que tinha na lancheira.

Ela comeu todas. Mas eu não podia ter amiga melhor. Embora tenha aversão a qualquer coisa relacionada a doenças e hospital, esteve a meu lado o tempo todo, mesmo depois de ter desmaiado quando viu sangue na minha camisola, depois da primeira cirugia.

Brandy soltou uma risadinha.

– Só quero ver o que Trent vai achar disso.

– Trent? – O nome dele escapa dos meus lábios como se eu estivesse me referindo a uma frieira no pé. Coloco o porta-retrato de volta na mesinha de cabeceira.

– Por que ele foi convidado?

– Porque todo mundo do clube do livro foi convidado. Porque ele ainda gosta de você e porque, como você mesma disse, ele é legal e você só terminou com ele porque achou que estava morrendo. Agora você não está mais morrendo.

É verdade, não estou mais morrendo e Trent é legal. E ele... fazia parte da minha vida de antigamente. Mas, desde que Matt apareceu na minha casa, descobri que existem caras que são mais do que... apenas legais. E que sabem beijar de um jeito que deixa nossos joelhos bambos e tiram nossos pés do chão, mesmo calçando pantufas do Pato Donald.

Embora eu queira culpar Brandy por convidar Trent, não posso. Eu mesma mandei duas mensagens para Trent pelo Facebook – só porque ele tinha me mandado uma mensagem antes, mas nunca disse que iríamos reatar.

Estava tentando recuperar a minha vida de antes. Como se estivesse experimentando a temperatura da água antes de mergulhar, por assim dizer.

Agora eu preferia manter meus pés bem secos. Mas não porque ache que Matt e eu vamos ter alguma coisa. Sei que não.

Mas... Ah! Merda! Merda! Merda! Será que Brandy tem razão? Será que Trent ainda gosta de mim? Não quero magoá-lo. Não quero magoar ninguém. Volto a me deitar na cama de Brandy e olhar para o teto.

Fico ali durante vários segundos buscando uma saída. Não encontro nenhuma. Estou num beco sem saída. Volto a me sentar na cama, com um suspiro.

– O que vamos fazer? – pergunto à Brandy, como se também fosse problema dela. Não que ela se importe em dividir o problema comigo.

Ela é esse tipo de amiga. Contamos tudo uma para a outra. Ou quase tudo.

Ela me contou que está transando com Brian. Um rito de passagem pelo qual não passei ainda, mas não vejo a hora, principalmente depois de ler cinquenta romances descrevendo quanto o sexo pode ser maravilhoso. Com a pessoa certa, é claro.

– Você não tem que fazer nada – diz Brandy. – Não está saindo com nenhum dos dois.

– Mas vou magoar Trent.

– Tudo bem, então que tal mentir? Diga que Matt está dando aula pra você, o que não seria totalmente mentira. Porque ele está mesmo. – Ela torce a boca do jeito que faz quando acha que tem razão. – Embora você às vezes se esqueça de contar à sua melhor amiga.

– Não te contei porque... Nem sei, mas não posso mentir para Trent. Já menti para a minha mãe quando disse a ela que viria direto para cá. – Me jogo outra vez no colchão de Brandy, me sentindo sem argumentos.

– Ah, então você tem uma cota de mentiras? É só uma por dia? – O sorriso malicioso de Brandy é tão genuíno que não consigo ficar brava.

– Mais ou menos – respondo.

– Espere aí – diz ela. – Que horas você disse que Matt vai chegar?

– Ele disse daqui a duas horas, então vai ser umas cinco e meia.

– Problema resolvido. A festa só vai começar lá pelas seis ou seis e meia.

Eu me sento na cama e começo a pentear os cabelos com os dedos. Cabelo de quem acabou de levantar da cama não é algo que eu aprecie e já usei esse estilo por tempo demais. A nova Leah usa maquiagem e penteia muito bem o cabelo.

– Então é uma mentira por dia, certo? – A pergunta de Brandy é cheia de malícia.

Confirmo, com suspeita.

– Então me deixe fazer só uma perguntinha. O que aconteceu de fato entre você e Matt Kenner? E não me diga simplesmente que ainda está a fim dele, porque não é só isso. Vejo em seus olhos cada vez que fala o nome dele.

Inspiro e tento decidir quanto eu conto a ela e quanto mantenho em segredo.

– Tudo bem, mas você não pode contar a ninguém.

– Não posso contar a ninguém o quê?

Respiro fundo e coloco a mão no peito.

– Tenho certeza de que este coração é de Eric.

Com vinte minutos de atraso, Matt estaciona em frente à casa de Austin, depois atravessa a rua correndo, até a porta de Brandy.

Não há nenhum carro estacionado na frente da casa. Com exceção do carro de Leah. Que horas será que começa a festa? É quase noite quando ele põe o pé na calçada. As luzes dentro da casa estão acesas. Quando se aproxima da varanda, a porta da frente se abre.

A luz da sala incide sobre Leah e ela sai na varanda com uma aura dourada em volta do corpo que a faz parecer quase irreal. Ele para. A porta se fecha e agora está escuro outra vez. A luz da varanda se acende, iluminando Leah. Ela continua andando na direção dele. Está tão linda que a respiração dele fica presa na garganta.

Ela para a alguns centímetros dele.

– Você disse que a gente podia conversar no carro.

– Claro. – Ele começa a voltar. – Quer ir tomar uma Coca ou coisa assim?

– Não, dentro do carro está bom – ela diz, atropelando as palavras. Isso e o jeito como ela esfrega as palmas no jeans revelam que está nervosa.

E não é a única.

– Tudo bem.

Eles se acomodam no banco da frente e olham um para o outro. Ele ensaiou uma desculpa, mas não se lembra das palavras. Não consegue mais se lembrar também por que disse a si mesmo que beijá-la tinha sido um erro. E não consegue lembrar por que está tão deprimido, já que existe alguém tão perfeito quanto ela no mundo.

Ele resolve simplesmente despejar tudo.

– Quero pedir desculpas por não ter ligado. É que... eu estava passando por um momento difícil e...

Alguma coisa brilha nos olhos dela. Quase como se estivesse aliviada.

– Não procurei você agora para que me dê uma satisfação. – Ela esfrega as palmas nas pernas.

Ele segura a respiração e espera que ela se explique.

– Fiquei sabendo de Eric.

A luz do carro é fraca, mas ele pode ver lágrimas nos olhos dela.

– Eu sinto muito, de verdade.

– É. – Todo mundo diz a mesma coisa a ele, mas as palavras dela parecem significar algo mais. Talvez porque ela esteja com o coração de Eric. Ou talvez não seja nada disso. Talvez a empatia dela seja maior. Leah McKenzie é algo *maior*.

– Eu... não sei como dizer – ela continua –, mas... – Ela cruza as mãos no colo, depois entrelaça os dedos. – Eric morreu no mesmo dia em que recebi um novo coração.

Ela sabe. O peito dele de repente fica vazio, como se toda emoção fosse sugada dali. E ele está esperando que ela a coloque no lugar.

– Eu... sei que eu e você temos o mesmo tipo sanguíneo. Você comentou quando foi à minha casa. Bem, você disse que tínhamos... E gêmeos idênticos...

Ela sabe.

O peito dele volta a se encher com tantas emoções que ele não consegue distingui-las.

– Eric... doou os órgãos dele? – Ela coloca uma mão no peito, sobre o coração. Sobre o coração de Eric.

Ela sabe.

– Eu vi você. – As palavras saem antes que ele possa contê-las.

– Você me viu?

– No hospital, quando eu estava indo embora. Você estava chegando com seus pais.

Uma lágrima, quase prateada sob a luz do poste da rua, molha a bochecha dela.

– Então você sabia? – O lábio dela treme.

Ele assente. A vontade de enxugar aquela lágrima faz com que ele feche a mão em punho.

– Você me odeia? – Ela morde o lábio inferior. Ele fita os dentes alinhados pressionando a carne rosa e delicada e tem o estranho desejo de dizer a ela para parar. Em vez disso, ele passa o dedo de leve no lábio inferior dela.

Ela entreabre a boca. O lábio dela é úmido e macio sob o seu dedo. Por um instante ele se distrai olhando para ela. Tocando-a. Querendo continuar tocando. Então, percebendo quanto aquilo pode parecer estranho, ele recolhe o braço.

– Por que eu odiaria você?

Ela descruza os dedos e enxuga o rosto.

– Porque estou viva e ele não.

Ele se lembra de ter sentido a mesma coisa aquele dia. E se sentiu envergonhado por ter esse sentimento. Mas ele sabe que era só a dor de ter perdido o irmão.

– Você ter recebido o coração dele não tem nada a ver com o fato de ele ter morrido. – A sinceridade era evidente na voz dele.

Leah assente. As mãos dela estão trêmulas.

Sem pensar, ele estende o braço e dá a mão a ela. A palma da mão dela é quente. Macia.

– Não há ninguém neste mundo que eu gostaria mais que tivesse ficado com o coração de Eric.

Ela olha para as mãos deles entrelaçadas e levanta o queixo, hesitante. Seus olhares se encontram e ele vê uma ligação tão grande entre eles que o assusta.

Leah desvia os olhos.

– Preciso... te dizer uma coisa, mas...

– O que é? – Ele aperta a mão dela para incentivá-la.

Ela respira fundo depois solta o ar. Ele pode ouvir. O mais leve tremor em sua respiração.

– Estou com medo.

– Medo de quê? – Ele se vira no banco para ficar de frente para ela.

– Que você ache que sou louca.

7

Desde o instante em que Matt me tocou, meu medo diminuiu. É como se algo dentro de mim me dissesse, *Não se preocupe, é o Matt.*

Engulo a saliva. Ainda posso sentir o toque do dedo dele no meu lábio. Como na vez em que ele me beijou, consigo guardar a sensação na memória por muito tempo.

Sei que só preciso começar a falar e tudo vai ficar bem. Mas como?

Olho dentro dos olhos dele outra vez e simplesmente digo:

– Depois que acordei do transplante, comecei a ter sonhos. Os médicos dizem que é um efeito colateral da medicação, mas... Acho que eles podem ter alguma ligação com Eric.

Posso ver o espanto nos olhos dele. Ouço-o respirar fundo... depois soltar o ar devagar.

Ele solta a minha mão e esfrega o rosto.

Meu medo volta com força total e tenho vontade de sair do carro. Correndo. Quero ficar sozinha.

– Eu sei o que parece, mas juro que é a única coisa que faz sentido.
– Leah, eu...
– Não estou mentindo.

– Eu sei. – Ele toca minha mão outra vez. – Eric está correndo num bosque, não é isso? Ele está com uma arma na mão?

Agora é a minha vez de ficar chocada.

– Como você sabe?

– Porque tenho os mesmos sonhos. Naquele sábado à noite em que ele levou o tiro, acordei com esse sonho. Minha têmpora direita estava latejando. Sei o que parece. Todo mundo acha que ele se suicidou e que estou em negação, mas não se trata disso. Eric não se matou. Alguém deu um tiro nele.

Eu absorvo o que ele diz, mas a esponja do meu cérebro está tão seca que isso leva um tempo.

– Acredito em você. No sonho, ouço uma voz. Uma voz de homem. E parece que ele está com raiva.

Matt arregala os olhos.

– O que ele diz? Quem é ele?

– Não sei. Ele está distante, não consigo entender o que diz.

– Você diria isso ao detetive Henderson? Talvez assim ele acredite em mim. – Os olhos dele brilham de esperança e até o momento eu não tinha percebido quanto estavam tristes.

Depois, as consequências do que ele me pede vão tomando forma na minha cabeça. *O que os meus pais vão dizer? Não contei a eles.* Não contei nem à minha melhor amiga.

– Eu... Será que ele não vai pensar que sou uma pirada? Você já contou a ele sobre os seus sonhos?

A esperança nos olhos dele se esvai. Eu me lembro de que estou viva porque Eric está morto.

– Vou fazer o que está me pedindo – prometo sem pensar.

– Não. Tem razão. Não contei a ele sobre os meus sonhos porque... ele não ia acreditar.

Ele olha pela janela do carro, como se organizasse os pensamentos. Depois volta a olhar para mim.

– Isso está assustando você?

Está.

– Não. – Minha cota de mentiras do dia acabou de ser superada. – Você tem esse sonho também?

– Sim, mas éramos gêmeos. Temos uma... tínhamos... uma ligação especial. Ah, droga! – Ele bate no volante do carro. – Alguém matou o meu irmão. E todo mundo acha que ele se suicidou. E não sei como provar que estão errados.

Ele continua a misturar os tempos verbais, às vezes falando no presente, como se Eric estivesse vivo, às vezes não.

Eu fazia isso com a minha avó.

Matt não aceita a morte do irmão. Quero consolá-lo, abraçá-lo. Mas será que sou a pessoa certa para fazer isso?

– Talvez os sonhos nos deem mais informações. – Andei rezando para não ter mais esses sonhos. Mas agora isso mudou.

– Mais informações? – ele pergunta.

Engulo em seco.

– Sim. Por exemplo, eu não via a arma a princípio. Isso veio depois. Talvez apareçam outros detalhes.

Matt passa a mão no rosto, como se quisesse afastar a dor e o sofrimento.

– Tudo o que eu vejo é ele correndo com um revólver na mão. Ele está em diferentes partes da floresta. – A voz de Matt falha. – Está apavorado. Acho que sabia que ia morrer.

A dor nos olhos de Matt é tão profunda que me contagia. Eu a sinto. Ela atravessa a minha pele. Chega à minha alma.

– Sinto muito.

– Se Cassie voltar, talvez eu encontre respostas.

– Voltar? – pergunto.

– Ela viajou depois do funeral. Foi para a casa do pai, na Califórnia. Começou até a estudar lá, mas me disseram que vai voltar para se formar aqui.

– Eu a vi hoje... no parque à beira da estrada. – A imagem dela surge na minha cabeça e o mesmo sentimento de solidão que me invadiu antes ecoa dentro de mim.

– Tem certeza? – Matt pergunta.

Confirmo com a cabeça.

– Vou à casa dela amanhã. Ela vai ter que falar comigo.

Fico sentada ali, num silêncio cheio de tensão.

– Você acha mesmo que ela tem alguma coisa a ver com a morte de Eric?

– Ela sabe alguma coisa. Está se recusando a falar comigo. Mesmo antes do funeral. Contou à polícia que eu estava ligando para ela e o detetive me disse que eu tinha que parar. Agora ela bloqueia minhas ligações.

– Talvez só esteja arrasada com a morte de Eric. Vocês eram idênticos. Isso deve... ser difícil pra ela.

Eu me lembro da aparência de Cassie ao sair da floresta. Ela estava devastada. Não acho que Cassie esteja por trás da morte dele.

– Não mais difícil do que é pra mim. Perdi meu irmão. Se ela se importasse, teria conversado comigo para tentar ajudar. E ela disse à polícia que ele não tinha ido à casa dela aquela noite. Mas ele me disse que ia. Por que mentiria?

– Você mencionou isso ao investigador? – perguntei.

– Várias vezes. Até ele está evitando as minhas ligações. Está convencido de que foi suicídio. – O desespero extravasa na voz de Matt e me invade.

– Então você tem que provar que ele está errado.

Ele olha para mim de um jeito estranho, como se de repente tivesse compreendido algo.

– Nós – ele pega na minha mão outra vez. – *Nós* temos que provar que ele está errado. Diga que vai me ajudar, Leah. Por favor.

Ele cerra a mandíbula.

– Sei que não mereço, porque não liguei pra você. Fui um idiota. Me perdoe.

Perdoá-lo pelo quê? Quero dizer, nem por um segundo me arrependi daquele beijo, mas, sim, acho que estou mais esperta agora. Você não espera por um telefonema que nunca acontece sem aprender a ser cautelosa com o que deseja.

Ainda assim, como ele poderia pensar que eu me recusaria a ajudá-lo? Estou com o coração do irmão dele. Antes que eu possa responder, alguém bate na janela do carro. Pulo de susto e solto um grito. Vejo um rosto familiar. É Sandy e atrás estão Jeremy, LeAnn, Carlos e... Trent.

— Ah, meu Deus, é você mesma? — Sandy grita e começa a dar pulinhos de alegria. Faz sinal para eu sair do carro.

Algo acontece então. Como um interruptor que é ligado. Percebo que senti falta dessas pessoas. Os motivos pelos quais os excluí da minha vida agora parecem idiotas. Como se estar à beira da morte não fosse uma boa desculpa. Uma sensação boa aquece meu peito. Eles fazem parte da Antiga Leah e eu a quero de volta.

Coloco a mão na maçaneta da porta e olho para Matt, que também está olhando para meus amigos. Pessoas que ele conhece, mas com quem não tem amizade. Está na cara que não pertencemos à mesma turma.

Por que é que de repente me sinto mais distante dele? Como se houvesse uma linha nos separando. Não a linha que divide ricos e pobres, mas a que divide as pessoas populares das não tão populares. A categoria dele e a minha.

Não posso deixar de me perguntar se os nossos mundos diferentes têm algo a ver com o fato de ele não ter me ligado. Ou foi apenas porque eu iria morrer?

— Tenho que ir — digo. — Mas, não se preocupe. Vou ajudar você.

Nossos olhares se encontram.

E por vários instantes não se desviam.

Por mais incrível que pareça, sinto como se minha vida antiga estivesse fora do carro e eu precisasse ir ao encontro dela.

Sandy bate novamente no vidro.

— Tchau. — Saio do carro. Sandy me abraça antes que eu tenha a chance de dizer a ela que não posso abraçar ninguém. Fecho a porta do carro de Matt. Trent está me olhando de um jeito estranho. Eu sorrio.

Todos começam a falar ao mesmo tempo. Já estou no meio da rua quando percebo quanto fui rude. Eu deveria ter dito algo como... *Vocês conhecem Matt Kenner, não conhecem?*

Mas ia parecer uma idiotice. Todos conhecem Matt. Mais educado seria convidá-lo para entrar. Ah, ele se recusaria. Tem seus próprios amigos e festas para ir na véspera de Ano-Novo.

Uma vozinha ecoa na minha cabeça. *Bem-vinda de volta ao Ensino Médio!* O mundo dos grupinhos, das garotas esnobes e de um idiota ocasional. Mas ainda pertenço a esse mundo. É onde vou encontrar a Antiga Leah.

Matt observa Leah e os amigos atravessando a rua. Ele reconhece todos, mas não sabe o nome de nenhum. Exceto Trent Becker. Você não esquece o nome do cara que roubou a garota de quem você gosta antes de ter uma chance de se aproximar dela.

Leah ainda estaria com ele?

– Não importa – ele diz em voz alta. Ele não está atrás disso.

Matt liga o carro, mas algo o impede de arrancar. Ele não sabe direito que emoção é aquela que brota em seu peito. Solidão, talvez? Desde a morte de Eric, está afastado dos amigos. Parece errado se divertir. Quando encontrar o assassino de Eric, talvez possa começar a viver novamente.

Ele olha para o outro lado da rua. Não é apenas solidão. Ele se sente excluído. Leah foi mal-educada ou ele é que está sensível demais?

Ele vê Trent ao lado de Leah. Sim, é mais do que solidão.

Ele não queria que ela estivesse lá. Queria que estivesse ali com ele.

Mas por quê? Então ele entende. Ela é a única pessoa a quem ele contou sobre os sonhos. A única pessoa com quem pode conversar sobre isso. E descobrir que ela está tendo o mesmo tipo de sonho... Isso deve significar alguma coisa. E, claro, ele sente... uma ligação com ela depois de saber disso.

Outra possibilidade lhe ocorre. Mais difícil. Será que é ao coração de Eric que ele se sente ligado?

Ele afasta o pensamento, sabe que já sentia essa ligação antes da morte de Eric. Leah é especial. Olha para ela pelo retrovisor, Trent está ao lado de Leah, e arranca, talvez acelerando um pouco demais. Os pneus guincham no asfalto.

A um quarteirão de distância, encontra um semáforo vermelho e fica parado ali. Repelindo as emoções, se esforçando a pensar só no que mais importa.

Eric.

Em vez de voltar para casa, vai para a casa de Cassie Chambers. Ele tem perguntas. Já faz mais de seis meses. É melhor que ela tenha respostas.

Uma hora depois, estou sentada no sofá da sala de jogos de Brandy. Metade dos meus antigos amigos está do outro lado da sala; metade está aqui. Ainda me sinto como se houvesse uma multidão à minha volta. Sinto... como se não pertencesse a este grupo.

LeAnn está falando sobre a leitura de *Grandes Esperanças*, de Charles Dickens.

– É uma chatice – digo. – Não consegui terminar.

LeAnn ofega.

– É um clássico!

– Classicamente entediante.

– Você é muito inteligente para dizer isso – diz Sandy.

Lembro-me de que, às vezes, Sandy e LeAnn são bem esnobes quando falam de livros.

– Inteligência não tem nada a ver com isso – respondo.

– Isso pode te fazer ser expulsa do clube do livro, sabia? – diz LeAnn, brincando.

Ou talvez não seja uma piada. Talvez eu não me encaixe mais no clube do livro. Mas eu fundei o clube. Como poderia não me encaixar?

– Tenho lido romances água com açúcar – deixo escapar, e não sei se é porque quero provocá-los ou por outro motivo qualquer. Mas já falei. Agora é aguentar o tranco.

Sandy solta uma risada.

– Você está brincando, né?

– Não. Encontrei uma caixa cheia de romances que pertenciam à minha avó.

– Muito bem, vovó! – diz Trent. Sinto que ele está tentando me mostrar que está do meu lado. Um pouco perto demais para estar só ao meu lado. As costas da mão dele tocam a minha e penso em Matt. O toque dele. Seus olhos tristes. Minha grosseria.

Mudo de posição. Recupero alguns centímetros no sofá.

– Não se preocupe – diz Sandy. – Vou dar uns bons livros para você ler e livrar você de todo esse lixo de amor.

Lixo de amor? Desde quando amor é lixo?

– Pensei que o clube do livro estivesse aberto a todos os gêneros.

Todo mundo me olha como se eu estivesse louca.

Trent fala:

– LeAnn concluiu que precisamos mais de cultura do que de diversão. Mas nós lemos nossas próprias coisas paralelamente. Só não contamos a ela. – Ele abre um sorriso para LeAnn.

– Acho que um livro pode ser ao mesmo tempo divertido e muito importante – digo.

– Claro! – O tom de Sandy é quase apaziguador.

Fico sentada ali, mergulhada na frustração e imaginando quanto todo mundo mudou. Então algo me ocorre. Eles não mudaram. Eu é que mudei. Primeiro tive coragem de expressar a minha opinião em voz alta. Eu não costumava fazer isso. Guardava minhas opiniões para mim mesma... se tivesse alguma.

Lembro-me de alguém escrevendo num dos meus anuários: *Leah McKenzie, que mais sabe ouvir do que falar.*

Na hora seguinte, não falo mais nada. Só me forço a ouvir. Tentando encontrar... a mim mesma.

Mas nada do que falam se parece comigo. Eu me levanto.

– Quer alguma coisa? – Trent pega no meu braço.

Não, a menos que você possa fazer xixi por mim.

– Vou ao banheiro – digo, tentando não demonstrar minha irritação e não empurrá-lo para longe.

Dou alguns passos, surpresa ao ver que Trent não me segue. Desde que cheguei, ele está colado em mim como velcro. Quase posso ouvir o barulho irritante do velcro descolando quando me afasto um pouco dele.

A ideia de estar em casa, aconchegada no sofá com um livro, me parece muito mais atraente do que estar ali, com ele na minha cola. Mas, se eu for embora, vou magoar Brandy. Ela planejou essa festa para mim. É a minha festa de boas-vindas, uma chance de eu me reconectar com a minha antiga vida.

Eu estava ansiosa por essa festa também. Que diabos aconteceu?

Avanço mais um passo e dou uma topada na mesinha de centro.

– Merda!

Todos me olham. Então percebo que eles nunca tinham me ouvido dizer "merda". A Antiga Leah não dizia "merda".

– Foi mal – murmuro, então me odeio por ter me desculpado.

É como se a Nova Leah ficasse pisando em ovos perto da Antiga Leah. Perto dos amigos da Antiga Leah.

Saio da sala. Brandy deixa o namorado pela primeira vez e me segue.

– Não há nada de errado com ela – ouço Trent dizer.

Olho para trás, sabendo que estão falando de mim. Apesar de irritada com a atenção de Trent, isso me faz lembrar por que eu gostava dele.

Ele é inteligente, carinhoso e defende as pessoas. E está ainda mais bonito do que eu me lembrava. Seus ombros estão mais largos, seus braços mais musculosos, seu rosto mais esculpido. Qualquer garota ficaria feliz de tê-lo a seu lado.

Então, por que não me sinto feliz?

Por que continuo pensando em Matt?

Brandy entra comigo no banheiro. Sentada no gabinete da pia, ela me assiste fazendo xixi. Nós desistimos de todo recato uma com a outra desde a aula de Educação Física no sétimo ano. Sempre nos revezávamos ao vestir a roupa de ginástica. Uma de nós se vestia enquanto a outra ficava de olho em Lisa, a valentona da classe, para impedi-la de abrir a cortina do vestiário e deixar que todos nos vissem nuas.

Nossa, não pensava em Lisa havia um tempão! Não quero nem vê-la novamente. Mas algo me diz que, quando a encontrar, não vou mais tolerar brincadeiras de mau gosto. Como é triste precisar quase morrer para aprender a se defender...

– Você contou a Matt que acha que está com o coração de Eric? – Brandy esfrega as mãos à espera de notícias suculentas. Ela pergunta como se a coisa toda fosse um grande barato.

Eu não acho que seja um grande barato. Na verdade, agora que sei que Matt tem os mesmos sonhos que eu, acho tudo muito assustador. É como se Eric estivesse tentando falar conosco. Como se ele quisesse justiça. Como se quisesse que *nós* fizéssemos justiça.

Mas eu não acredito em fantasmas. Ou não acreditava. Não que tenha visto um. Mas hoje, quando vi Cassie, acho que *senti* um. Senti Eric dentro de mim, até me perguntei se ele teria poder de me obrigar a fazer coisas. Como ir ao parque à beira da estrada.

Calafrios percorrem meu pescoço como aranhas minúsculas.

Então percebo que existe algo que me assusta mais do que pensar numa pessoa morta dentro de mim: pensar em mim tentando encontrar a pessoa que matou Eric.

Tenho certeza de que essa pessoa não quer ser encontrada. Tenho certeza de que, se matou uma vez, pode matar de novo. Tenho certeza de que não quero ser sua próxima vítima.

Faço uma lista de possibilidades na minha mente. Então outro pensamento me assombra.

Matt e eu passamos por uma grande provação. E se estivermos interpretando os sonhos apenas para que isso nos ajude a enfrentá-la?

E se nada disso for real?

8

— Terra chamando Leah! – A expressão de Brandy me lembra de que a pergunta dela ainda paira no ar impregnado de aromatizador para banheiros.

– Você contou a ele das suas suspeitas sobre o coração?

– Ele sabe.

– Ele sabe? Você quer dizer que realmente está com o coração de Eric? Sério?

Confirmo com a cabeça.

– Ele me viu entrando com meus pais no hospital depois... de eles assinarem os papéis da doação.

– Caramba! Isso parece roteiro de filme!

E a minha amiga ainda nem sabe de tudo... Quero contar a ela. Sobre meus sonhos. Sobre os sonhos de Matt. Mas não estou pronta. Não estou questionando a possibilidade de que toda essa questão dos sonhos nem seja real? Talvez eu só precise de tempo para entender essa loucura antes de poder contar. Mas já contei tudo para Matt. Isso parece estranho.

Os pés de Brandy balançam num ritmo impaciente, batendo contra o gabinete do banheiro. *Tum. Tum. Tum.*

– E então?

– E então nada – respondo.

– Então ele não te convidou para sair nem disse que ligaria?

A resposta a essa pergunta é um enorme "Não".

– Acho que vamos nos falar, mas não é por causa disso que você está pensando.

– E aquele beijo?

– Ele só me beijou porque eu disse que queria.

Preciso me lembrar disso também.

– E você não quer que ele te beije agora? Ele é Matt Kenner, pelo amor de Deus! Quem não quer beijá-lo? Estou com Brian, estou loucamente apaixonada por Brian, mas ainda assim quero que Matt Kenner me beije.

Pensando na minha resposta, termino de fazer xixi, me enxugo, fecho o zíper e abro a torneira da pia. Brandy salta do balcão.

Pego o sabonete.

– Nem pense em ficar de segredinhos comigo.

Enxáguo as mãos e a espuma desce pelo ralo junto com o meu pensamento racional. Não compreendo o que estou sentindo. Estou com medo de um assassino. Sentindo como se Eric estivesse parcialmente vivo dentro de mim. Duvidando de que meus sentimentos sejam reais.

– Só é diferente com ele agora.

– Porque ele não te ligou depois? – O sorriso dela desaparece. – Isso te irritou, não foi?

Caramba! Às vezes parece que Brandy me conhece melhor do que eu mesma.

– Talvez, ou talvez eu só esteja mais precavida agora. Como você disse, "Ele é Matt Kenner". E eu sou...

– Você é incrível! – Brandy diz. – Sério, todo cara nesta festa está babando por causa de você. Tive que dar uma cotovelada em Brian para ele parar de te olhar. Você está abafando com essa roupa. Acho que seus peitos ficaram maiores.

– É capaz, sim. – Agito as mãos molhadas em cima dela.

Ela se esquiva, solta uma risadinha e, em seguida, pergunta:

– Ok, então me fala de Trent?

Olho para ela.

– Nem precisa responder – ela diz entre risos. – Sua cara diz tudo.

– Não fiz cara nenhuma.

– Fez, sim. Fez cara de quem tomou leite azedo. – Ela abre o zíper, se senta no vaso sanitário, o tempo todo sorrindo para mim. – Ei, eu não estou te julgando. Estou apenas surpresa.

– Não fiz cara de leite azedo. Ele é legal, mas... não estou preparada.

Talvez eu não esteja pronta para estar aqui. Quase digo a ela como me sinto. Que não consigo mais me entrosar com todo mundo.

Mas não consigo. Eles são amigos da Brandy. Eram meus amigos também.

O que há de errado comigo?

Ela inclina a cabeça e me analisa.

– Você realmente gosta de Matt.

– Não sei o que estou sentindo. – Além do fato de me sentir mais sobrecarregada do que nunca, neste último ano. Obviamente, viver exige muito mais energia mental do que morrer.

Mais tarde, todo mundo que está na festa se divide em três carros e vai para o Walmart, assistir aos fogos de artifício. Levamos cadeiras para o gramado, cobertores e chocolate quente.

A maior parte dos fogos não começa antes das dez, mas, para garantir um lugar, chegamos lá às oito. Alguns fogos já estão estourando no céu. Todos estão admirando as cores e luzes coloridas, enquanto eu tento ignorar tudo que está fervilhando dentro de mim. Tudo sobre Eric. Tudo sobre Matt. Tudo sobre mim mesma. Sobre a sensação de não me encaixar.

Ao nosso lado está uma família com um garoto de uns 3 anos. Ele fica chutando uma bola para mim; eu chuto a bola de volta para ele. O sorriso da criança é contagiante. A mãe dele, que não parece muito mais velha do que eu, tenta fazê-lo parar, mas eu digo a ela que está tudo bem. Isso me impede de me sentir estranha sentada ao lado de Trent, que ainda está colado em mim como velcro.

Enquanto observo o garoto se aconchegar no colo da mãe, me lembro de uma coisa. Uma coisa muito louca.

Não posso ter filhos. Antes isso não me incomodava. Não tenho certeza se me incomoda agora, mas isso fica na minha cabeça. Como um chiclete preso numa mesa. Um dia vou querer tirá-lo de lá. Mas nunca terei um filho.

Afasto esse pensamento.

Percebo que são quase nove horas. O chocolate quente acabou. Preciso de algo líquido para tomar com meus remédios.

Levanto, bato no braço de Brandy, ou espero que seja o braço dela, pois ela e Brian estão tão emaranhados um no outro que não sei bem que membro pertence a quem.

– Vou ali comprar água.

– Vou com você. – Ela começa a se desvencilhar de Brian.

– Não, não precisa.

– Eu vou. – As palavras de Trent pipocam atrás de mim.

Brandy me lança um olhar de desculpa. Forço um sorriso e Trent e eu saímos. O frio atravessa minha blusa. Eu gostaria de ter pegado um casaco de Brandy emprestado. Andamos entre a multidão de pessoas e carros. O ombro de Trent roça no meu. Ele costumava fazer isso o tempo todo. Nunca foi de demonstrar afeto em público. Roçar meu ombro era a maneira de ele dizer "gosto de você".

Não quero que ele goste de mim, não desse jeito.

– Está se sentindo bem? – ele pergunta em meio aos fogos de artifício explodindo.

– Sim. – Olho para as raias azuis e vermelhas no céu.

– Os remédios não fazem você se sentir mal?

– Como você sabe sobre os remédios?

– Perguntei ao meu pai sobre transplantes. Ele disse que os remédios podem deixar a pessoa enjoada.

Tinha esquecido que o pai dele é médico. Mas o fato de Trent perguntar sobre meus remédios é outra coisa legal que faz com que eu me sinta uma megera.

– Não é tão ruim assim.

– Você já está preparada para voltar à escola? – ele pergunta.

— Acho que sim, mas vou ter que dar duro para acompanhar as aulas.

— Posso te ajudar.

Seu olhar de súplica me diz que ele está pensando na possibilidade de Matt me dar outras aulas.

— Talvez. — Outra vez a culpa me abate, porque não quero que Trent me ajude. Eu não quero Trent. Mas costumava querer. *Costumava*. De repente, percebo com que frequência essa palavra surgiu em minha mente esta noite. Por que isso é tão difícil?

Continuamos andando, seguindo o cheiro de pipoca. Tento pensar numa maneira de definir as coisas entre nós, mas não consigo. Ou consigo, mas todas elas me parecem muito grosseiras, muito cruéis para dizer a alguém que é tão legal.

O burburinho da multidão ao meu redor é alto, mas o silêncio entre mim e Trent soa mais alto ainda.

— Esfriou agora à noite, não é? – digo, só para romper o silêncio.

— Quer o meu casaco?

— Não – eu digo. Mas é tarde demais. Ele tira o casaco e o coloca sobre os meus ombros. Até arruma a gola ao redor do meu pescoço, um gesto terno e carinhoso que me deixa com raiva. Eu me sinto mal comigo mesma.

Sinto o perfume dele no casaco. Isso desperta lembranças de nós muito próximos um do outro. Nos beijando. Várias vezes nossos amassos foram intensos. Quando eu pensava que estava morrendo, refleti muito sobre isso.

Eu até queria que tivéssemos ido até o fim. Provavelmente por causa de todos aqueles romances água com açúcar que li, mas agora estou feliz que isso não tenha acontecido. Na verdade, pensar em nós dois nos tocando tão intimamente parece muito esquisito.

Parece errado. Errado e constrangedor.

— Obrigada – agradeço, quando na verdade quero dizer, *Pare. Pare de ser tão legal!*. Chegamos à lanchonete e entramos na fila.

— Quer pipoca? – Seu ombro pressiona o meu novamente.

— Não. – Abro a bolsa e afasto o ombro. – Só vou comprar água.

Engulo a raiva porque não é justo culpar Trent. Ele não fez nada. Foi um vírus que fez. A miocardite fez.

– Quer alguma coisa? – pergunto.

– Não. – Ele está muito perto de novo. – Mas vou pagar sua água.

– Não – digo bruscamente. – Eu pago.

Ele olha para mim de um jeito estranho, como se eu estivesse agindo diferente. E estou mesmo. A Antiga Leah não recusaria. A Antiga Leah aceitava tudo.

Eu me concentro no casal na nossa frente na fila, pegando refrigerantes e pipoca. Eles se viram para sair. Reconheço os dois no ato.

– Matt? – Seu nome brota da minha boca, tirando meu fôlego.

Ele para tão rápido que alguns grãos de pipoca voam para o chão. Ele me encara, agasalhada até o pescoço com o casaco de Trent.

Então vejo a garota com quem ele está, o ombro dela roçando no dele. Ela é bonita e lembra Cassie Chambers.

– Oi – diz Matt.

– Oi – repito.

– Esta é Paula. – Ele apresenta a loira. – E essa é Leah. – Ele aproxima a pipoca de mim. Outros grãos com aroma de manteiga caem do topo.

– Paula é amiga da namorada de Ted. Ela está com eles.

É como se ele estivesse tentando explicar por que está com ela. Ou talvez eu só esteja supondo isso.

Noto que ele não tenta explicar quem sou para Paula. Mas o que poderia dizer? *Leah não é ninguém importante. Ela costumava ser a garota tímida que fundou o clube do livro na nossa escola. E agora é a garota que está com o coração do meu irmão e descobrimos que estamos tendo os mesmos sonhos sobre os últimos minutos de vida dele.* Não, isso não é explicável.

O ombro de Trent se aproxima. Fica cada vez mais perto.

Deixo as mangas do casaco de Trent cobrirem as minhas mãos, como se quisesse me esconder.

– Você conhece Trent? – Eu me forço a ser educada.

Trent passa o braço pelo meu ombro. Ele raramente fazia isso em público, mesmo quando estávamos namorando. Sem pensar, eu me inclino para ele.

Ah, droga! Por que fiz isso?

A razão volta à minha consciência.

Estou com ciúme. E estou com raiva porque estou com ciúme. Com raiva porque estou usando Trent. Com raiva porque não costumo usar as pessoas. Com raiva porque a loira é muito bonita.

Os dois se cumprimentam com um aceno de cabeça. O silêncio se instala rápido demais. Até os fogos de artifício param de explodir.

A tensão faz o ar frio parecer mais denso, irrespirável. Matt se afasta da loira. Mais alguns grãos de pipoca caem no chão. O braço de Trent nos meus ombros parece mais pesado. O casaco dele, muito quente.

O casaco me incomoda. Trent me incomoda.

O que eu sinto me incomoda. Tudo me incomoda.

– Precisamos ir. – Ele dá um passo. – A gente se fala mais tarde.

– Ok.

Matt e a garota se afastam. Quando dou um passo à frente, a pipoca de Matt gruda nos meus sapatos e dou graças a Deus quando Trent tira o braço dos meus ombros.

Não digo uma palavra a ele. Se não precisasse tomar meus remédios, iria embora. Iria para casa.

Por fim estou de frente para o atendente da lanchonete e peço uma água.

Vejo um bombom e o acrescento ao meu pedido, para o garotinho que estava assistindo aos fogos de artifício a meu lado. Trent e eu começamos a voltar. Seguindo nossos passos está o silêncio desconfortável.

Estamos quase nos juntando aos outros quando não aguento mais. Paro e enfrento Trent. Uma voz na minha cabeça diz para não fazer isso, porque posso me arrepender. Em algumas semanas vou voltar a ser eu mesma, mais como a Antiga Leah, e Trent não será mais um incômodo para mim. Tudo voltará a ser como antes. E tenho certeza de que essa Nova Leah vai ficar feliz em tê-lo por perto.

Eu tiro o casaco dele. Está frio, mas me sinto livre.

– Tome.
– Pode ficar com ele. – Ele o entrega de volta. Eu não pego.

As palavras se contorcem no meu peito, depois rastejam até a minha garganta.

Vou engasgar se não disser.

– Eu gosto de você, Trent. Mas só quero sua amizade agora.

Ele faz uma cara de quem levou um soco. Ficou magoado. Eu me sinto uma megera. Não mais uma megera sem coração, mas uma megera com um coração que não me pertence. Uma vida que não me pertence.

Ele joga o casaco por cima do ombro.

– É por causa de Matt Kenner?

– Acho que não... mas não sei. Estou tentando descobrir.

– Descobrir o quê? – pergunta ele.

– Eu mesma. – Minha resposta ecoa na minha cabeça, em seguida, colide com o meu novo coração. É tão verdadeira que dói. Ela machuca porque eu não consigo me encaixar na minha antiga vida, assim como Trent não se encaixa mais na nova. Ou é o coração que não se encaixa?

Não, não é só o novo coração. Sou eu. Eu mudei.

Não tenho mais certeza de quem sou. Não tenho certeza se posso voltar a ser a Antiga Leah. E quem é essa Nova Leah? Isso é um grande mistério.

9

Todos conversam ao redor de Matt. Fogos de artifício iluminam o céu do Texas.

Ted e os outros estão rindo. Matt está encolhido numa cadeira no gramado, desejando não estar ali.

Então desiste de esperar.

– Pessoal, estou indo embora. – São só onze horas, mas e daí?

Ele não consegue parar de pensar nela. Ela com Trent. Vestindo o casaco dele.

Pelo menos desta vez ela o apresentou.

Em vez de olhar para os fogos de artifício, ele passou a última hora olhando a multidão – procurando o rosto de Leah. Quer falar com ela. Contar que a mãe de Cassie mentiu para ele, dizendo que Cassie não estava na cidade ainda. Ele quer... que Eric esteja vivo.

Mas seu motivo para querer ver Leah não tem a ver só com Eric.

Ele percebeu que sequer tinha perguntado como ela estava se sentindo depois do transplante. Como ele pôde ser tão egoísta?

Ele estaciona na garagem de casa, mas não sai do carro. O carro da mãe não está. Ela não chegou ainda.

A casa está às escuras, parece abandonada. Ele se sente abandonado.

A ideia de entrar na casa vazia faz com que ele engate a ré e saia. Não sabe para onde está indo até entrar no bairro de Leah.

Estaciona em frente à casa dela, do outro lado da rua. A porta da garagem está aberta, como se estivessem esperando alguém chegar. O carro de Leah, que ele viu na casa de Brandy, não está ali. O que significa que ela ainda está com Trent.

Uma cortina da janela da casa de Leah é puxada e alguém espreita a rua. Sentindo-se como um perseguidor, ele vai embora.

Seu coração escolhe o caminho novamente. Ele não vai para casa. Dirige em direção ao parque à beira da estrada onde Eric foi encontrado.

Os faróis do carro iluminam a cruz branca fincada ali em memória do irmão. Ele estaciona, mas não desliga o motor. Não apaga os faróis. Não reprime a dor. Não que ele não soubesse como fazer isso.

– O que aconteceu, Eric?

Fecha os olhos, e o tempo e a raiva passam. Os fogos de artifício começam a estourar no céu.

Ele sente emoções que não parecem ser dele. Medo. Frustração. Fúria.

Pensa em sair do carro e andar um pouco por ali, mas uma viatura da polícia passa com a velocidade reduzida, como se estivesse checando o carro dele.

Não querendo explicar para o policial por que está ali, ele liga o motor e arranca.

A mãe entra na garagem ao mesmo tempo que ele. Matt consulta o relógio no momento em que sai do carro. Cinco minutos para a meia-noite.

Ela o encontra na entrada da garagem. Tanto o carro do pai quanto o de Eric ainda estão estacionados ali. Assim como o velho Mustang que o pai tinha comprado para retificarem o motor juntos.

Agora todos os carros estavam estacionados na garagem.

– Chegou em casa cedo. – A mãe pousa uma mão quente em seu ombro.

– Não queria ficar parado no trânsito depois dos fogos de artifício.

Ela o fita com atenção. Ultimamente, ele reparou que ela anda fazendo isso, como se estivesse procurando algo em suas feições.

– Se divertiu?

– Sim – ele mente, enquanto entram na casa.

Lady late do seu cercadinho. Ele a deixa sair e anda até a porta dos fundos. A mãe o segue. Eles ficam ali no escuro, olhando enquanto Lady fareja em círculos. Um vaporzinho sai da sua boca no ar frio da noite.

– E você? Se divertiu? – pergunta ele.

– Sim. Fazia muito tempo que eu não encontrava meus amigos. Precisamos dos amigos.

Os fogos de artifício começam a explodir e a cachorrinha, com o rabo entre as pernas, corre até Matt e sobe em sua perna.

Eles riem. Matt pega Lady no colo, e ela enterra a cabeça sob o queixo de Matt, se escondendo do barulho. Sua respiração é quente e cheira a filhote.

Matt e a mãe olham para o céu explodindo em cores. Ela desliza a mão até a dele e a aperta. Ele sente o toque percorrer todo o caminho até o coração.

– Feliz Ano-Novo.

– Feliz Ano-Novo. – Ele aperta a mão dela também.

Eles vão para dentro e Matt põe Lady no chão. Assim que se vê livre, ela corre para a tigela, com pressa de comer o resto do seu jantar.

– Quer algo para beber? – ela pergunta.

– Não – diz ele. – Ainda vamos correr amanhã pela manhã?

– Sim, mas um pouco mais tarde.

Ela indica com a mão as banquetas do balcão da cozinha.

– Sente-se. Vamos conversar um pouco.

Isso significa que é sério. Ela não o chama para uma conversa desde antes da morte do pai dele. Embora costumasse fazer isso o tempo todo com ele e Eric. Dizia que era o jeito dela de garantir que seus meninos andassem sempre no caminho certo. Mas, depois que o pai deles morreu, ela não se preocupou mais com os caminhos em que os filhos andavam.

Ele se senta numa banqueta.

– Está tudo bem?

– Sim. – A mãe se senta ao lado dele. Ele percebe algumas rugas em volta dos olhos dela que não estavam ali antes. Ela não tem 40 anos ainda, mas parece ter mais idade. Perder quem se ama faz isso com as pessoas.

Ele aposta que também envelheceu alguns anos nos últimos meses; se não no rosto, certamente no coração.

– Você já pensou melhor na ideia de ver um terapeuta, como conversamos?

– Ainda não, mãe. Eu digo quando estiver pronto.

– Então o que acha de um grupo de apoio para pessoas que estão em luto? É um lugar onde encontramos outras pessoas que também perderam entes queridos e oferecemos apoio uns aos outros. Estou pensando em participar de um. É para todas as idades. Pensei que talvez você pudesse ir comigo.

Ele rejeita a ideia imediatamente.

– Eu não sei se isso... Acho ótimo que você vá, mas não acho que seja pra mim.

As rugas ao redor dos olhos dela se aprofundam.

– Nunca será igual depois do que aconteceu com seu pai e Eric, e o caminho da cura vai ser longo. Mas há pessoas que podem ajudar. É um fardo enorme para carregar sozinho, Matt. E você não precisa fazer isso.

– Eu sei, mãe. Vou pensar, ok? – Ele não pretende ir, mas, dizendo isso, a mãe se sentiria melhor.

Lady choraminga e ele a pega no colo. Ela se esconde sob seu queixo novamente. O focinho dela está frio. Os fogos de artifício fazem muito barulho do lado de fora. As luzes coloridas faíscam em algumas janelas.

O olhar da mãe encontra o dele. Há lágrimas nos olhos dela, mas ele vê outra coisa ali. Preocupação. Inquietação. Mas é por outro motivo. O que seria?

Ela finalmente fala.

– O detetive Henderson me telefonou.

Merda! Era sobre isso a conversa.

– Só queria que ele fizesse o trabalho dele direito – defende-se Matt.

– Ele fez o trabalho dele, Matt. Eles investigaram.

– Não! – A emoção faz com que suba o tom de voz. Ele coloca a filhote no chão e olha para a mãe. – Você mesma disse que não acreditava que Eric tivesse se matado.

Lágrimas escorrem dos olhos dela e ela as enxuga com a palma da mão.

– Isso foi antes de sabermos que foi com a arma do seu pai. Jesus! Eu não queria acreditar nisso – ela diz com a voz chorosa e a respiração ofegante. – Mas, Matt, quem mais faria isso?

– Não sei. Só sei que ele não se matou.

– Você não pode saber, Matt. – Ela balança a cabeça.

– Eu posso, sim! – Ele bate a palma da mão no balcão da cozinha. – Eu sei assim como sabia que Eric tinha quebrado o braço quando tínhamos 3 anos. Eu soube que ele tinha morrido no minuto em que aconteceu. Por que você acha que eu estava vomitando aquela noite? E eu sei que ele não se matou.

As lágrimas dela continuam a cair. Mas desta vez ela não as enxuga. Coloca a mão na bochecha dele. Está mais quente que seu rosto. O toque dela é tão terno e maternal que envia uma torrente de emoções para ele. Amor, dor, tristeza.

– Eu falhei com Eric. – A voz dela fraqueja. – Não vou falhar com você também. Não quero que você...

– Não vou me matar, mãe. – Ele cerra o punho quando sente um aperto no peito. – Isso não está nos meus planos, nem estava nos planos de Eric.

– Sei que a verdade é horrível, mas só aceitando-a vamos poder nos curar. Vamos poder seguir em frente.

– Não posso aceitar. Vou provar que Eric não se matou; depois vou me certificar de que o culpado apodreça na cadeia pelo resto da vida!

Ele vai para o quarto pisando duro, a tempestade em seu íntimo está mais forte do que nunca.

Meu despertador toca às 8h55 da manhã, na quarta-feira, o primeiro dia do ano. Com os olhos ainda fechados, desligo o alarme. Depois passo a mão pela mesinha de cabeceira, procurando o termômetro. Eu o encontro, pressiono o botão e o coloco na boca, ainda fitando o interior das minhas pálpebras.

Toda manhã e toda noite tenho que checar minha temperatura e medir minha pressão. Quando o termômetro bipa, eu me forço a abrir um olho. A temperatura está normal, então pego o aparelho de medir a pressão, ajeito-o no braço e aperto o botão. Quando ele bipa, verifico os números, anoto-os, levanto da cama e vou quase dormindo para a cozinha.

– Bom dia, Raio de Sol! – me cumprimenta mamãe.

Eu a cumprimento com a cabeça e me sento à mesa.

Meus olhos ainda estão meio enevoados. Despejo o leite no copo, pego meus comprimidos e os engulo. Depois dou meia-volta e vou para o meu quarto.

– Se divertiu ontem à noite? – papai pergunta.

Eles estavam acordados quando cheguei. Ouvi os dois conversando. Papai não deixou mamãe sair do quarto para me interrogar. Amo esse homem. Mas eu o amaria mais ainda se me deixasse voltar para a cama.

Eu aponto para o meu rosto.

– Conto tudo quando acordar.

Entrei em casa exatamente a uma da manhã. Depois fui dormir tentando descobrir quem era a Nova Leah.

Sem sucesso nessa missão, disse a mim mesma que descobriria pela manhã.

Mas quem quer começar o ano novo morta de sono?

Volto para a cama.

– Você tirou a pressão e mediu a temperatura? – grita mamãe, desacelerando meu passo.

– Estão normais – respondo ao entrar no quarto e cair de cara no colchão. Afofo o travesseiro e vejo o bloco de anotações na mesinha de cabeceira. Na noite anterior, decidi tomar notas. Toda vez que tiver um sonho com Eric vou anotar tudo.

O bloco está vazio. Não sonhei a noite passada. Volto a dormir.

Mais tarde, sinto o toque de mamãe em minha testa, vendo se estou com febre. Ela tem medo que eu rejeite o coração.

Sinceramente, não sei por que não vivo o tempo todo com esse medo. Por que tenho tanta certeza de que tudo vai dar certo, se antes do transplante não tinha nenhuma esperança? Talvez só porque não possa me dar o luxo de duvidar. Ou talvez seja porque eu me recuse a acreditar que o Universo me deu o coração de Eric para depois fazer tudo dar errado.

Enterro o rosto nas cobertas. Sinto-me cair num sono gostoso até que alguém me desperta outra vez.

– Leah? – É a voz do meu pai.

– Ela não está – murmuro.

– São onze e meia – ele diz com sua voz sempre paciente.

– Só mais um pouco...

– Tudo bem. Mas já é a segunda vez que ele aparece esta manhã.

Eu ouço o que ele diz, mas leva dois segundos para eu processar a informação. Sento-me como uma mola na cama, tiro o cabelo do rosto e aperto os olhos para bloquear o sol da manhã que entra pela janela.

– Ele? Quem? Ele quem? Ele quem? – Pareço um cuco cantando sua canção matinal. Engulo muito ar e muito rápido. Meus pulmões parecem que vão explodir. Eu me forço a respirar mais devagar. – Ele? Quem? Quem é ele?

Antes de meu pai responder, eu já sei. Perco todo o entusiasmo.

– Trent? – Afundo no colchão de espuma da minha memória e me lembro da conversinha que tive com Trent sobre "só quero a sua amizade". A imagem da mágoa nos olhos dele suga minha consciência e eu começo a chupar os dentes. Nem mesmo a Nova Leah gosta de magoar as pessoas. A Nova Leah também odeia dentes sujos, assim como a Antiga Leah. Continuo com o hábito de passar a língua neles para limpá-los.

– Não é o Trent – diz meu pai. – Sua mãe disse que o nome dele é Mark ou Matt.

– Merda, merda, merda! – Eu grito, tirando mais alguns fios de cabelo dos olhos.

Papai solta uma risada. Meu linguajar recém-adquirido não o perturba tanto quanto à mamãe.

Eu me levanto e saio da cama como um super-herói. Estou no meio do quarto, tentando pensar. *Preciso... do meu sutiã, do meu jeans. Preciso acordar!*

Penteando o cabelo com os dedos, vejo uma das minhas pantufas me espiando de debaixo da cama. Agarro um Dumbo. De pé, ainda atordoada, seguro a pantufa como a Estátua da Liberdade segura sua tocha. Nem sei ao certo por que a peguei. Então, com a outra mão, começo a esfregar o dedo indicador nos dentes como uma escova de dentes.

Diminuo o ritmo do movimento só por tempo suficiente para encarar meu pai parado na porta. Ele tem um grande sorriso nos lábios. Solta outra risada. Um riso profundo e feliz. Eu não tenho ideia do que é engraçado.

– O que foi? – Faço a pergunta enquanto movimento minha escova de dentes improvisada.

– Você. Ver você assim... normal.

Desde quando escovar os dentes com os dedos, totalmente em pânico, enquanto seguro um pé da minha pantufa de Dumbo é o meu normal?

Jogo a pantufa no chão e tiro o dedo da boca.

– Diz para ele me dar um minutinho.

– Ok. – Os passos do meu pai no final do corredor são seguidos pelo riso dele. Nunca vou entender os pais.

Sopro na mão e sinto meu hálito. Horrível. Meu dedo nunca vai substituir uma escova de dentes.

– Desço daqui a uns dez minutos. – Levanto o braço e cheiro minha axila. Nada bom! – Quinze!

Corro para o banheiro, abro o chuveiro e entro embaixo d'água antes de ela esquentar. Minha pele fica toda arrepiada. Eu não ligo.

Esse sentimento, a emoção correndo nas minhas veias, me diz que esse será o primeiro passo para descobrir quem é a Nova Leah. Quem diabos sabe se essa nova vida vai incluir Matt?

Especialmente porque ele pode ter uma namorada.

Não! Digo a mim mesma. Como no dia em que eu o beijei, aconteça o que acontecer, prometo não me arrepender.

Percebi que, se aprendi alguma coisa do fato de quase ter morrido, é que a vida é curta demais para desperdiçar sequer um segundo com arrependimentos.

Quando a água morna finalmente flui, os arrepios passam e o vapor sobe. O vidro do box fica embaçado. A pressa se desvanece e dá lugar a uma estranha calma. Pressiono a mão contra a porta. Quando a tiro dali, a condensação escorre. Minha impressão digital se torna nada além de uma mancha embaçada.

Penso em Eric. Sobre ele ter morrido e ainda assim não ter partido completamente. Estou com o coração dele.

E o meu próprio já morreu.

É por isso que não me sinto eu mesma?

Eu me pergunto se Eric sabe... se sabe que estou prestes a ver o irmão dele. Eu me lembro de me sentir triste ao ver Cassie no dia anterior. Será que a tristeza era de Eric? Ou estou imaginando coisas?

– Pare com isso! – digo em voz alta.

Então, ao me lembrar de que Matt está me esperando, saio do chuveiro e escovo os dentes enquanto cantarolo um "Parabéns a você" para contar o tempo. Não é fácil romper velhos hábitos.

Penteio o cabelo e como não tenho quinze minutos para secá-lo, eu o prendo. Vai ficar todo marcado mais tarde, mas não tenho escolha. Levo dois segundos para passar um blush nas bochechas e brilho labial. Então me visto rápido como uma modelo prestes a entrar na passarela e ansiosa para começar o novo ano e meu Novo Eu.

10

Matt engole em seco e olha para a porta da casa de Leah. Lady, na guia, está tentando se soltar. Matt está nervoso. Depois do que aconteceu na noite anterior, e sem saber o que os pais de Leah sabem, foi difícil aparecer hoje de manhã. Ainda mais difícil foi voltar pela segunda vez.

Um telefone toca atrás da porta.

A espera deixa Matt nervoso.

Se o pai dela abrir a porta e disser que Leah ainda está dormindo, Matt vai saber a verdade: ela está se recusando a vê-lo.

E, então, o que ele vai fazer?

Droga. Ela disse que ajudaria. E com a mãe agora de olho nele, pode realmente precisar de ajuda.

Por que Leah viraria as costas para ele? *Por vê-lo com Paula?*

Matt explicou que Paula não era... namorada dele, não explicou? E, pensando bem, como ela poderia estar chateada com Paula se ela mesma estava abraçada com Trent Becker e toda agasalhada e confortável no casaco dele?

Matt afasta todos esses pensamentos amargos. Leah e ele são apenas amigos.

Sim, eles se beijaram e foi incrível, mas isso foi antes. Um pensamento desagradável lhe ocorre. E se Leah tiver contado aos pais que ela está com o coração de Eric? Talvez os pais dela é que não queiram que ela o veja.

Passos soam atrás da porta. Ele fica mais ereto. A porta se abre. O sr. McKenzie, descalço e segurando um celular, apenas olha para ele.

– Desculpe, eu estava numa ligação.

Matt está esperando que ele o despache.

– Ela está se arrumando – diz ele. – Não quer entrar?

Na verdade, não. Mas ele tem escolha?

Matt se lembra de Lady. Talvez ele tenha, sim, uma escolha.

– Prefiro esperar aqui. Estou com a minha cachorra.

O sr. McKenzie olha para Lady. Um arrepio de nervoso desce pela espinha de Matt. O tipo de nervosismo que sente um garoto ao encontrar pela primeira vez o pai da garota que ele gosta. Não que seja um encontro. O pai de Leah sabe disso?

– Ele é adestrado? – ele pergunta.

– Ela. – Matt hesita. – Mais ou menos, mas...

– Então entre. Leah ainda está no chuveiro. Pode demorar um pouco.

Ele abre mais a porta.

Matt mal cruza a soleira quando o sr. McKenzie volta a olhar para Lady e diz:

– Mas se ela é do tipo que faz sujeira onde não deve, você é que vai limpar.

– Claro. – Ele pega no colo a cachorrinha, que não para quieta um segundo. Suas grandes patas amarelas não param de se mexer e sua língua rosa está ocupada tentando lamber seu rosto.

O pai de Leah leva Matt para a cozinha.

– Sente-se.

Matt não tem certeza se o homem está apenas sendo simpático ou se está prestes a interrogá-lo. Matt puxa uma cadeira, deixando espaço para acomodar Lady no colo. O sr. McKenzie permanece de pé, olhando para ele. A cachorra começa a se contorcer, de um jeito muito parecido com o estômago de Matt.

O pai dela finalmente fala.

– Quer uma Coca?

– Não, senhor. – Ele se lembra de ter boas maneiras. – Mas obrigado.

– Como conheceu Leah? – pergunta o sr. McKenzie, sentando-se numa cadeira.

Começou o interrogatório.

– Na escola.

– Você deu aula para ela uma vez, eu me lembrei agora.

– Sim, senhor. – Lady late, querendo descer. Então começa a choramingar. Matt a coloca no chão, mas segura a guia e a vê farejando migalhas embaixo da mesa.

– Você também está no último ano? – O sr. McKenzie pergunta num tom de voz de quem não está fazendo um interrogatório.

– Sim, senhor. – Matt queria deixar de lado o "senhor", mas, quando você teve um pai militar, a palavra "senhor" está enraizada em você.

O pai de Leah passa a mão pela borda da mesa.

– Minha mulher mencionou que você tem um irmão gêmeo...

Tinha um irmão gêmeo. Matt acena levemente com a cabeça.

– Vocês dois são idênticos?

Matt acena com a cabeça novamente, agora mais devagar. Ultimamente, ele andava respondendo muito com acenos de cabeça quando conversava com pessoas que não conhecia. Doía menos do que explicar.

– É Matt, certo? – o sr. McKenzie pergunta.

– Sim, senhor.

– E o sobrenome?

– Kenner.

– Kenner? – O pai de Leah inclina a cabeça ligeiramente para a direita como se... Então arregala os olhos. A consternação instantânea que ele sente torna seus olhos azuis mais escuros.

– Seu irmão, ele... faleceu?

Matt acena com a cabeça. Agora dói. *Graças a Deus ele não disse "se matou".*

– Sinto muito. Minha mulher não acompanha os noticiários. E eu não liguei uma coisa à outra.

– Está tudo bem – Matt oferece a odiada resposta e pensa "merda". Então ele sente o cheiro. Merda. Merda de cachorro.

Ele abaixa a cabeça e solta um gemido. Lady está agachada, fazendo suas necessidades.

Sr. McKenzie inclina-se para o lado e olha embaixo da mesa.

Os dois se olham com a testa franzida.

Só faltava essa...

– Eu limpo, senhor. – Matt prende a guia na cadeira e se levanta.

– Toalhas de papel...?

– Em cima do balcão.

A voz do sr. McKenzie está abafada porque ele está cobrindo o nariz.

Com as toalhas de papel na mão, Matt engatinha embaixo da mesa.

– Nem parece uma mocinha! – ele diz, repreendendo Lady, com as palavras e o tom da mãe.

A filhote se senta com um olhar culpado. Com o cocô na mão, Matt está tentando sair de debaixo da mesa quando ouve passos.

Ele olha para cima e vê Leah parada na entrada da cozinha. Ela está usando um jeans desbotado e de toque macio, que não é muito justo, mas mostra todas as suas curvas. O suéter vermelho que está vestindo faz com seus seios o mesmo que o jeans faz com o quadril.

– Onde ele está? Você não disse pra ele esperar? – A decepção goteja das palavras dela. Matt quase sorri ao perceber que Leah queria vê-lo.

Lady, estabanada como todo filhote, corre por baixo da mesa, derrubando uma cadeira ao passar.

Leah grita de susto e depois olha para Lady.

– O quê... – Ela coloca a mão sobre o nariz.

– Ela... hum, embaixo... ali. – A voz grave do sr. McKenzie ecoa na cozinha.

Leah se agacha. O olhar dela encontra o de Matt e eles se encaram por alguns segundos; então, ela foca na mão dele segurando...

Droga! De todas as maneiras que um cara não quer que uma garota linda o veja, provalvelmente, de joelhos, segurando cocô de cachorro é a pior delas. Matt franze a testa.

— Lady fez porcaria.

A surpresa de Leah se transforma em algo mais suave, mais doce. Um brilho ilumina os olhos azuis dela. Com bom humor, ela faz uma cara de nojo e seu rosto se transforma quando ela abre um grande e maravilhoso sorriso. Matt está definitivamente cativado.

Ela se senta numa das cadeiras da cozinha, e Lady corre para ela com toda a afobação de um filhote.

O riso de Leah é como uma música que você quer cantar junto. Uma canção que ele não ouve há muito tempo. E que quer de volta. Ele quer conseguir deixar para trás a tristeza que sente desde que o pai morreu, desde que o irmão morreu, e rir assim. Rir de um jeito tão livre... livre de toda dor.

A risada do sr. McKenzie se eleva acima da dela. Até Lady choraminga como fazem os filhotes felizes. Então acontece. Um sentimento leve toma conta de seu peito e sua própria risada enche a cozinha. Ele não se lembra da última vez em que riu tão espontaneamente. Mas, pelo menos por alguns segundos, não quer pensar nisso.

Matt só quer se divertir. Mas sabe que não vai durar muito, porque não vai se passar um minuto até que seu coração se lembre de tudo que perdeu.

Eu corro para pegar o cesto de lixo para Matt, que sai de debaixo da mesa. Espero que ele saiba que eu não estava rindo dele, mas da situação. Ele se levanta. Nossos olhares se encontram. Seus olhos ainda refletem o sorriso mais incrível que já vi. Sem ressentimentos, presumo.

Ele solta as toalhas de papel no lixo, pega mais algumas, umedece-as na pia e volta para debaixo da mesa, para terminar o trabalho.

— Parece que você é um especialista — meu pai diz, inclinando-se para olhar Matt limpando o chão.

— Infelizmente — responde Matt, de debaixo da mesa. — Mamãe deu Lady para mim no Natal. Mas ela não vem com um serviço de limpeza.

Papai solta uma risada.

– É presente de grego.

Leah ouve Matt rir, mas é uma risada breve. Não tão espontânea quanto a última.

Ele rasteja e joga as toalhas de papel no cesto de lixo que estou segurando. Seu olhar se desloca para o meu pai.

– Eu tiro o lixo para o senhor, se quiser.

– Obrigado. – Papai ainda está sorrindo. Ele gosta de Matt, eu acho. Por alguma razão isso me agrada.

– A lata de lixo fica nos fundos. – Papai aponta para a porta da cozinha.

Matt puxa o saquinho plástico do cesto. Eu pego a guia de Lady e o sigo para fora.

Correndo até a lata de lixo, levanto a tampa para ele.

Eu me sinto mal por ele estar tirando o nosso lixo. Sinto-me mal por ter ficado tanto tempo me arrumando, o que causou todo o "acidente" com Lady. E ainda me sinto mal por não tê-lo apresentado aos meus amigos quando eles cercaram seu carro.

– Desculpe – eu digo.

Ele joga o saco na lata. Solto a tampa. Nossos olhares se encontram por alguns instantes. O momento parece tão especial, tão perfeito, que ignoro o cheiro da lata de lixo impregnando o ar.

– Por quê? – ele pergunta. – Não foi você que fez cocô debaixo da mesa.

Eu solto uma risada.

Ele fica ali parado, o tempo congela. Ele está me olhando de um jeito sonhador, com o tipo de olhar que revela que está realmente me vendo. E que gosta do que vê. O tipo de olhar que acontece nos romances que leio. E eu adoro aqueles romances. Não dou a mínima para o que Sandy e LeAnn pensam.

– Você... tem um sorriso bonito. – Ele encolhe os ombros e parece envergonhado por fazer um elogio.

Mas não ligo.

– Obrigada. – Meu sorriso se alarga, meu peito se enche com algo leve, arejado e delicioso.

Lady puxa a guia. O cheiro de lixo persiste. Mas estou nas nuvens. Estou flutuando. Então noto a jaqueta dele, uma jaqueta de futebol com seu próprio número. E *de repente* volto para a realidade e para o cheiro de lixo.

Eu me lembro da garota da noite anterior. Lembro que Matt está aqui por causa dos meus sonhos, para fazer justiça pelo irmão. E lembro quem é Matt.

Percebo que o fato de ele gostar do meu sorriso não significa porcaria nenhuma.

Nem agora nem em momento algum.

Nem quando as aulas começarem daqui a poucos dias.

Nem quando ele ainda for Matt Kenner. E eu ainda for...

Eu não sei quem sou.

Embora eu possa estar numa missão para encontrar respostas, tenho certeza de que a Nova Leah não está na mesma turma que o zagueiro da escola. E quando estivermos no mundo das panelinhas, das garotas esnobes e dos garanhões – no mundo onde caras como ele não olham para garotas como eu –, ele vai perceber que não fomos feitos um para o outro.

Preciso me lembrar disso.

Agora que tenho um coração novo, posso não ter mais uma data de validade estampada na bunda, mas não posso começar a desejar coisas impossíveis.

No entanto, droga... Assumo uma postura decidida. Não vou me impedir de aproveitar o dia de hoje. Ou qualquer momento que eu passar com ele.

O silêncio se estende um pouco demais. Matt deve sentir isso também porque começa a falar.

– Eu... Eu estava levando Lady para passear no parque e achei que você gostaria de ir com a gente, para que pudéssemos conversar.

– Tudo bem – eu digo, esperando não parecer muito ansiosa. Mas estou ansiosa.

Incapaz de me conter, volto a desejar o que não posso.

Desejo que as aulas não comecem daqui a cinco dias.

Desejo ter alguns meses para aproveitar isso.

Desejo ter tempo para convencer Matt de que, estejamos ou não na mesma turma, podemos ser algo mais um para o outro – mais do que simplesmente uma dupla em busca de justiça para Eric.

Dez minutos depois, Matt está dirigindo para o parque. Leah está no banco do passageiro, em silêncio. Mas ele também está. Lady nunca está quieta. Ela está no banco traseiro, indo de janela em janela, latindo para cada carro que passa na estrada, como se esse fosse o trabalho dela.

Ele lembra que ainda não perguntou sobre a saúde de Leah.

– Como você está? – diz virando o rosto na direção dela rapidamente.

Ela parece não entender a pergunta.

– Com o transplante de coração, quero dizer.

– Ah, estou... bem. – A ligeira indecisão na voz dela o faz se calar por alguns segundos. Mas ele continua com um olho na estrada e outro nela. Ela é uma paisagem melhor.

– Tudo é como... antes? Você está curada? Normal?

– Sim. – Ela olha pela janela e ele se pergunta se ela está sendo sincera. Talvez não.

– Você parece bem. – Mas ele pensa "*muito* bem".

Com o comentário, ele ganha de presente um sorriso hesitante.

– Obrigada. – Ela volta a se concentrar na estrada.

– A que parque nós vamos?

Olhando em volta, ele percebe onde está.

– Aquele que já passou faz uns dois quilômetros. Foi mal.

Ela sorri e esse sorriso parece de verdade.

– Faço isso às vezes. Especialmente quando estou na parte boa de um livro.

Ele solta uma risada.

– Você lê enquanto dirige?

Ela dá uma risadinha.

– Quis dizer, *pensando* num livro.

– Você vai voltar a dirigir o clube do livro?

— Não sei – ela faz uma pausa. – Você gosta de ler?

— Sim. Mas provavelmente não tanto quanto você. Especialmente nesses últimos tempos... – Ele olha para ela. – Mas terminei todos os livros do Harry Potter. E gosto dos livros de James Dashner. O que você está lendo agora?

Ela hesita.

— Principalmente livros escritos por mulheres.

— Quem?

— Christie Craig, Lori Wilde e Susan C. Muller. Diane Kelly.

Ele não reconhece os nomes.

— Que tipo de livros elas escrevem?

Ela olha ao longe.

— Algumas escrevem livros de suspense, sobrenaturais, de humor e sobre relacionamentos.

— Romances água com açúcar?

Ela olha para ele com um meio sorriso.

— Não julgue.

— Não estou julgando – responde engolindo um sorriso. – Minha mãe lê romances assim. Ou costumava ler.

Ele se lembra do dia em que Eric levou um dos livros da mãe para o quarto dele e leu algumas das cenas de sexo. Eles riram muito. Leah estava lendo aquele tipo de livro?

— Ela não lê mais? – Leah pergunta.

— Não ela... parou de ler quando... meu pai morreu. – *Todos eles pararam.* – Eu deveria comprar alguns livros para ela. – *E talvez até ver se Dashner tem um novo.*

Leah muda de posição.

— Tenho uma pilha que separei para doação. Você poderia levar pra ela. – Leah diz ajeitando-se no banco.

— Aceito. Obrigado.

Eles não falam novamente até entrarem no parque. Ele desafivela o cinto de segurança.

— Você sonhou ontem à noite com Eric? – ela pergunta sem soltar o cinto de segurança.

– Não. Eu não sonho com ele todas as noites. Às vezes não é nem mesmo um sonho. É como... – Eu penso em Eric e ele surge na minha mente.

Ele olha pela janela. O parque está quase vazio. O sol está brilhante, fazendo com que o dia pareça mais quente do que realmente está. E então um pouco de verdade escapa da boca de Matt.

– Às vezes eu... começo a me sentir de um jeito, não como eu mesmo, mas como Eric se sentiria. Parece loucura, mas...

Ele olha para Leah. Ela parece... assustada. Realmente assustada.

11

Matt tem certeza de que o medo está aumentando nos olhos dela.
– Você já sentiu Eric também, não sentiu?

Ela pisca.

– Quando... vi Cassie no parque perto da estrada. Eu me senti tão triste... Não foi... É como você disse. Não foi como se eu estivesse sentindo aquilo.

Matt respira fundo.

– Você está com o coração dele.

Ela engole em seco. Ele ouve. O ruído fica preso no carro.

– Mas você não – ela diz.

– Nós temos uma ligação... coisa de irmãos gêmeos.

Ele conta a ela a história de quando Eric quebrou o braço e ele sentiu a dor.

– Mesmo depois disso – ele diz –, continuamos a ter uma ligação muito forte. Eric costumava dizer: "Saia da minha cabeça".

Ele passa a mão no volante.

– Eu daria tudo para ouvi-lo dizer isso de novo.

Lady começa a latir.

– Acho que ela quer passear.

– Tem razão – Leah desafivela o cinto. O clique parece alto demais.

Eles caminham pelo parque. Muitas árvores já estão preparadas para o inverno, sem nenhuma folha, mas algumas ainda ostentam as cores do outono. O ar está frio, mas o sol está quente e brilhante. O clima é agradável. Leah está usando uma jaqueta jeans leve sobre o suéter. Ele pensa no casaco de Trent outra vez. A tentação de perguntar sobre ele é grande, mas Matt se contém.

— Comprei um bloco de anotações — Leah diz. — Deixo-o na minha mesinha de cabeceira. Quando tenho um sonho, anoto o que vi e senti. Pode ajudar.

— Boa ideia. Vou fazer a mesma coisa. Talvez também seja bom anotar quando sentimos essas... coisas. A gente pode se encontrar e comparar as anotações.

— Claro — ela responde.

Então ele pensa em me ver novamente.

Eles continuam andando. Lady puxa a guia. Estar com Leah mexe com as emoções dele.

— Fui à casa de Cassie. A mãe dela me disse que ela ainda não voltou da Califórnia.

Leah para.

— Mas eu vi Cassie.

— Eu sei. Não acreditei na mãe dela. Acho que ela está mentindo para mim. — Ele segura a guia com mais firmeza. — E isso me faz perguntar... Será que a mãe de Cassie sabe alguma coisa sobre Eric? Será que as duas estão escondendo algo?

Leah contempla as árvores, depois volta a olhar para ele.

— Mas...

— Mas o quê? — ele pergunta.

— Quando vi Cassie, ela parecia triste. E, se a nossa teoria maluca estiver certa e estivermos realmente sentindo o que Eric sente, ele não ficaria furioso se ela estivesse por trás da morte dele? Por que eu me senti triste também?

A frustração borbulha dentro de Matt e ele suspira como se tivesse segurado o ar nos pulmões por tempo demais.

— Porque Eric amava Cassie. Conhecendo Eric como eu conhecia, posso dizer com certeza que ele a amaria mesmo que ela fosse responsável pelo assassinato dele. Ela já tinha terminado o namoro uma vez, e mesmo assim, ele aceitou voltar com ela.

Leah não pareceu convencida.

– Tudo bem – diz ele. – Talvez ela não esteja por trás, mas está escondendo alguma coisa. Por qual outro motivo ela se recusaria a falar comigo?

– Porque... como eu disse antes, olhar para você é como olhar para Eric. Isso iria... fazê-la sofrer.

Matt para.

– Você está errada. Parece que é mais do que isso.

Suspirando, ele massageia as têmporas com as pontas dos dedos.

Leah descansa a palma da mão no braço dele. Matt pode sentir o toque através da jaqueta e da camiseta. Como se estivesse contra a pele dele.

– Estou do seu lado, Matt. Só acho... que precisamos olhar por todos os ângulos.

Merda. Ele tinha se irritado com ela?

– Desculpe. Eu estou...

– Você está sofrendo. Eu entendo.

– É, e agora com a minha mãe pegando no meu pé, eu... eu quero resolver isso logo. – Ele pega uma folha seca de uma árvore e a amassa entre os dedos.

– O que sua mãe está fazendo?

Leah para num banco na beira da trilha e se senta.

Ele se senta ao lado dela, com cuidado para não chegar muito perto.

– O detetive Henderson ligou pra ela.

– E falou o quê?

– Eu não tinha contado a ela que estou tentando convencê-lo a reabrir o caso.

– O caso foi arquivado? – Ela se inclina para trás, recostando no banco.

Ele solta um suspiro com uma expressão de tristeza.

– Eles disseram que Eric tinha resíduo de pólvora nas mãos, e como a arma era do meu pai... concluíram que foi suicídio. – Ele passa a palma da mão no rosto e olha para ela, de repente com medo de que ela acredite nisso também. – Ele não fez isso, Leah.

Ela franze a testa.

– Sua mãe acredita que ele fez?

– Ela diz que não consegue imaginar por que outro motivo ele teria pego a arma do meu pai. Quer que eu pare de investigar porque está com medo... que eu me mate.

A respiração dela fica presa.

– Você não faria isso, faria?

– Não. – Ele franze a testa.

Ela parece aliviada.

Ele pressiona a palma da mão na testa.

– Mas não posso desistir. E minha mãe finalmente está melhorando e não quero que isso a deprima outra vez. – Ele suspira. – Quando papai morreu, ela ficou muito deprimida... Ficava dias de pijama e nem penteava o cabelo. Acho que não via problema nisso porque Eric e eu tínhamos um ao outro. Agora, sem o Eric, ela está tentando cuidar de mim.

Ele hesita.

– Ela começou a correr outra vez e está fazendo terapia, e também começou a me pressionar para participar de um grupo de apoio. – diz olhando para Lady. – Ela até saiu com os amigos na noite de Ano-Novo.

– Isso é bom! – A voz de Leah é suave, quase lírica, e carinhosa.

Não é o tipo de carinho que parece falso. É de verdade. Tudo nela é de verdade.

– Você vai? – Leah pergunta. – No grupo de apoio?

– Não.

– Por que não?

– Não gosto de falar com estranhos. – *Prefiro falar com você.*

Ela acena com a cabeça.

– Não quero ser um empecilho na recuperação de minha mãe, mas tenho que descobrir quem matou Eric. Ele odiaria que as pessoas pensassem que fez isso contra si mesmo.

– Nós vamos fazer isso – garante Leah. – Vamos descobrir.

Nós. Essa palavra dá voltas na cabeça dele e chega ao coração.

Ele quer pegar a mão dela, mas não faz isso. Não porque não queira muito. Talvez porque queira muito mais do que apenas segurar a mão dela. Quer beijá-la novamente, quer sentir os seios macios dela contra o peito como no dia em que a beijou.

Ele quer.

Ele apenas quer.

Por um tempo, não conversam. Ele tenta controlar sua vontade e encontra paz no fato de Leah estar ali.

Ela o está ajudando. Ouve o que ele tem a dizer. Isso deveria ser o suficiente.

– Você tem alguma ideia da razão por que Eric teria pegado a arma?

A pergunta o pega de surpresa. Há quanto tempo ele tenta descobrir isso?

– Não. Mas acho que Cassie sabe.

Um pensamento o faz olhar para Leah.

– Talvez se você ligasse ou a procurasse, ela falaria com você.

O olhar de Leah revela que a ideia não a agrada.

– Eu... Eu posso tentar, mas ela não me conhece.

– Vocês frequentam a mesma escola desde a primeira série.

– Sim, mas nós... nunca fomos amigas.

Algo no tom dela diz que isso não é tudo.

– Vocês duas tiveram algum problema?

– Não. Só nunca... conversamos. Mas vou tentar. – Ela olha para as próprias mãos, depois para ele. – Hoje é feriado, então é melhor esperar. Amanhã posso ir até lá. Você terá que me dizer onde ela mora. E o que quer que eu pergunte.

Ele concorda. Um vento frio passa, agitando alguns fios do cabelo de Leah que se soltaram do rabo de cavalo. Ele olha enquanto eles acariciam o rosto e o pescoço dela; gosta mais do cabelo dela solto.

– Eric tinha algum problema com alguém? – Leah pergunta.

Lady pula na perna de Leah e ela se inclina para acariciá-la. O decote profundo do seu suéter se abre. Matt não consegue desviar os olhos do decote. Mas o que ele vê não é o que espera. Leah tem uma cicatriz. Uma cicatriz vermelha.

O peito dele dói. Dói por ela.

Ele olha para longe antes que ela perceba. Não tinha pensado na cicatriz. É uma cicatriz enorme. Deveria ter imaginado. Tiveram de colocar o coração de Eric no peito dela.

Ela volta a se encostar no banco.

– Ele tinha?

– O quê? – Ele não lembra o que ela disse. Se força a olhar para ela.

– Eric tinha algum problema com alguém?

– Apenas com Cassie.

– Que tipo de problemas?

Ele força sua mente a não pensar na cicatriz. Na dor que ela deve ter sentido.

– Eles tinham terminado havia cinco meses, mas Eric ainda gostava dela. Marissa, a melhor amiga de Cassie, ligou pra ele, dizendo que algo estava errado e disse que ele deveria ligar para Cassie.

– O que havia de errado com ela? – Leah puxa um joelho para cima do banco e o abraça.

– Ele não me contou. Disse que não era algo sobre o que pudesse falar. Mas ele estava chateado. – Matt fecha os olhos. – Eu deveria ter feito ele me dizer.

– Você não pode fazer ninguém se abrir contra a vontade.

Matt passa a mão pelos cabelos.

– Seja o que for, isso fez com que eles voltassem. Eric estava namorando Haley e rompeu com ela por causa disso.

– Haley?

– Uma garota do colégio Southside. Eles começaram a namorar alguns meses depois que ele e Cassie se separaram.

– Por que Cassie terminou com ele da primeira vez?

– Ela nunca disse por quê. Isso é que o deixou tão paranoico. Ele ainda estava de luto por causa do papai e depois ela fez isso.

– Eric estava deprimido?

– Não... Sim, ele estava na fossa, mas não tão mal assim. – Não tão mal quanto eu estava. *Ou estou.* – Ele ficou pior depois que voltou com ela. Não deprimido, apenas preocupado. – Matt olha para Leah. – Talvez você pudesse perguntar a Cassie sobre isso.

Leah acena com a cabeça, mas ainda parece insegura.

Puxando o joelho mais para perto, ela faz uma pausa.

– Marissa, a melhor amiga de Cassie, também vai à nossa escola?

– Sim.

– Você perguntou a ela sobre Cassie ou pediu para ela falar com Cassie?

– Ela diz que não sabe de nada, que nem falou com Cassie desde que ela foi para a Califórnia com o pai.

Leah fica quieta. Lady se enrola em seus pés e cochila. Os únicos sons são da brisa e dos pássaros se mexendo nas árvores. O sol se esconde atrás de uma nuvem.

Leah fecha mais a jaqueta para se proteger do frio.

– Você quer meu casaco? – No segundo em que as palavras saem de seus lábios, ele se arrepende de tê-las dito.

Seus olhos se encontram e ele sabe que ela está pensando em Trent. No casaco de Trent. Ela provavelmente sabe que ele está pensando nisso também. Matt quer perguntar o que há entre eles, mas ela pode achar que ele está interessado e se sentir desconfortável na companhia dele.

– Não, está tudo bem – diz ela. – Quando andamos, não fico com frio.

Eles se levantam e caminham em silêncio. O clima entre eles não é desconfortável, mas o silêncio é muito longo, ele sente um vazio, sente falta do som da voz dela.

Quando se acomodam no carro, ele olha para ela.

– Eu preciso passar no veterinário, para filhotes para comprar ração. É no caminho da sua casa. Se importa de ir comigo ou quer que eu leve você primeiro?

– Não me importo.

Ele sorri.

– Obrigado.

– Pelo quê?

– Por estar aqui. Eu realmente preciso de alguém agora. – Droga, ele lamenta ter dito isso também. A última coisa que quer é parecer fraco e carente.

– Estou aqui.

Ela olha para ele com uma doçura que afugenta o arrependimento e até um pouco da dor.

Matt dá partida no carro, e deixa o parque.

– Leah, eu sei que já disse isso, mas... Eu sinto muito. – Ele segura o volante. – Não liguei pra você depois daquele dia. Você provavelmente precisava de mim e eu me afastei.

Ela morde o lábio inferior.

Ele se sente ainda pior.

– Eu estava no maior baixo astral. Mas isso não justifica. Fui um idiota.

– Não, você não foi. Eu entendi. De verdade. – Ela abre um sorriso.

É o sorriso mais bonito que ele já viu.

Seu peito aperta e se abre ao mesmo tempo. A dor que sente, e sente há muito tempo, parece menos intensa. Estar com ela é como tomar uma aspirina para dor de cabeça. Mas a dor que ele sente é outra. E, para curá-la, ele precisa de uma dose maior.

12

Fico observando Matt dirigir. Vejo o mundo passar pela janela enquanto minha mente recapitula tudo o que falamos. O pedido de desculpas por não ter ligado. Isso me lembra quanto eu queria que ele ligasse.

Realmente não o culpo. Eu estava doente. Mas isso me deixa um pouco preocupada. Se ele souber que não estou completamente fora de perigo – que nunca vou estar –, será que não vai se afastar outra vez?

Parte de mim diz que estou me precipitando ao concordar em conversar com Cassie, mas Matt precisa que alguém o ajude.

E eu quero ser essa pessoa.

O que não quero é que ele me veja como uma pessoa doente. Já fui por tempo demais essa pessoa.

Não há nenhum carro no estacionamento do veterinário, então eu lembro que hoje é feriado.

– Acho que está fechado.

Ele franze a testa.

– Está mesmo...

– Tem um supermercado nesta rua. Acho que está aberto.

Ele olha para Lady, que está deitada no banco, de barriga para cima, dormindo profundamente.

— Acho que não vai fazer mal se ela comer uma ração diferente hoje.

O estacionamento do supermercado está abarrotado de carros. Assim que ele estaciona, meu celular toca dentro da bolsa.

— Desculpe, mas preciso atender. — Pego o aparelho e verifico o número. Também vejo que tenho novas mensagens e duas ligações perdidas. Vejo isso mais tarde. Mas esta ligação não posso ignorar. — É a minha mãe.

Eu atendo.

— Oi, mãe.

— Oi, querida. Ainda está no parque?

— Acabamos de sair. — Olho para ele, esperando que não ache falta de educação eu atender o celular. Ele não parece ofendido. — Paramos no supermercado, vamos comprar ração para a cachorrinha.

Ao perceber que minha mãe não fala nada, pergunto:

— Está tudo bem? — É a minha deixa para desligar.

— Sim. Acho que o seu pai gostou dele.

Eu quase engasgo. Mal posso acreditar que ela está falando isso agora.

— Eu preciso desli...

— Não me lembrei na hora que Matt tinha perdido o irmão e o pai. Ele está bem?

— Está, sim. — Então algo me ocorre. Se a minha mãe descobrir que estou com o coração de Eric, ela pode... bem, ela pode achar estranho que eu saia com Matt. — Podemos conversar depois?

— Ah, claro. — Ela por fim percebe que a conversa é inconveniente no momento.

Matt olha para mim e desligo antes que a minha mãe tenha chance de se despedir.

— Desculpe.

— Tudo bem. — Ele parece sincero. O que significa que não ouviu minha conversa com mamãe, certo? — Vamos entrar? — ele pergunta.

Olho para Lady.

— Posso esperar no carro.

– Não, já deixei Lady no carro sozinha antes. Você pode me ajudar a escolher uma coleira nova. Minha mãe disse que ela precisa de uma coleira maior.

Pego minha bolsa. No momento em que meus pés tocam o asfalto, percebo no ar um cheiro maravilhoso. Algo condimentado que faz meu estômago roncar de fome.

– Que cheiro é esse? – Farejo o ar, procurando um restaurante.

– Comida indiana – Matt responde olhando para mim.

Meu estômago está completamente vazio. Eu localizo o Desai Diner dentro do supermercado.

– Quer comer lá? – Já estou salivando.

Ele ainda está me olhando.

– Pode ser.

– Se importa se já pegarmos uma mesa? Acabei de me lembrar que não comi nada hoje.

– Claro. – Ele parece um pouco hesitante.

Eu me lembro de que Lady está no carro.

– Ou... podemos pedir para viagem...

– Não, Lady está dormindo. Depois de andar muito, ela dorme umas duas horas. Eu dou uma olhada nela daqui a pouco.

Quando entramos no restaurante, me sinto no céu. O cheiro ali dentro é divino. Vamos até o balcão. O cardápio está na parede.

– O que vai querer? – pergunto.

Ele franze a testa.

– O que você quer comer?

– Não faço ideia. Nunca experimentei comida indiana. Mas se o gosto for tão bom quanto o cheiro, vai ser meu restaurante favorito. – Dou uma olhada no lugar. – Este lugar é novo?

– Não, por quê?

– É que... minha mãe e eu já viemos aqui antes. E não sei por que esse aroma delicioso de comida nunca me trouxe aqui.

– Posso ajudá-los? – uma mulher indiana se aproxima do balcão; ela está sorrindo. – Sr. Kenner, quanto tempo não o vejo!

Matt a cumprimenta com um aceno de cabeça, mas ele está com uma expressão estranha. Meu estômago ronca tão alto que Matt olha para mim.

– Desculpe – digo, corando. – O que devo pedir?

Ele hesita.

– Experimente o frango na manteiga acompanhado de arroz com limão.

Pego o cardápio para me certificar de que o prato não tem nenhum ingrediente que esteja na minha lista de restrição alimentar. Quando vejo que não, olho para Matt.

– É isso mesmo que vou pedir.

– O mesmo para você, sr. Kenner?

Meu estômago ronca ainda mais alto. Tiro uma nota de vinte da bolsa, mas Matt segura a minha mão.

– Eu pago.

– Não precisa. – Eu me lembro de que não queria que Trent pagasse a minha água. – Foi ideia minha.

– Eu pago – ele repete.

Abro a boca sem saber muito bem o que dizer, então não consigo me conter:

– Isso não é bem um encontro...

No segundo em que falo, quero engolir as palavras. Porque eu gostaria muito que fosse um encontro. O que eu quero é que Matt me corrija. Diga que é, sim, um encontro.

Observo a expressão dele, com esperança... na expectativa de que diga alguma coisa.

Ele não diz nada, só volta a olhar o cardápio.

– Você está me ajudando, qual o problema de eu pagar seu almoço?

Sinto meu estômago roncar outra vez.

– Então pago na próxima. – Peço licença e vou ao banheiro. Quando chego lá, me olho no espelho e analiso o meu reflexo.

– Será que você pode parar de me deixar tão constrangida? – pergunto em voz alta.

Meu reflexo não responde. A Nova Leah não responde. Meu estômago responde. E ele ronca tão alto que as pessoas fora do banheiro devem ter ouvido.

Não saio do banheiro enquanto meu estômago não se cala. Matt está sentado numa mesa, checando o celular.

Quando me aproximo, ele olha para mim e sorri. Eu abro meu melhor sorriso.

Ele guarda o celular. Uma maneira sutil de dizer que sou mais importante.

Então me dou conta de que estou ali. Com ele. Antes de me sentar, pergunto:

– Quer que eu vá dar uma olhada na Lady?

– Acabei de ir. Ela está dormindo.

Eu me sento no banco.

– Não me importaria mesmo de pagar.

Ele franze a testa.

– Já disse que pago.

Concordo com a cabeça. Me ocorre que fico menos incomodada com o fato de Matt pagar meu almoço do que fiquei com a ideia de Trent pagar minha água. E sei por quê. Eu não me importaria se isso fosse um encontro. Não que eu seja o tipo de garota que deixa o cara pagar tudo, mas...

Ele empurra um copo para mim.

– Você não disse o que queria beber. Então pedi água, mas podemos pedir outra coisa.

– Água está ótimo. – Eu forço um sorriso.

Um homem carregando uma bandeja de comida fumegante se aproxima.

– Sr. Kenner. – Ele sorri para Matt. Está usando um crachá com o nome Ojar. – Eu estava com receio de que estivesse nos traindo e visitando o novo restaurante indiano da cidade. Não o vejo aqui há meses.

Matt tem uma expressão perdida no rosto que eu não consigo decifrar.

– Ando ocupado. – Ele bebe a água.

– Ok, vamos ver... – O homem olha para a bandeja e pega um prato. – O de sempre para o senhor.

Ele coloca o prato na frente de Matt.

– Não. Esse é o dela – ele o corrige.

Ojar parece confuso.

– Espere aí. Está brincando comigo. Você não é Eric. Você é Matt.

É quando entendo o olhar evasivo de Matt. Ojar não sabe que Eric morreu. E Matt não quer dizer a ele. Meu coração dói por Matt.

Eu quero salvá-lo.

– Nossa, estou com muita fome! – Eu até dou um tapinha na mesa. Espero que isso distraia o atendente da conversa. Mas o foco do homem fica em Matt.

– Você dois confundem a gente – diz Ojar.

Os olhos castanhos de Matt encontram os meus; então ele volta a olha para Ojar.

– É.

O garçom coloca o prato na minha frente – com uma salada que não posso comer –, depois coloca um prato de algo que parece arroz frito na frente de Matt.

Ojar se concentra em mim.

– O seu namorado não gosta da minha comida.

Eu queria que ele fosse meu namorado e também queria que esse cara fosse embora e parasse de deixar Matt tão desconfortável.

– Vou compensar isso, obrigada – digo como uma despedida.

Ojar vai embora. Olho para o Matt.

– Sinto muito.

– Eu deveria dizer a ele, mas... odeio... Estou cansado de fazer isso. Acontece o tempo todo. Acho que ninguém desta cidade lê jornais ou assiste a noticiários. – Sinto a dor na voz dele e meu estômago vazio se contrai ao vê-lo assim.

Deve ser muito difícil para ele ser confundido com Eric o tempo todo.

– Não dê importância. – Baixo o garfo. – Você prefere pedir que embrulhem tudo para viagem?

– Não. Vamos comer. – A expressão do rosto dele muda e sei que só tive um vislumbre do quanto ele está sofrendo.

Quero dizer alguma coisa, mas sinto meu estômago prestes a falar por mim, então pego uma grande garfada de frango com molho e a coloco na boca. O sabor é maravilhoso. Tem um gosto ainda melhor do que o cheiro. Como posso ter vivido tanto tempo sem experimentar comida indiana?

– Isto é... é realmente bom. – Não espero que ele responda, já estou colocando outra garfada na boca.

Quando levanto os olhos, percebo que ele está me olhando em vez de comer.

– O que foi? – Pego o guardanapo, achando que meu queixo está sujo ou algo assim. O guardanapo volta limpo.

– Nada – diz ele.

– Você quer a minha salada? – Empurro a tigela para ele. – Não posso comer vegetais.

– Você é alérgica à alface? – Ele sorri.

Penso em dizer a verdade, que não posso comer alimentos crus porque eles podem conter bactérias e me matar. Que, por causa dos remédios imunossupressores que vou tomar pelo resto da vida, posso ficar doente com muita facilidade. Mas desisto.

Olho para baixo quando o encaro. Ele ainda está me olhando como se esperasse uma resposta.

– Eu não como salada – digo. – Coma você.

– Eu já tenho muita salada. – Ele dá uma garfada na comida em seu prato.

A expressão dele me faz rir e afugenta a consternação que estou sentindo. Solto uma risada.

– Ojar está certo. Você não gosta da comida dele.

Ele faz uma careta e se inclina.

– Aqui, mesmo quando não peço uma comida com curry, ela tem gosto de curry. Acho que as tigelas e panelas deles são temperadas com isso.

– Bem, tudo o que posso dizer é que tem um gosto bom. – Dou outra garfada, dessa vez no arroz com limão. – Por que só agora estou descobrindo a comida indiana?

Matt cede e pega a minha salada. Ele acaba com ela enquanto eu como meu frango. À certa altura, eu o noto me observando, e percebo que já quase limpei o prato. Provavelmente estou parecendo uma morta de fome.

– Comi rápido por causa da Lady – justifico. Em seguida, acrescento: – Mas esta comida estava realmente uma delícia.

– Estou feliz que *você* tenha gostado.

– Não gostei. Adorei! É como... a comida dos deuses.

Os olhos de Matt se arregalam.

– Tem alguma coisa em meus dentes? – Passo a língua sobre os dentes, com receio de que haja algo desagradável entre eles.

Matt balança a cabeça.

– Não, não tem. É só... esquisito.

– O que é esquisito?

Ele crava o garfo na salada, como se quisesse apunhalar um inocente tomate-cereja.

– Fale...

– Você gostar tanto de comida indiana. Porque... Eric adorava. Ele até descrevia a comida assim como você descreveu. "A comida dos deuses."

Eu prendo a respiração.

– Você acha que eu gostei porque... porque Eric gostava?

– Não, não acho... Deve ser coincidência. Só pareceu esquisito.

Tento digerir o que ele disse. Não é fácil, porque meu estômago está ocupado, digerindo mais comida do que já comi de uma só vez no último ano.

Eu me pego pensando em quantos sentimentos da Nova Leah podem não ser meus, mas, na verdade, de Eric.

Quando chego em casa, mamãe me pede para ajudá-la na cozinha. Ela e papai vão receber amigos à noite. Não acho que ela realmente precise de ajuda. Só quer fazer perguntas sobre Matt.

Mas eu não quero responder agora. Tenho muitas coisas em que pensar.

– Se divertiu? – ela pergunta.

– Sim. – E é verdade. Só preciso de tempo para refletir sobre tudo.

– Achei que Matt fosse entrar. Eu ia convidá-lo para ficar para o jantar.

– Não faça isso – peço, não querendo que ela descubra sobre o coração de Eric.

– Por que não?

– Ele não é... meu namorado nem nada.

Ela ergue as sobrancelhas, seus olhos verdes me sondando, e depois lança um daqueles olhares que diz: *Não minta para mim, mocinha*.

– Não foi o que pareceu quando ele veio aqui dar aula pra você.

Tudo bem, eu suspeitava que ela tivesse visto nosso beijo.

– Aquilo só aconteceu uma vez.

– Se você está dizendo... – ela fala, com um sorriso cheio de suspeita.

Papai, que estava no quintal, entra em casa. Sinto cheiro de churrasco vindo de fora.

– Seu namorado já foi pra casa? – ele pergunta.

Reviro os olhos e meu coração revira com ele.

– Ele não é meu namorado.

Papai olha pra mim com mais atenção.

– Bem, é uma pena. Gosto mais dele do que do último.

Mamãe solta uma risada e acena para ele sair da cozinha.

Acabo de encher a lava-louças e aperto o botão de ligar. Depois fico na frente da pia e olho pela janela. Para a lata de lixo onde Matt e eu tivemos um momento especial.

Eu lembro que ele não falou nada sobre o meu comentário a respeito de não estarmos num encontro. Lembro-me de Brandy chocada ao saber que Matt tinha me beijado. Lembro que o ano letivo vai começar e ele provavelmente não vai mais nem falar comigo, porque não faço parte da turma dos mais populares da escola. Lembro que ele já me deu o fora uma vez.

Sinto um nó na garganta, como se minhas amídalas estivessem inchadas. Posso sentir lágrimas salgadas na boca.

– Posso ir para o meu quarto agora?

– Pode. – Minha mãe sorri. – Vou estar por aqui se quiser conversar. – Ela fala naquele tom de quem diz "desembucha"; sei que espera explicações.

Não quero explicar nada. Na verdade, não posso. Não só estou com medo de irromper em lágrimas, como... que inferno! Estou mais confusa do que nunca!

Pego minha bolsa e subo correndo. Sinto as lágrimas escorrerem. Fechando a porta, não tiro nem mesmo o celular da bolsa. Em vez disso, ligo o notebook, abro no Google e depois hesito.

Não sei bem o que digitar. Parte de mim diz que estou sendo ridícula.

Mas logo meus dedos começam a apertar as teclas.

Histórias sobre pacientes transplantados que se sentem assombrados por seus doadores.

Tenho certeza de que vai ser preciso várias tentativas até que eu consiga encontrar o que quero. Provavelmente não vou achar nada.

Errado.

A lista de *links* na página de busca é tão grande que fico chocada.

– Merda! – murmuro. Depois de um segundo, começo a clicar nos *links*. Tudo que quero está lá.

Sonhos.

Emoções inexplicáveis.

Mudanças estranhas nas preferências com relação à comida.

Posso não ter prestado muita atenção naquelas aulas de transplantados, mas tenho certeza de que nunca falaram nada sobre isso.

Meu coração acelera. Não é nenhuma surpresa que eu não me sinta eu mesma.

13

Quando Matt estaciona em casa, vê a mãe de moletom, cuidando de um canteiro de flores no jardim da frente. Ele desliga o motor e Lady late ansiosa para descer. Mas ele não sai do carro imediatamente. Fica observando a mãe, lembrando que Eric queria levá-la à loja de jardinagem.

Na época, ela não quis ir.

Agora ela vai, está melhorando.

Esse pensamento fica dando voltas na cabeça dele. Pensar nisso o deixa feliz e, no entanto, ainda dói.

Faz com que ele se lembre das coisas que ele mesmo não está fazendo. Coisas de que costumava gostar. Ficar com os amigos por mais do que apenas alguns minutos. Ler. Praticar esportes. Mexer no motor dos carros.

Ele e Eric tinham largado o futebol depois da morte do pai, mas Eric acabou convencendo-o a se inscrever no basquete com ele. *Temos que começar a viver outra vez*, Eric tinha dito. Matt realmente começou. Mas então...

A mãe acena. Ele força um sorriso. Por ela. Está feliz que ela esteja melhorando – embora ele mesmo não esteja.

Depois de colocar a coleira em Lady, Matt se aproxima. Lady está tão feliz de ver sua mãe que choraminga e pula em cima dela.

A mãe olha para ele, sorrindo. Eles tinham saído para fazer uma corrida pela manhã bem cedo. A mãe não tinha mencionado o detetive, mas mais de uma vez ele teve a impressão de que ela faria isso.

– Foi uma longa caminhada no parque...

– Eu... tive de esperar até que a minha amiga pudesse ir.

– Que amiga? – Ela tira a mão de uma luva para acariciar Lady.

– L... Lori – ele diz rapidamente, lembrando que não queria tocar no nome de Leah, por temer que a mãe soubesse do transplante.

Se a mãe estava melhor, por que correr o risco de estragar tudo?

– Lori do quê?

– MacDonald. – A mentira pesa em sua consciência.

– Eu não sabia que você estava saindo com uma garota. – O sorriso dela se alarga.

– Não estou. É apenas uma amiga. – *Isso não é um encontro.* Ele sente desânimo só de pensar nisso. – Você precisa de ajuda aqui no jardim?

– Não, estou quase terminando este canteiro e já vou parar. Está esfriando. – Ela faz uma carícia atrás da orelha de Lady. – Uma das minhas resoluções para o novo ano é conseguir deixar este jardim bonito. – Ela tira o cabelo dos olhos. – Você tem alguma resolução para este ano?

Descobrir quem matou Eric. Ele não diz.

– Não pensei muito nisso.

Ela olha para as ervas daninhas mortas que arrancou.

– Dei uma olhada na internet e descobri um grupo de apoio que se reúne nas noites de sexta-feira. Eu gostaria que você pensasse melhor na ideia.

Ele balança a cabeça.

– Estou bem. Tenho conversado com... Lori.

Ela assente, em concordância, porém seus olhos dizem que está decepcionada. Mas o que ele pode fazer?

Ela limpa as mãos no moletom.

– Estou preparando chili para o jantar.

Sua mente pensa em comida, mas não em chili. *A comida dos deuses*, ele se lembra de Leah dizer. Então percebe que a mãe ainda está olhando para ele.

– Chili parece bom. Vou entrar.

– Ok – diz ela. – Se estiver com fome, podemos comer mais cedo. Não almocei ainda.

– Pode ser – Ele pega Lady e a leva para dentro.

O cheiro bom na cozinha o lembra do quanto ele sentiu falta da comida da mãe.

Ele solta Lady e segue na direção de seu quarto.

Pensa em Leah. De quanto queria beijá-la antes de ela sair do carro.

No quarto, joga o casaco na cadeira e pensa em quanto quis que ela tivesse vestido aquele casaco, para que pudesse esquecer a imagem dela vestindo o casaco de Trent.

Deitado na cama, coloca as mãos atrás da cabeça e olha para o teto. Será que ele conseguiria fazer isso? Encontrar uma maneira de fazê-la se aconchegar em seu casaco? Talvez até em seus braços?

De repente, percebe uma coisa. Um detalhe, mas não tão pequeno assim.

Senta-se na cama. É a primeira vez que passa pela porta de Eric sem... sem sentir como se fosse se afogar na dor. Passou pela porta como se... como se talvez um dia pudesse retomar a própria vida.

Não conseguiu ainda. Tem certeza de que isso não vai acontecer até que descubra quem matou o irmão. Mas ele está mais perto agora do que jamais esteve.

E ele sabe por quê

– É por sua causa Leah. Por sua causa.

Matt pega o celular, e pensa em ligar para ela. Então fecha os olhos. Ele disse que ligaria no dia seguinte, para falarem sobre a visita dela a Cassie. Ela concordou em se encontrar com ele no parque depois.

Ele não quer pressioná-la. Se ligar, ela pode se afastar. Para sempre. Ele não quer que isso aconteça.

– Caramba! – Brandy ficou chocada quando leu na tela do meu notebook o que lhe mostrei. Mas o susto não a impediu de continuar comendo o frango frito do meu pai, acompanhado das ervilhas e batatas da minha mãe. Os pais dela são engenheiros, viciados em trabalho e em comprar comida pronta. Na casa de Brandy, pizza congelada é considerada comida caseira.

Liguei para ela mais cedo e perguntei se não queria me visitar. Usei como isca o convite para jantar. Precisava conversar com alguém. Alguém precisava conversar comigo para eu me acalmar. Todos aqueles *links* tinham me deixado apavorada. O tipo de pavor que você sente quando percebe que a sua vida pode mudar para sempre e que você não está totalmente no controle.

Quando ela chegou, perguntei à minha mãe se podíamos comer no quarto e ela concordou muito rápido. Provavelmente porque a sra. Frankly não parava de espirrar. Se não estivessem prestes a se sentar à mesa para jantar, tenho certeza de que ela teria pedido à amiga para usar uma máscara. Mamãe ainda está obcecada com os germes e a possibilidade de eu pegar alguma doença. Só falta me colocar numa bolha.

Quando Brandy e eu fomos para o quarto, extravasei toda a minha aflição. Contei tudo: meus sonhos, os sonhos de Matt, o sentimento de que... estou sendo possuída por Eric.

Ela me ouviu calada, enquanto descarnava uma coxa de frango com os dentes.

Depois contei que eu não era a única a vivenciar tudo isso. Passei os *links* para que visse por si mesma.

Agora estamos sentadas na cama, a bandeja de comida sobre a mesinha de cabeceira, o prato dela quase vazio... O meu, intacto.

Não estou com fome. Não sei se é porque comi muito no almoço ou porque estou morta de medo.

Brandy por fim fecha o computador. Calmamente. Como se tivesse acabado de ler algumas páginas de um livro de Jane Austen e precisasse absorver tudo que leu.

Ela olha para mim, mas, em vez de falar, pega sua última coxa de frango, dá uma grande mordida nela e mastiga. E continua mastigando. Olha para mim fixamente e quase posso ver as engrenagens do seu cérebro funcionando.

E se estiver achando que enlouqueci?

Não, ela não acharia isso. É a minha melhor amiga.

Depois de alguns segundos, ela engole o frango e diz:

— Você não acredita mesmo nessa baboseira toda, acredita?

Puxa! Por essa eu não esperava!

— Como... assim?

— Quero dizer... Isso é loucura!

Acho que as melhores amigas podem, sim, achar que enlouquecemos.

— Mas e os sonhos e o frango com arroz e limão?

— Eu gosto de comida indiana. — Ela hesita um pouco, mas depois segue adiante. — E Eric não tem nada a ver com isso. E você não disse que, de acordo com os médicos, os sonhos são provocados pelos remédios?

— Sim, mas... Agora só estou tomando uma dose muito pequena de esteroides e ainda tenho o mesmo sonho. E como você explica que Matt esteja sonhando as mesmas coisas?

— Todo mundo já sonhou que está sendo perseguido. — Ela diz isso com muita tranquilidade, como se não percebesse que está me magoando profundamente. — Aposto que esses sonhos são a coisa mais comum do mundo.

Ouvi-la dizer que nada do que estou vivenciando é verdade só me faz acreditar *ainda mais* que é verdade.

— Achei que fosse acreditar em mim.

— Eu acredito... quer dizer... não totalmente. É tudo muito estranho. — Ela solta um suspiro, como se soubesse que está me desapontando. — Sabe, gosto de coisas estranhas. Adoro ficção científica e livros paranormais, mas... Isto não é um livro, Leah. É a sua vida.

E esse que é o problema. Não tenho mais certeza de que a minha vida seja totalmente minha.

— Você acha que eu não sei? — Um nó, do tamanho de um sapo gordo, forma-se na minha garganta.

— Foi Matt quem colocou essas coisas na sua cabeça? — Brandy franze a testa. — Todo mundo na escola está dizendo que ele está meio pirado. Eu lamento o que aconteceu, todo mundo lamenta, mas não quero que ele deixe você pirada também.

– Pare! – Meu peito fica apertado, uma emoção cresce dentro de mim e a reconheço. Raiva. Raiva ao ver que a minha melhor amiga acha que estou ficando louca. Provavelmente não deveria ficar com raiva, pois eu mesma já me perguntei a mesma coisa. Então percebo algo. Estou contrariada não só porque ela não acredita em mim, mas porque ela não acredita em Matt. E, como fiz no restaurante com Ojar, quero protegê-lo. Ele já está sofrendo demais.

Eu me levanto e vou até a janela, fingindo olhar para fora. Tudo o que eu quero é reprimir minha vontade de lembrar Brandy de todas as vezes em que acreditei nela. Como na época em que ela estava convencida de que tinha sido adotada. Ou quando pensou que era a reencarnação de Jane Austen. Sim, tudo isso foi no sexto ano, mas mesmo assim acreditei nela.

Mantenho a boca fechada, pois não quero brigar com ela.

– Agora irritei você – ela diz.

Acho que nunca vou conseguir enganar Brandy.

Respiro fundo e a observo sentada na minha cama. Sua calça marrom e seu suéter laranja contrastam com minha colcha cor-de-rosa. A dúvida que vejo em seus olhos bate de frente com o que eu quero dela agora. Quero compreensão. Solidariedade. Conselhos.

Será que vou sentir que Brandy também não se encaixa mais na minha vida agora? Não posso perdê-la.

– Eu só... preciso que você acredite em mim.

Os ombros dela afundam.

– Acredito que você acredita nisso. Assim como acredito que Matt acredita que o irmão não se matou. Mas...

– Mas o quê? – Neste momento, me recordo da dúvida que senti quando Matt me disse que a arma usada pelo irmão era do pai deles. E que havia resíduo de pólvora nas mãos de Eric. Já li romances de mistério em número suficiente para saber que essa é uma prova incontestável. Mas ainda assim acreditei nele.

– Você leu todos os artigos de jornal a respeito do assunto? Sobre a morte de Eric? – ela pergunta.

– Só os mais recentes.

– Entre na internet e leia os mais antigos. Eles são muito claros. – Brandy se levanta. – Leia todos e pense melhor. – Ela vem até mim. – Tanto você quanto Matt passaram por maus bocados. E é uma loucura que você tenha recebido o coração do irmão dele. Mas acho que vocês dois talvez não... não sei... não estejam vendo as coisas direito... e um esteja alimentando as ideias do outro de um jeito não muito saudável. Não é culpa sua. As suas emoções estão meio tumultuadas agora. – Ela me abraça.

Eu não impeço o abraço porque não quero perder minha melhor amiga. Mas não quero acreditar no que ela diz, mesmo que pareça ter alguma lógica.

Odeio ouvir isso também. Porque sou o tipo de garota que sempre usa a lógica. Ou costumava ser assim. Não sei que tipo de garota sou agora.

Sinto meu coração batendo cada vez mais rápido. Estou com medo. Muito medo. O som dos meus passos golpeando a terra ecoa nos meus ouvidos. Olho para baixo e vejo um par de tênis se movendo, correndo.

Mergulho no medo. Sinto o objeto que seguro na mão. Olho para ele de relance. Meu coração martela no peito. É uma arma. Pesada. Fria. Não gosto de armas.

Mas preciso desta.

A exaustão toma conta de mim. Mal consigo respirar. Sinto uma dor na lateral do corpo. Minhas pernas estão bambas. Preciso diminuir o passo. Não posso. Não posso. Vou morrer. Ouço o disparo da arma.

Não foi a arma que estou carregando. Ou será que foi? Os passos estão mais próximos.

Acordo. Um grito alojado em minha garganta está prestes a irromper. Rolo na cama, sufoco o grito, evitando acordar meus pais. Depois me deito de costas outra vez, tentando recuperar o fôlego. Sorvo o ar, sentindo o medo, o pânico cru e vil do sonho ainda afundando suas garras em minha consciência. Meu coração martela no peito. Não consigo respirar.

O medo começa a dar voltas. Não é mais de Eric.

O desafio não é mais respirar.

Estou como naqueles meses que precederam o transplante, em que respirar era difícil. O desafio era sobreviver. Eu estava morrendo.

Eu me forço a inspirar o ar. Depois expiro. Bloqueio o terror com as técnicas de respiração.

Inspiro. Um, dois, três. Expiro. Um, dois, três.

Inspiro. Expiro. Inspiro. Expiro.

Meu peito fica menos apertado. Meus pulmões se abrem. Paro de rejeitar o oxigênio.

Não me mexo por vários minutos. Fico apenas ali, deitada. Respirando. Tirando da mente entorpecida pelo sono as teias de aranha pegajosas do medo.

Não estou morrendo, digo a mim mesma. Tenho um coração novo. Estou com o coração de Eric.

Depois me lembro. Sento na cama, acendo o abajur da mesinha de cabeceira e pego o bloco de notas. Me forço a recordar tudo que vi. Tudo que senti. Começo a anotar. Quando termino, começo a recapitular tudo desde o começo.

Continuo escrevendo, sem reler, só escrevendo até não me lembrar de mais nenhum detalhe. Largo a caneta e o papel e desligo o abajur. Permaneço sentada na cama. Os números vermelhos do rádio-relógio brilham no escuro.

Quatro da manhã.

Preciso dormir. Volto a afundar a cabeça no travesseiro. Tudo que sonhei, que anotei, está dando voltas na minha cabeça. Ouço várias e várias vezes o som do disparo.

O que tudo isso significa? Não ouvi nenhuma voz desta vez. Não senti alguém me perseguindo. Ou será que senti?

Ouço a voz de Brandy me dizendo: "Você e Matt passaram por maus bocados. Acho que podem estar simplesmente... não sei... talvez não estejam vendo as coisas direito".

Quando ela foi embora, acessei a internet e li todos os artigos sobre o caso de Eric.

Odeio admitir, mas ela tem razão. Tudo aponta para suicídio.

Mas como explicar os sonhos? Afofo o travesseiro.

– É você, Eric? – sussurro para a escuridão soturna do quarto de paredes cor-de-rosa. – Alguém matou você? Ou você se matou?

Só o fato de fazer essa pergunta faz com que eu me sinta como se estivesse traindo Matt. E Leah Mallory McKenzie não é de trair ninguém.

Pelo menos a Antiga Leah não era.

Meu alarme me acorda às 8h55 da manhã. Pulo da cama. Com os olhos ainda fechados, estendo a mão para a mesinha de cabeceira, procurando...

O sonho ainda paira na minha mente. Sinto os dedos gelados do medo ainda apertando minha garganta. Lembro-me das minhas dúvidas com relação ao modo como Eric morreu.

Esbarro a mão no bloco de notas e na caneta que estão sobre a mesinha. Eles caem com um baque no assoalho de madeira. O som da caneta rolando ecoa pelo quarto.

Passo a mão sobre o tampo liso da mesinha e não paro até encontrar o termômetro. Abro os olhos, fito o teto e faço meu ritual da manhã: verifico minha temperatura e minha pressão.

A temperatura é normal. A pressão sanguínea está...? Olho para o aparelho. Está... Pisco, olho direito, forçando a vista como se isso bastasse para mudar o que vejo. Nada se altera. A pressão está alta. Muito alta. Eu me lembro do sonho e de recordá-lo um pouco antes de tirar a pressão. Tenho certeza de que foi isso.

Eu me sinto bem, não me sinto? O medo atravessa minha mente como uma faca afiada. Lembro-me de ter prendido a respiração depois do sonho.

Lembro-me de ouvir mamãe chorando toda noite quando eu estava doente. Lembro-me de vê-la esfregando as mãos nas laterais da calça jeans. Com tanto medo...

Verifico meus sinais mentalmente.

A respiração está normal.

Nenhuma dor.

Nenhuma sensação de letargia.

Coração palpitando? Só quando estou perto de Matt ou quando sonho. Lembro-me da noite anterior. Eu estava assustada, só isso.

Concluo que estou bem. Não sou médica, mas, depois de tudo pelo que passei, deveria ter pelo menos recebido um diploma de auxiliar de enfermagem.

Volto a tirar a pressão.

Diminuiu um pouco, mas continua alta. Foi o sonho.

Franzindo a testa, começo a anotar a pressão. Depois, sabendo que a minha mãe vai checar, falsifico o resultado. Coloco um ponto embaixo do número, para eu me lembrar. E se estiver alta hoje à noite, preciso contar.

Faço uma pausa e me sinto melhor ao lembrar que tenho uma consulta com a dra. Hughes no dia seguinte.

Levanto-me para pegar meus comprimidos. Minha mãe não me deixa guardá-los no quarto, porque ela quer me ver engolindo todos eles. Não tenho dúvida de que ela está sentada à mesa da cozinha, preocupada porque estou trinta segundos atrasada.

– Bom dia, Raio de Sol! – Mamãe sorri quando entro na cozinha.

Ela sempre diz isso. Nasci às cinco da manhã e meu pai conta que essas foram as primeiras palavras que ela me disse. Às vezes me incomoda um pouco, mas, quando eu estava muito doente, antes de colocar o coração artificial, e tinha de ficar ligada a um respirador e a uma máquina imensa que substituía meu coração, ouvir essas palavras pela manhã era o que me dava a certeza de que eu ainda estava viva. Eu me lembro de que me preocupava porque, quando eu morresse e estivesse na vida após a morte, sentiria muita falta das palavras dela.

Tinha até um plano para solucionar isso. Eu falava à minha avó, já falecida na época, que ela teria que dizê-las para mim.

Esse pensamento me enche de dor. Por isso eu o afasto e abro um sorriso para minha mãe. Quero abraçá-la, mas tenho receio de que ela perceba quanto estou emotiva.

– Tudo bem? – ela pergunta.

Ela se refere à minha temperatura e à pressão sanguínea, eu sei. Abro a geladeira para pegar o leite, assim não tenho que olhar para ela enquanto minto.

– Sim.

– Você quer cereais? A caixa está sobre a mesa.

– Ok. – Coloco o leite sobre a mesa e pego uma tigela para os cereais.

– Você parece cansada. Está se sentindo bem?

– Sim. – Procuro responder com a confiança de que não tenho nada.

– Ficou acordada até tarde lendo?

Ela me conhece muito bem.

– Sim. – E é verdade. Tenho precisado desviar meus pensamentos de Eric. E o livro estava muito bom. Sexy, cheio de suspense e muito divertido.

– Outro romance água com açúcar? – O tom dela diz tudo.

Confirmo com a cabeça e engulo meus comprimidos com o leite. Como Sandy e LeAnn, minha mãe é meio esnobe no que diz respeito a livros. Não aprova totalmente meus romances água com açúcar, mas não me pede para parar de lê-los.

Mas, pensando, bem, ela não pode. Não depois que eu a peguei lendo *Cinquenta Tons de Cinza*! "Só para descobrir por que esse livro está causando tanto furor", ela justificou. Tá bom, mãe!

Pego a tigela para os cereais. "Bom para o coração" está escrito na caixa, em letras garrafais. E há também a imagem de uma tigela cheia de cereais com morangos. Normalmente, quando eles mostram frutas na caixa, é porque você vai precisar delas para conseguir engolir os cereais.

Não posso comer frutas frescas. Bem, a menos que elas estejam muito bem higienizadas. Mas mamãe não quer que eu corra o risco. Eu também não. Gosto da ideia de estar viva.

Encho a tigela com cereais secos, depois encho a tigela de leite e pego a colher.

– O que acha de irmos ao shopping comprar roupas para você ir às aulas? – ela diz.

Não, não, não. Vou à casa de Cassie e me encontrar com Matt depois. Preciso convencê-la a esquecer essa ideia, mas acabei de enfiar na boca uma colher de cereais com gosto de papelão. Balanço a cabeça discordando dela e segurando um dedo no ar, enquanto engulo.

O cereal desce, raspando na garganta. Enquanto tento falar, consulto o relógio na parede. Matt disse que me ligaria por volta das nove e quinze e eu deixei o celular no quarto.

– Não posso, hoje. – Engulo outra colherada de cereais, depois busco desesperadamente uma desculpa. – Eu... prometi a Brandy que iria ajudá-la a... – *Ajudá-la com quê? Merda, merda, merda!* – Ajudá-la a arrumar o guarda-roupa.

Fico olhando para o leite. *Fala sério! Arrumar o guarda-roupa?! Isso foi o melhor que consegui?*

– Ah... – A decepção da minha mãe é evidente. Se olhar para ela, vou ver esse sentimento em seus olhos e me sentir culpada.

Largo a colher na tigela, afasto-a e enfrento a fera.

– Vamos ao médico amanhã, não é? Podemos almoçar juntas. Depois fazer compras.

Os olhos dela se iluminam.

– Ok, vamos fazer isso, então. – Ela sorri. Um sorriso de verdade. Sei que é de verdade por causa das ruguinhas no nariz. Depois ela olha para a minha tigela, faz uma careta e me passa o açúcar. – Tome.

– Hmm. Agora sim! Papelão com açúcar é muito melhor do que papelão puro!

Ela ri. Eu coloco açúcar na tigela. Depois, sem querer perder a ligação de Matt, trato de acabar com a tigela de cereais, mas não tão rápido a ponto de levantar suspeitas.

Minha mãe se levanta para pegar mais uma xícara de café. Eu costumava acompanhá-la, mas estou proibida de tomar cafeína.

– Mas não vamos ter muito tempo para as compras – ela diz.

– Por quê?

– Os Kelly nos convidaram para ir à casa de veraneio deles em Fredericksburg, lembra? – Ela adoça seu café.

Eu me lembro agora. Estou muito tentada a perguntar se posso ficar em casa, mas as possibilidades de ela deixar são nulas. Se eu disser que não quero ir, minha mãe não irá também. E ela está ansiosa para sair um pouco de casa.

– Podemos comprar alguma coisa lá também. – Ela mexe o café. *Tlim, tlim, trim.*

– Claro! – me apresso em concordar.

Ela pega a xícara, leva aos lábios e fica ali, olhando para mim através da fumaça.

–Tenho uma ideia – diz ela. – Brandy deveria vir aqui ajudar você a organizar o seu guarda-roupa também, depois que você fizer isso por ela. Eu estou pedindo para você fazer essa arrumação há um mês!

Penso, *Merda!*, mas digo:

– Claro! – Pego minha tigela de cereais e coloco mais uma colherada na boca. –Tenho que ir. – Como um pouco mais de cereal e suponho que tenha sido justiça poética eu ter sido castigada por mentir. Mas como vou fazer para que Brandy compartilhe comigo o castigo, isso ainda não sei.

Acho que vou ter que contar com a amizade dela. Tenho quase certeza de que Brandy concordará. Ela é minha melhor amiga. O fato de não acreditar em mim agora é só um inconveniente.

14

São onze horas quando entro na rua onde Cassie Chambers mora. Os cereais de papelão estão pesando no estômago. Meu pulso palpita com o batimento cardíaco acelerado.

É um bairro antigo, com muito mais árvores que o meu. Mas algumas casas parecem um pouco deterioradas, implorando por uma nova camada de tinta.

Localizo o número na caixa de correio. A casa de dois andares é de tijolos pintados de branco. Um gato cor de laranja está de guarda na varanda da frente e avalia meu carro passando devagar.

Não estaciono na entrada para carros porque... Não me sinto confortável para fazer isso.

Cassie Chambers provavelmente não vai me reconhecer.

Matt não acredita. Ele acha que, se ele notou minha existência, todo mundo notou também.

Não é bem assim.

Não que eu tenha sofrido *bullying* ou algo do tipo. Sou apenas ignorada.

Bem, não *só* ignorada. Lembro-me de um dia, na aula de Ciências, em que o professor mandou Tabitha, uma das amigas de Cassie, fazer um trabalho comigo. Ela se virou para Cassie, que se sentava atrás dela, e disse:

– Por que ele está me colocando com essa *nerd* dos livros?

Cassie olhou para mim e pareceu envergonhada.

Doeu, mas não por muito tempo. Para ser franca, eu era de fato uma *nerd* dos livros.

Não me sentia envergonhada por gostar de ler. Só ficava triste pelo que as outras pessoas estavam perdendo. Sorri quando lembrei que estava procurando um nome para nosso clube do livro. "*Nerds dos Livros*" era um bom nome. Não sei se ela já percebeu, mas eu me orgulhava do meu clube. Ainda me orgulho.

Mesmo que eu não participe das reuniões há um ano e meio, ele foi iniciado por *moi*. Até transformei algumas pessoas que nunca tinham lido nada em viciados em livros.

Fico feliz em poder fazer isso, porque só eu sei quanto os livros me ajudaram a lidar com todos os desafios desse último ano e meio. A leitura me ajuda a fugir da realidade quando preciso. E esqueça os livros de educação sexual, acabei de ler um romance água com açúcar, cheio de cenas quentes. Sim, sei que é ficção, e o sexo é provavelmente idealizado, mas, já que todo mundo faz um grande alvoroço em torno do sexo, aposto que existe um fundo de verdade.

O gato mia alto. Olho para a casa de Cassie. Ela não vai me reconhecer. Não sei se isso vai me aborrecer ou não.

A cortina na janela da frente se abre. Alguém sabe que estou aqui.

Estaciono o carro. O aquecedor do carro está ligado. As palmas das minhas mãos estão escorregadias no volante.

Droga.

Eu não quero fazer isso.

Mas vou fazer.

– Por Matt – sussurro. – E Eric – digo, porque estou sentindo de novo. Emoções inexplicáveis.

Ele sabe que estou aqui? Sente falta de Cassie?

Desligo o motor.

Tento me lembrar das perguntas que Matt quer que eu faça a Cassie. Reformulo a maioria delas. A versão de Matt parece... acusar

Cassie. Eu ainda não acho que ela esteja por trás do assassinato de Eric.

Aliás, ainda estou em dúvida se acredito mesmo que Eric foi realmente assassinado.

E isso me incomoda, porque até ontem eu não tinha nenhuma dúvida. Será que estou sendo ingênua porque quero ajudar Matt? Ou – engulo um inesperado nó na garganta – estou nervosa com a ideia de estar atrás de um assassino?

Com esse pensamento me causando um arrepio na espinha, saio do carro e caminho até a porta de Cassie.

O gato se esfrega em minhas pernas. Eu me abaixo e faço um carinho rápido nele com a ponta dos dedos.

Não deixo meus dedos afundarem no pelo porque, como a comida não cozida, os gatos podem me fazer mal. Podem hospedar um parasita perigoso capaz de afetar tanto as mulheres grávidas quanto as pessoas com sistema imunológico comprometido. Isso apenas se eu entrar em contato com as fezes desses animais. Mas é melhor prevenir.

Eu me levanto, dou o último passo até a porta, endireito os ombros e bato.

Ouço alguém na porta. De repente, percebo que não sinto só nervosismo. Sinto medo. Não, terror. E não é só meu. Será de Eric?

Merda. Droga. Merdadroga, merdadroga, merdadroga, merdadroga!

O telefone de Matt emite um bipe quando chega uma mensagem de texto. Ele verifica imediatamente.

É de Leah. *Estou a caminho.*

Ele pediu a ela que enviasse uma mensagem quando saísse da casa de Cassie, para que eles pudessem se encontrar no parque – no mesmo banco. Ele já está no ponto de encontro.

Lady está ocupada, farejando o chão. Ele está ocupado se preocupando com o que Leah pode ter descoberto. Será que foi fácil? Cassie teria confessado?

Ok, talvez seja improvável que Cassie tenha matado Eric, mas o instinto de Matt diz que ela sabe alguma coisa. Tem uma pista para todo o maldito mistério.

Ele se levanta, planejando encontrar Leah no meio do caminho.

Puxa de leve a guia de Lady e dá um passo.

E tudo muda!

Ele não está mais ali. Não é ele mesmo. Ele é Eric. E está correndo.

Ele... deixa cair a arma.

São flashes. Ele sente como se estivesse caindo. Então sente dor. Algo quente na sua têmpora.

Então acabou.

Lady está mordendo a guia. Matt passa a mão na cabeça. Ele inspira os aromas do inverno, da terra, do frio.

Fica ali até se sentir como ele mesmo de novo. Depois lembra o que viu. *Eric deixou cair a arma.* Será que outra pessoa a pegou? Será que outra pessoa a disparou?

O som de passos o tira de seus devaneios. Então, ele a vê. Leah.

Cercada pelos tons castanhos da paisagem de inverno, ela se destaca como o colorido do verão. Usa um suéter azul e jeans desbotados.

Não importa quanto sua mente esteja tumultuada, ele ainda percebe como ela é linda. O cabelo está solto. E balança suavemente enquanto ela caminha.

Ele percebe outra coisa. Medo. Nos olhos dela. Ela está pálida.

Ele corre ao encontro dela, resistindo ao impulso de abraçá-la.

– O que aconteceu?

Ela balança a cabeça como se não fosse nada, mas seus olhos gritam que é alguma coisa, sim.

– Você está bem? – Lady salta nas pernas dela, mostrando preocupação também.

– Sim. Eu só... me assustei um pouco.

– Com o quê? O que Cassie lhe contou?

– Nada. Eu não... Ela não estava em casa. Falei com a mãe dela.

– Então por que ficou assustada?

Ela morde o lábio antes de responder.

– Fiquei nervosa e, quando estava saindo, chegou uma viatura da polícia e entrou na garagem. Por um minuto pensei que ela tinha chamado a polícia por minha causa.

– Venha cá – ele pega a mão de Leah, a leva até o banco e se senta ao lado dela. Lady pede para subir no colo de Leah.

Leah deixa a cachorrinha subir e passa a mão nas costas dela, mas ainda parece assustada.

– Relaxe e depois me diga. Me conte tudo.

Ele a observa respirar fundo, segurar a respiração e depois soltar. Faz isso de novo, e parece que está contando e praticando alguma técnica de respiração de yoga.

Lady, parecendo preocupada, senta-se no colo de Leah e lambe seu rosto.

Leah olha para a cachorra e depois para ele.

– Estou bem.

Ele percebe que ainda está segurando a mão de Leah. A palma da mão dela é macia contra a dele. Mas está úmida. O que quer que a tenha assustado, não foi pouco. Ele se sente mal por ter pedido a ela para falar com Cassie.

– Sinto muito.

– Por quê? – Ela olha para ele, seus olhos ainda estão arregalados e muito azuis, mas não mais tão assustados. Mas ela ainda está pálida.

A culpa oprime o peito dele.

– Talvez tenha sido uma ideia ruim.

– O quê?

– Você falar com Cassie. Eu deveria ter feito isso.

Ela franze a testa.

– Mas ela não ia falar com você.

– Eu sei, mas eu... Eu não gosto de ver você assim.

Ela suspira, relaxa os ombros e balança a cabeça.

– Nada de ruim aconteceu. Eu apenas me assustei. Foi bobagem minha.

– Eu tenho certeza de que não foi.

Ele aperta a mão dela.

– Me conte tudo o que aconteceu. Comece do começo.

– Eu cheguei à casa dela e... me senti estranha de novo. Triste, como se Eric estivesse sentindo essa tristeza.

Ele se lembra da sua própria sensação de ver Eric, o tiro.

– E depois...?

– Notei alguém olhando para mim da casa. Saí do carro. Quando cheguei à porta, de repente fiquei com muito medo. A sra. Chambers abriu a porta. Perguntei se Cassie estava. Ela disse que estava na casa de uma amiga.

– Aqui? – ele pergunta. – Está na casa de uma amiga aqui na cidade?

– Ela não disse que era aqui, mas me pareceu que sim. – Leah olha para a mão dele entrelaçada à dela como se só agora percebesse o gesto dele.

Lady late. Leah faz uma pausa, mas não tira a mão da dele. Por alguma razão, ele acha que isso significa alguma coisa. Alguma coisa boa.

– Então, a sra. Chambers me perguntou quem eu era. Sei que gaguejei um pouco, mas disse que estávamos na mesma escola. – Uma mecha do cabelo dela esvoaça e depois cobre seu rosto. Ela a afasta com os dedos. Lady se agita um pouco, então se deita no colo de Leah. – Ela me perguntou se eu não tinha o número do celular de Cassie. E me olhou com suspeita. Eu menti e disse que sim. Então vi um carro parar na entrada da garagem.

A sra. Chambers apenas olhou para mim, então disse:

– É melhor você ir embora. – Quando me virei, vi o carro da polícia na entrada de automóveis. Fiquei ainda mais assustada. Fui para meu carro, mas não dei partida, porque achei que ela tinha chamado a polícia por minha causa. Mas eles não saíram do carro. Então, depois de alguns minutos, fui embora.

Matt fica em silêncio, pensando no que ela disse.

– Por que ela ligaria para a polícia?

– Não faço ideia.

Lady se acomoda melhor e quase cai do colo de Leah. Leah a segura, mas solta a mão de Matt. Ele fecha a palma da mão, sentindo falta do toque dela.

– Acho que a polícia pode ter ido lá por outra razão.

Ela suspira.

– Merda! Agora que estou pensando, tenho certeza de que exagerei. A polícia nunca poderia ter chegado lá tão rápido. – Ela olha para a floresta. – Eles não poderiam estar lá por minha causa. – Puxa, como fui boba! Diz soltando outro suspiro e olhando para ele como se estivesse pedindo desculpas.

– Não. – Matt se inclina para trás no banco. – Você estava sentindo as emoções de Eric novamente.

Ela balança a cabeça como se não tivesse certeza.

– Eu posso ter apenas imaginado tudo.

Matt olha para ela e vê a descrença. Não gosta disso. Sabe que ela está apenas tentando ser lógica. Algo que ele não pode ser agora. Não depois de alguém ter matado o seu irmão.

Ele suspira e tenta prender a respiração um segundo antes de Leah fazer o mesmo, esperando organizar seus pensamentos.

– Ainda assim, quero saber por que a polícia apareceu por lá.

– Talvez a investigação não tenha acabado. – Ela muda de posição. – Aquele detetive que você mencionou, talvez ele ainda esteja investigando o caso.

Matt nega com a cabeça.

– Ele é um investigador. Não acho que dirija uma viatura da polícia.

– Ele pode ter enviado outro policial para fazer perguntas.

– Não sei. – Mas Matt planeja descobrir por que a polícia foi à casa de Cassie. O que significa que tem que falar com o detetive Henderson novamente, mesmo correndo o risco de que a mãe fique sabendo.

Lady levanta a cabeça e late como se ouvisse alguma coisa, e Leah a coloca no chão.

Esfregando a palma direita na perna do jeans como se estivesse nervosa, ela diz:

– Tive outro sonho ontem à noite.

– O que aconteceu?

– Quase... a mesma coisa. – A voz dela fica mais tensa. – Anotei tudo, mas esqueci de trazer o bloco de anotações. – Ela morde o lábio inferior novamente.

O lábio dela está molhado e... isso faz com que ele queira beijá-la. Percebendo que está olhando para a boca de Leah, Matt desvia o olhar.

– Você teve algum sonho? – ela pergunta.

– Não, mas... – Tive uma espécie de visão antes de você chegar aqui. De Eric correndo. – Sim, Matt está mentindo, mas ele não quer dizer a ela que viu a arma caindo e possivelmente disparando. Ela já está duvidando. E, agora, o fato de ela acreditar nele, apenas o fato de estar ali, já o está ajudando a não achar que tudo aquilo é loucura. Ele não quer perdê-la.

– Não deixe de anotar tudo o que viu – diz ela.

– Vou fazer isso. Ele faz uma pausa. – Você vai ligar para Cassie ou... Se isso deixa você nervosa, eu mesmo ligo.

– Não. Eu faço isso. Vou ligar para ela hoje à noite.

– Ok. – Ele se lembra da expressão pálida e assustada dela. – Mas só se isso não deixar você com medo ou nervosa.

– Pode deixar – diz ela. – Quero ajudar... você.

Essa pausa com o acréscimo da palavra "você" mexe com as emoções dele. Pela primeira vez, ele não se sente tão sozinho desde aquela noite em que acordou e encontrou a cama de Eric vazia.

– Você está ajudando. – *Mais do que pensa.* – Você tem o número dela? Eu tenho aqui nos meus contatos.

Eles se levantam ao mesmo tempo para tirar o celular do bolso de trás da calça. Quando voltam a se sentar, estão mais perto um do outro. A perna dela pressionada contra a dele. Demora mais do que deveria para ele encontrar o número de Cassie em sua lista de contatos.

Logo depois que anota o número no celular, um bipe longo avisa a chegada de uma mensagem. Matt, mesmo sem querer, acaba vendo o nome de Trent piscando na tela do celular dela, e isso o faz se lembrar de Leah vestindo o casaco dele.

Leah ignora a mensagem. Lady está puxando a guia.

– Não acha que devemos andar um pouco com ela? – pergunta.

– Sim. – Ele ainda está vendo o maldito casaco.

Deveria perguntar se ela está saindo com Trent? Mas quer mesmo saber? O telefone dela toca, Leah desliga e o coloca no banco. Trent de novo?

– Vamos andar, Lady. Agora é minha vez de pagar o almoço. E não tem que ser comida indiana.

O sorriso dela faz com que ele sorria também.

– Parece bom.

Lady puxa a guia das mãos de Matt e escapa. Leah corre e a pega.

– Puxa, você foi rápida! – diz ele, poucos metros atrás dela.

– Espere. – Leah gira o corpo e tromba com ele, caindo em seus braços. Ele a segura pelos ombros.

– Eu... Esqueci meu celular – diz baixinho.

Nesse exato instante, ele volta no tempo. Volta até a casa dela. Até aquele segundo em que recebeu o melhor beijo da vida dele.

E como antes, ela foi de encontro a ele. Seu peito se move para respirar. Ela está tão perto.

Ele gosta dessa proximidade.

Pode sentir o cheiro do cabelo dela, da pele dela, da respiração dela. Pode sentir seus seios pressionando seu peito. Ele deve aproveitar a chance?

Eric o chamaria de covarde se ele não fizesse isso.

– Ah... – diz ele. – Eu... Eu pensei que você fosse me beijar.

15

Por um segundo, acho que estou imaginando coisas. Porque as mesmas palavras estão flutuando como borboletas na minha mente. Mas não perco tempo.

Levanto o queixo.

– Quer que eu beije você?

Ele está com aquele mesmo sorriso torto.

– Se você for Leah, quero que você me beije desde o sexto ano.

Ela ergue uma sobrancelha.

– Eu disse sétimo.

As mãos dele envolvem a minha cintura.

– Eu sei – ele diz, muito prático. – Mas queria beijar você muito antes.

Solto uma risada, depois volto a encenar o meu texto, pois ele não acabou ainda. E essa é a melhor parte.

– Seu coração está forte o suficiente?

Ele inclina a cabeça pra baixo.

– E você beija tão bem assim? – Os olhos dele são tão bonitos, a boca está tão próxima... E meus sonhos estão prestes a se tornar realidade.

O fato de ele se lembrar, palavra por palavra, do que dissemos oito meses atrás me deixa leve e cheia de alegria. Estou feliz por ser eu mesma. E não me sinto feliz por ser eu mesma há muito tempo.

Sou a heroína romântica do meu próprio livro.

Sou a nova Leah.

Não estou morrendo.

Estou muito viva e sinto isso.

Sinto tudo! As mãos dele contra a minha cintura, seu peito musculoso contra meus seios.

Ainda não é suficiente. Preciso do que vem a seguir. Ele hesita, como se estivesse esperando por mim.

Isso não é problema.

Vou buscar o que quero.

Fico na ponta dos pés e pressiono meus lábios contra os dele.

Sua língua desliza entre meus lábios.

Ele tem gosto de geleia de morango com um toque de hortelã. Ele passa uma sensação de força. Ele sente... Eu sinto...

Suas mãos apertam levemente a minha cintura. O beijo é ainda melhor do que o anterior. Não estamos no corredor da minha casa, onde minha mãe não pode nos ver. Nem ao alcance da voz do meu pai, anunciando que já está em casa.

Eu me sinto cada vez mais próxima dele. E nos beijamos até que essa proximidade não pareça suficiente.

E esse é o ponto em que sabemos que precisamos parar.

Eu me afasto. Estou respirando com dificuldade. Ele também.

Seus lábios se abrem no sorriso mais suave, doce e sexy que já vi. E eu me sinto mole. Tenho que me apoiar contra ele para evitar que meus joelhos dobrem.

– Puxa – diz ele.

– Puxa – respondo.

Lady nos traz de volta à realidade com um latido.

Seu queixo se aproxima como se fosse me beijar novamente, mas meu celular toca no banco. O sorriso dele desaparece.

– Vai mesmo atender?

– Só vou ver quem é – digo.

Eu me inclino para pegar o telefone. No segundo em que as mãos dele soltam a minha cintura, já sinto falta delas.

– É Brandy. Ligo pra ela mais tarde.

Guardo o telefone no bolso de trás do jeans.

Como ele não está mais tão perto, sinto a brisa gelada. Meu corpo estremece e tento me encolher dentro do suéter para me manter aquecida.

– Tome. – E, antes que eu perceba o que está fazendo, sinto o casaco em meus ombros.

Está quente e tem o cheiro dele. É como um abraço.

– Obrigada.

Ele olha para mim.

– Não, eu é que agradeço.

– Agora você é que vai ficar com frio – digo.

– Não depois desse beijo.

Eu solto uma risada. Lady puxa a guia e começamos a andar.

Ela para e cheira cada folha morta e cada pedra. Quero pegar na mão dele, mas acho que já usei minha cota diária de coragem ao beijá-lo.

Não que me arrependa. Nunca.

– Onde quer almoçar?

– Tanto faz – ele diz. – Desde que não tenha tempero indiano.

Lembro as histórias de outros pacientes transplantados. Brandy está certa. Não é estranho que duas pessoas gostem de comida indiana, e os sentimentos que tenho podem ser apenas resultado do meu nervosismo.

Mas, e os sonhos? Sonhos de perseguição podem ser comuns.

Mas e ser perseguido com uma arma de fogo na mão? Como posso explicar? Não posso.

E agora eu não quero explicar. Só quero aproveitar a companhia de Matt. Pela próxima hora, não quero nem pensar em Eric; só quero pensar em nós.

Dois adolescentes normais fazendo coisas normais.

A campainha toca. É Brandy. Ela aparece na minha casa uma hora depois de eu chegar. Liguei para ela durante o almoço e ela também não atendeu. Por fim, mandei uma mensagem de texto, implorando para que viesse me ajudar a arrumar o guarda-roupa.

Ela respondeu: *O quêêê?*

Mas, como é minha amiga de verdade, ali está ela. Pode não acreditar nos meus sonhos, mas vai me ajudar a arrumar o guarda-roupa.

Ela é esse tipo de amiga.

Encontro-a na porta, para que minha mãe não tenha tempo de fazer nenhum comentário sobre o fato de eu tê-la ajudado a arrumar o próprio guarda-roupa.

– Oi, Brandy! – Mamãe sai da cozinha. – Como foi...

– Estamos ocupadas agora, mãe. – Arrasto Brandy para o meu quarto.

Quando fecho a porta, ela me lança um daqueles olhares de quem não está entendendo nada.

– Menti para minha mãe, ok?

– Então já esgotou sua cota de mentiras por hoje? Hmm... O que vou perguntar, deixa eu pensar...

– Pode parar.

– Por que você mentiu?

– Mamãe queria que eu fosse fazer compras hoje, mas eu tinha planos com Matt; então, disse a ela que não podia porque ia ajudar você a organizar seu guarda-roupa.

– Por que não disse que ia encontrar Matt? Você disse que eles gostaram dele.

Franzo a testa.

– Não quero... Eles agem como se ele fosse meu namorado e ainda não tenho certeza se é. E se mamãe souber que estou com o coração de Eric, acho que ela vai surtar.

– Assim como você? – Brandy pergunta.

Parece uma piada, mas o comentário pega no meu ponto fraco. Prefiro ignorá-lo.

Ela desaba no único espaço vago da cama e olha as roupas empilhadas que já tirei do guarda-roupa.

– O resultado é que agora tenho que ajudar você a organizar o seu guarda-roupa?

Os olhos verdes de Brandy brilham bem-humorados.

– Por que tenho que ficar com a pior parte desse acordo?

– Você não precisa me ajudar. Só conversar comigo. – Tiro meus sapatos velhos do guarda-roupa.

– Eu ajudo e você fica me devendo essa. – Ela pula da cama e pega um cabide com uma blusa estilo marinheiro. – E enquanto trabalhamos, você me conta sobre hoje – diz com um olhar malicioso. – E lembre que já gastou sua cota de mentiras de hoje...

Jogo na caixa de doações um tênis velho, mas ainda em boas condições. Como Brandy acha que Matt e eu estamos loucos, não vou contar toda a conversa. Mas posso contar a melhor parte.

– Ele me beijou outra vez. Quer dizer, quem beijou fui eu...

Brandy solta um gritinho de felicidade.

– O quê? Quer dizer que a tímida Leah, que não segurava na mão de Trent na frente de ninguém, beijou Matt Kenner num parque público?

– Fique quieta! – Não quero que mamãe escute.

– Não me mande ficar quieta! Quero detalhes. Agora.

Solto uma risada.

– Eu deixava, sim, Trent pegar na minha mão.

– Depois de seis meses de namoro... mas esqueça Trent. O que obviamente você já fez, porque ele me escreveu reclamando que você não atende às ligações dele. Mas isso não é nenhuma novidade. Agora, o beijo.

– Ele escreveu pra você? – Sinto toda a minha alegria se esvaindo como um balão murchando. – Ele está chateado mesmo?

– Trent já é grandinho. Não se preocupe com ele.

– Eu não queria magoar Trent. – Solto um suspiro.

– É, eu sei. Agora chega. Quero detalhes do beijo.

Afasto Trent dos meus pensamentos, o que não é difícil quando me lembro de Matt e de nosso beijo. Conto a ela como tudo aconteceu e quanto o beijo foi carinhoso, excitante e perfeito. Ela adora.

Respondo às perguntas enquanto tiramos as roupas do guarda-roupa e as colocamos na cama, em três pilhas diferentes: aquelas que vão para doação, aquelas que não estão em condições de serem doadas e as que quero experimentar antes de decidir se vou doar ou não.

– Ele não disse nada sobre aquela garota que estava com ele vendo os fogos? – Brandy pergunta.

Precisava me lembrar disso? Mais da minha alegria se esvai, murchando um pouco mais o balão.

– Não falamos sobre ela.

– Ele perguntou sobre Trent? Quer dizer, ele viu vocês dois juntos. Provavelmente acha que vocês estão juntos.

– Não. Não falamos nada sobre ele.

– Você acha que ele está namorando com ela?

– Tenho impressão que não. – Caio na cama, sem me importar com as pilhas de roupa. – Você está dizendo que alguém como Matt não pode estar interessado numa *nerd* dos livros?

– Claro que não! – contesta Brandy. – Ele tem sorte se conseguir ficar com você. Só não quero pensar que ele está usando você ou coisa assim.

– Ele não está – digo com confiança.

– Ótimo! Quero dizer, ele tem que tratar você muito bem. Afinal, o coração do irmão dele está em seu peito. Tratar você mal é como tratar mal o próprio irmão.

Olho para ela. Por algum motivo estranho, a observação dela abre um novo portal de inseguranças em mim.

– Acha que é por isso que ele está comigo? Porque estou com o coração de Eric?

A primeira vez que nos beijamos, Eric nem estava morto, mas e se um pouco da conexão que sentimos agora for por causa do transplante? Matt pode estar se sentindo atraído por mim porque estou com... porque sou a última parte que ainda resta do irmão.

– Não! – garante Brandy. – Eu estava... estava apenas fazendo um comentário idiota. Ele gosta de você porque você é linda. E muito legal também.

— Certo – eu digo, mas a dúvida começa a se esgueirar, sufocando minha autoconfiança.

Tento deixar esses pensamentos de lado, porque sei que é um terreno escorregadio que pode me levar para o buraco; em vez disso me concentro no trabalho de organizar o guarda-roupa.

Em uma hora, todas as roupas estão devidamente empilhadas. E conversamos sobre livros. Um assunto seguro. Pelo menos até ela mencionar o clube do livro.

— Como você pôde deixar Sandy e LeAnn mudarem as regras do clube? Você devia ter visto a cara delas quando eu disse que estava lendo um romance água com açúcar.

Brandy solta uma risada.

— Você disse a ela que me obriga a lê-los também?

— Não, eu não ia colocar você no fogo. O que aconteceu com o clube?

Brandy começa a dobrar as roupas para doação e colocá-las numa caixa.

— Perdi muitas reuniões para sair com Brian. Mas você sabe como é LeAnn.

— Sim, eu sei. Elas vão acabar com o clube. Quantos membros ainda temos?

Brandy faz uma cara de "nem queira saber".

— Uns sete, e eles nem vão sempre.

— Eu tinha vinte!

— Mas, quando você voltar, pode recuperá-los.

— Talvez eu nem volte.

— Ah, por favor, o clube é seu. Foi você quem o criou.

— A Antiga Leah o criou.

Brandy me encara.

— Então, quem é a Nova Leah?

— Não sei – digo em voz alta pela primeira vez. E olho para ela.

— Você não percebeu que eu mudei?

— Sim. Você está mais animada. Mas acho que todos nós mudamos. É a vida, não é?

– Acho que sim.

Ela pega um romance sobre a minha mesinha de cabeceira.

– Você já acabou este?

Respondo que sim.

– Se importa se eu levar?

– Não. – Eu me lembro de ter dito a Matt que daria à mãe dele alguns romances. Olho a pilha de livros para doação e depois as roupas da pilha "Talvez". Pego um suéter para começar a provar as roupas.

Brandy se assusta ao ver minha cicatriz e se vira para a parede.

– Sinto muito – diz ela, ainda olhando para o outro lado. – Eu não... Eu não estava...

Olho para a cicatriz vermelha no meu peito, necessária para salvar a minha vida. Lembro-me da cicatriz da dra. Hughes e me pergunto quanto tempo vai demorar para que a minha desapareça como a dela. Ou será que a minha nunca vai desaparecer?

– Tudo bem. – Pego outra blusa na pilha do "Talvez" e visto-a rápido para esconder o que agora parece uma marca da vergonha.

Ela se vira de novo para mim. A empatia faz com que arregale os olhos verdes.

– Não está... Não está tão ruim assim. Eu só... – Ela corre e me abraça. – Me mata pensar que eles realmente cortaram seu peito. Não posso nem imaginar quanto isso deve ter doído.

– Está tudo bem – repito. E está mesmo. Não vou ficar com raiva da minha melhor amiga porque tenho uma cicatriz horrorosa. O olhar de Brandy baixa para o meu peito e ela dá dois passos para trás realmente rápido.

Olho para baixo. A blusa está muito apertada. Minha cicatriz espreita por cima do decote. O que deveria parecer sexy não é nem um pouco. Não mesmo.

Coloco a mão sobre a cicatriz.

– Acho que esta blusa vai para a doação.

– Parece boa, mas seus peitos ficaram amassados – diz Brandy, evitando falar da cicatriz. – Sabia que seus peitos estão maiores? – O sorriso dela diz que está preocupada com a possibilidade de ter me magoado. – Talvez eles tenham feito um transplante de peitos junto com o do coração.

– Talvez. – Forço uma risada e espero tranquilizar minha amiga. Meus sentimentos ainda estão tumultuados. A reação de Brandy me lembra que, embora eu queira ser normal, não sou. Mais do que tudo, quero ser normal para Matt.

E se minha melhor amiga não aguenta olhar para a minha cicatriz, como Matt vai se sentir? Por mais que eu queira pensar que é cedo demais para ficar pensando nessas coisas, não sou ingênua. A sensação quando Matt me beija ou apenas olha para mim deixa evidente que o que sinto não é uma atraçãozinha à toa. É algo intenso e furioso. E fabuloso.

No entanto, até mesmo uma atração fabulosa pode acabar em nada rapidamente. Quando as aulas começarem Matt, talvez passe a ver as coisas de maneira diferente...

Depois do parque, Matt leva Lady para casa e vai conversar com o detetive Henderson. A delegacia está sempre com cheiro de vestiário. Considerando que ali é a divisão de homicídios, ele supõe que deve ser pela quantidade de suor. As paredes cinzentas, a cor de um dia triste, define o estado de espírito das pessoas. Dois sujeitos parecendo claustrofóbicos se remexem nas cadeiras de encosto duro do saguão.

Matt vai até a recepção. A atendente, a sra. Johnson, pergunta o nome dele e, em seguida, informa que Henderson não está. Quando Matt pede para falar com outro detetive, a sra. Johnson, franzindo a testa, afirma que ninguém ali pode ajudar no caso.

Ele percebe que está sendo dispensado. Surpreendentemente, mantém a compostura.

– Volto amanhã.

Matt, então, vai para o parque à beira da estrada, onde encontraram Eric.

Ao desligar o carro, sente um aperto no peito. Olha para a cruz branca e se lembra das flores e velas que eram deixadas ali antes. Agora não há mais nada. As pessoas estão se esquecendo de Eric.

Engole o nó alojado em sua garganta. Logo o nó alcança seu peito.

Recordando a visão maluca que teve, sai do carro. O frio o faz fechar o casaco, e a imagem de Leah com o casaco nos ombros enche sua mente e alivia a dor.

Realmente quer perguntar se ela e Trent estão namorando, mas não tem coragem. Passa pela mesa de piquenique e entra na floresta.

O medo agita seu coração, e ele tem certeza de que é o medo de Eric.

Matt anda pela trilha. Ela parece tão familiar... Não porque ele já tenha estado ali quase cinquenta vezes desde que Eric morreu, mas porque viu esse cenário nos sonhos. Ele inspira o ar frio: não há nada a não ser uma trilha que não leva a lugar nenhum.

A lugar nenhum, a não ser a mais sofrimento.

– Me diga, Eric! O que aconteceu aqui? – A voz dele se eleva. O ar frio o faz tremer. Ou será o irmão?

Depois de cinco minutos lutando contra as lágrimas e andando em meio a uma névoa de dor, ele percebe que é inútil. Talvez se Leah vier, ela consiga ver algo diferente. Faz uma anotação mental para pedir a ela.

Quando entra no carro, seu celular no banco do passageiro avisa que há uma nova mensagem. É Ted perguntando se ele está bem. Questionando por que foi embora cedo na noite anterior e dizendo que os amigos vão jogar basquete à tarde.

Na verdade, desde que Eric morreu, toda vez que está com os amigos, ele vai para casa cedo. E sabe por quê.

Estão todos sempre falando bobagens, se divertindo. Parece errado se divertir. Pensa, porém, que se divertir com Leah não parece errado. Parece certo. Provavelmente porque ela entende.

"Precisamos de amigos", ele ouve a mãe dizer.

Tenta enviar uma mensagem a Ted, dizendo que vai encontrá-los, mas percebe que não há sinal no celular; então lembra que a floresta ao longo da estrada é uma verdadeira zona morta.

Olha para as copas das árvores e se pergunta se foi por isso que Eric nunca terminou de escrever sua mensagem naquela noite. *Preciso...*

Do que Eric precisava?

Matt balança a cabeça para tentar se livrar dos pensamentos, liga o carro e se força a fazer a coisa certa.

Quando chega à casa de Ted, eles já estão jogando basquete no quintal. Junta-se aos amigos, e eles jogam pra valer. Matt sua para acompanhá-los e, por cerca de uma hora, esquece tudo.

16

Mais tarde, naquele dia, ajudo papai a encher a lava-louças. Tarefa cumprida, digo que tenho um livro esperando por mim e vou para o meu quarto.

Há um livro me esperando de fato, mas primeiro tenho que fazer duas coisas, talvez três.

1. Verificar minha pressão arterial. Me senti bem durante todo o dia. Um pouco trêmula quando estava na casa de Cassie e muito trêmula quando beijei Matt. Coisas normais, tenho certeza. No entanto, o fato de estar com pressão alta pela manhã não saiu da minha cabeça.

2. Ligar para Cassie. E preciso checar minha pressão antes de ligar, porque sei que a ligação fará minha pressão subir.

3. Ligar para Matt. Ou ele é que deveria me ligar? Acho que nós apenas combinamos que iríamos nos falando. Ou eu estou ansiosa por isso. E estou tentando esquecer a cicatriz. Decidi só pensar nisso quando chegar o momento. Será que vamos chegar a esse momento? Só porque trocamos alguns beijos ardentes, não significa que nossa amizade vai se transformar em romance, o que exigiria, talvez, tirar a roupa.

Deito de bruços no lado direito da cama, o lado não ocupado com a pilha de roupas que preciso experimentar. Sim, decidi que experimentar roupas na frente de Brandy não era uma boa ideia. Não a culpo. Não mesmo. Mas a reação dela ainda me incomoda.

Fico de costas na cama e olho para o ventilador de teto, enquanto faço exercícios de respiração. Só quando sinto os músculos relaxados é que encaixo o manguito do aparelho de pressão no braço. A máquina zumbe, aperta meu braço e solta. Finalmente apita. Fico aliviada quando os números revelam que minha pressão está normal. Isso estava pesando em mim mais do que imaginei. Acho que não estou completamente confiante de que estou fora de perigo.

Enquanto anoto o resultado, percebo que a pressão está mais alta do que nos dias anteriores, mas a dra. Hughes me avisou que a pressão iria oscilar.

Começo a pensar no item número 2 de minha lista de afazeres. Mas preciso das palavras certas.

Oi, Cassie, lembra de mim? A nerd do clube do livro? A garota doente? Eu queria saber o que você sabe sobre a morte de Eric.

Não está bom. Esfrego a mão nas cobertas cor-de-rosa.

Oi, Cassie. Você pode explicar por que disse à polícia que não viu Eric na noite em que ele foi morto, se ele disse que ia à sua casa ao Matt – que por acaso é o cara por quem eu me derreto toda?

Não está bom também. Eu me sento e esfrego as palmas das mãos, agora, nos joelhos.

Oi, Cassie. Matt está com muita dificuldade para acreditar que Eric se matou. Você, por acaso, sabe por que alguém poderia querer fazer mal a ele?

Nem tão bom, nem tão ruim. Não como Matt teria dito, mas nós temos opiniões diferentes sobre o possível envolvimento de Cassie.

Eu me sento, afofo o travesseiro para ficar mais confortável e abro minha lista de contatos. Encontro o nome dela e olho para ele: tudo que eu tenho que fazer é apertar um botão.

Aperte-o.
Apenas faça isso.
Faça já!

Meu coração bate no peito. Eu aperto o maldito botão.

O telefone toca. Toca. E toca novamente. Cada toque aumenta a minha ansiedade.

Com a respiração presa, espero ouvir a voz dela. Ouço um clique.

Merda! Esqueci o que ia dizer. Esfrego a mão com mais força no joelho.

Ouço uma voz, mas é uma mensagem. Solto um suspiro. "A caixa de correio da pessoa que você está tentando contactar está cheia. Tente mais tarde."

Clique.

Fico sentada ali, ouvindo minha pulsação nos ouvidos, o telefone pressionado contra a bochecha. Então eu sinto. Alívio. Acabou. Eu tentei. Liguei. Agora posso ligar para Matt.

Mas não tenho nada para dizer a ele.

Vejo o olhar de tristeza em seu rosto, o mesmo que ele quase sempre tem.

Tristeza. Eu conheço essa palavra muito bem. Ela fez morada em meu coração quando perdi a minha avó três anos atrás. Durante meses, eu me recusei a pensar que ela estivesse morta. Fingia que ela tinha voltado à Flórida para passar o inverno. Que logo ela apareceria na nossa porta, toda agasalhada, cheirando a biscoitos e chocolate quente, e voltaria a ocupar o mesmo quarto da casa.

Ela nunca voltou.

Um dia, parei de mentir a mim mesma. Não pensava nela ou pelo menos, quando pensava, não doía tanto. Então, quando fiquei doente, ela se tornou uma imagem constante em minha mente; pensar nela me trazia conforto.

Eu tinha uma visão idealizada de que o céu seria uma enorme biblioteca. E vovó. Nós nos sentaríamos com a luz do sol entrando por uma janela, e ficaríamos ali, bebendo chocolate quente ou chá de pêssego. Passaríamos o dia todo lendo e fazendo palavras cruzadas juntas. Vovó adorava livros e palavras cruzadas tanto quanto eu.

Foi quando encontrei uma caixa com todos os livros antigos dela que comecei a ler romances água com açúcar. Quem diria que a minha avó gostava de livros com cenas de sexo?

Paro de pensar na saudade que tenho da vovó e passo a pensar em Matt. Seria mais difícil se eu achasse que alguém havia tirado a vida da minha avó em vez de saber que foi apenas o seu coração de 88 anos que parou de bater? Ou que ela mesma podia ter tirado a própria vida? Com certeza, seria muito mais difícil.

Descobrir o que aconteceu com o irmão não vai acabar com a tristeza de Matt. Mas vai dar paz a seu coração.

Meu coração ficou em paz depois que reli a pilha de cartas que vovó me escreveu um ano antes de morrer. Em todas elas havia uma mensagem implícita: *aproveite a vida.*

Numa carta, havia uma de suas citações incríveis, à qual me agarrei quando estava morrendo. A mesma que vai me ajudar a descobrir a Nova Leah.

Não faça nada de que vá se arrepender depois. Mas faça o suficiente para saber exatamente do que se arrependeria e aprenda a se arrepender menos. Para uma avó, ela era uma mulher muito descolada.

A coisa de que eu sei que vou me arrepender agora é desistir de Matt antes de lhe dar uma chance. Além disso, quero ajudá-lo. Se isso é tudo de que ele precisa, então vou fazer.

Ligo para Cassie novamente.

Ouço a mesma mensagem.

Pelo menos agora, quando ela vir duas ligações perdidas do mesmo número, não vai pensar que foi engano.

E ela vai... Caramba! Ela vai me ligar. Cassie Chambers vai me ligar de volta. O que significa que preciso estar preparada.

Mordo o lábio. Por que não pensei nisso antes? Provavelmente porque enterrei minha cabeça na areia. Fiz isso quando estava morrendo também.

Sim, estou feliz por ter tirado minha pressão sanguínea antes de ligar.

Depois de respirar fundo, começo a discar para Matt, mas o celular toca.

Solto um grito e o atiro na pilha de roupas do "Talvez".

O que não é nada inteligente, porque, se for Cassie, eu preciso atender. Fico de joelhos – o que não é tão fácil sobre um colchão de espuma. O telefone ainda está tocando, mas está enterrado sob uma montanha de blusas velhas.

Merda. Merda. Merda.

Começo a jogar as roupas para o alto.

Para um lado. Para o outro. Para cima. Para baixo. Finalmente encontro. Atendo sem nem verificar quem está ligando.

– Alô?

– Leah? – A voz é masculina. E conhecida. E faz com que eu me arrependa no mesmo instante de ter atendido. Meus joelhos afundam no colchão. Meu ânimo afunda com eles.

– Leah, sou eu. Trent.

Matt ajuda a mãe no jardim. Depois eles comem o que sobrou do chili e conversam sobre que plantas vão comprar. Felizmente, ela não menciona mais nada sobre o detetive Henderson ou sobre o grupo de apoio.

Depois de jantar, ele toma um banho antes de ligar para Leah. Ou é Leah quem vai ligar para ele? Não se lembra. Muito do que conversaram durante o almoço ele não se lembra porque estava ocupado apenas observando-a. O jeito como ela movia as mãos quando falava. A maneira como os olhos dela estavam expressivos. A maneira como franzia o nariz ao sorrir.

Está embaixo do chuveiro, cabelo ensaboado, quando ouve o celular tocando. Certo de que é Leah, estende a mão para pegar uma toalha, mas não encontra nenhuma. Atravessa o corredor nu até seu quarto, os pés escorregadios e ensaboados deslizando pelo chão. Quase cai sentado, mas se equilibra a tempo e mergulha na cama até alcançar o telefone sobre o travesseiro.

– Alô? – responde, sem fôlego.

– Matt?

Um sorriso aparece nos lábios dele quando ouve Leah. O tom da voz dela é quase musical. Não é agudo demais, muito agradável. Realmente agradável.

– Sim. – Ele rola na cama, coloca a mão no peito e se lembra do beijo.

– Por um segundo pensei que não fosse atender – ela diz.

Perdido em pensamentos, ele deixa escapar um pedido de desculpas.

– Foi mal, eu estava no chuveiro.

– Ah. Quer desligar?

– Não. – Ele passa a mão no rosto. A mão volta cheia de espuma. *Por que eu iria desligar?*

– Você pode me ligar depois – diz rindo. – Se precisa se vestir.

O quê?

– Como você sabe...?

Ela solta uma risada.

– Você não disse que estava no banho?

Ele tinha dito?

– Merda! – Diz sem querer. E fica constrangido. Então a risada bem-humorada dela enche seu ouvido.

Ele ri também.

– Eu te ligo de volta.

O constrangimento por dar a entender que está nu se transforma em algo diferente. Diferente porque é quente e doce e bem-vindo. Está um pouco excitado... O que é bobo e juvenil, mas ele gosta.

Deixando alguns botões do pijama abertos, ele encontra uma toalha sobre a cômoda e seca o cabelo com ela, depois deita na cama e ativa a rediscagem.

– Você se veste rápido. – O humor é evidente na voz dela.

– E você, não? Ele ajeita o travesseiro.

– Não tão rápido.

– Sim, as garotas acham que se vestir é uma arte. Os homens só põem as roupas.

– Os homens têm sorte – diz ela.

– Sim, porque nós gostamos de arte – ele brinca. A risada é suave e Matt imagina o seu sorriso. – Você conseguiu arrumar seu guarda-roupa?

– A maior parte.

Ele sabe que a verdadeira razão para essa ligação é falar sobre a conversa dela com Cassie, mas será que ele não pode conversar por alguns minutos?

– Está pronta para começar as aulas?

– Não. – A palavra soa carregada.

– Por que não?

– Por causa de tudo.
– Tipo?
– As matérias. Não tenho certeza se estou preparada. As pessoas. Não sei como elas vão me receber. E ainda tem...
– Por que não sabe como as pessoas vão te receber?
– Elas sabem que eu quase morri.
– Sim, mas... você não morreu. E está bem agora. Então não entendi.

Ela fica instantaneamente quieta. Ele tinha dito algo errado?
Ela finalmente fala.
– Isso vai assustá-los.
– Por quê?
– Só sei que vai. – A tristeza muda o tom de voz dela e toca o coração de Matt.
– Eu não me preocuparia com o que as pessoas pensam. E quanto às matérias, eu posso ajudar. Poderíamos nos encontrar umas duas vezes por semana. – Ele segura a respiração, esperando.
– Isso seria ótimo. – Ela de fato parece ter gostado da ideia.
– O que mais?
– O que mais o quê?
– O que mais incomoda você na volta às aulas? – Ele quer... não, ele precisa ajudar.

Ela hesita.
– Eu não sei. Descobrir quem sou agora.
– Você não sabe quem é?
– Sim. – Pausa. – Na verdade, não. As pessoas mudam.

Matt tenta entender o que Leah quer dizer com isso.
– Você acha que mudou?
– Acho.
– Não notei muita mudança.

O silêncio preenche a linha. Quando ele está prestes a chamá-la, ela responde:
– Você não me conhecia muito bem antes.

Isso parece quase uma acusação, mas ele não tem certeza.

– Aposto que te conheço melhor do que você pensa.

– Será? O que você sabe de mim? – Agora parece um desafio. Mas ele está pronto.

– Que você tem olhos lindos. Azul-claros, com anéis de um azul mais escuro ao redor. E seus lábios são...

– Não perguntei na aparência. Isso todo mundo sabe.

– Ok... Você gostava de ler. Sempre estava carregando um livro. Você entrava na sala e lia até o professor chegar. Não queria parar de ler, mas sempre parava porque gosta de seguir as regras. Você fundou o clube do livro. É inteligente. Sempre faz todos os exercícios na sala de aula e sempre entrega a tarefa de casa. É minuciosa. Demora para fazer as provas. Você termina, em seguida, repassa tudo. Você é quieta. Sai com um pequeno grupo de amigas, que também gostam de ler. Uma delas é Brandy, que mora em frente a Austin Walker. E no nono ano, você tinha Educação Física na última aula.

Quando ele para de falar, a linha fica muda. Parece morta.

– Leah?

– Acertou – ela murmura, parecendo confusa. – O problema é que ainda gosto de ler, mas não gosto dos mesmos livros. Provavelmente, vou voltar para o clube do livro, mas não quero mais ser a presidente. Não sou inteligente em tudo. Quero me formar, mas não estou preocupada com as notas. Eu costumava enlouquecer se tirasse um B. Agora, acho que tirar B ou C está bom. Brandy é minha melhor amiga e provavelmente isso nunca vai mudar, mas meus outros amigos... Não tenho certeza se ainda nos entrosamos...

Ele quase pergunta se Trent está incluído nesses "outros amigos". Ele tem muita esperança de que não esteja.

Lady aparece em seu quarto. Matt a ajuda a subir na cama antes que ela comece a latir.

– E – Leah continua – não sou mais quieta. Digo "merda" com muita frequência. A Antiga Leah nunca dizia "merda". A Antiga Leah não tinha opiniões formadas. A Nova Leah tem dificuldade para não expressá-las em voz alta. Eu me vejo mordendo o lábio, para não dizer o que penso. Ou porque estou nervosa pensando no que já disse.

Ele se lembra de Leah mordendo os lábios – lembra que ele preferia que ela não tivesse mordido... Os lábios dela são macios demais para serem mordidos.

– Percebi que você não é mais tão quieta, mas falar o que pensa não pode ser uma coisa ruim. E "merda" não é a pior coisa que você pode dizer.

– Eu sei. É só que... Estou diferente. E todo mundo espera que eu seja como o meu antigo eu, e isso é como tentar calçar os sapatos de outra pessoa.

– Então não faça isso. Seja apenas você mesma. Calce suas pantufas de Pato Donald. – A imagem dela usando as pantufas preenche a mente dele. Isso faz com que sorria. – Seja apenas você.

Ela solta uma risada, mas o riso dura pouco.

– Primeiro tenho que descobrir quem sou. – O silêncio retorna. – Como você sabia quando eu tinha Educação Física?

Droga, ele deveria ter ficado quieto. Ou talvez não.

– Eu... notei que você ficava muito bem de shorts de ginástica e regata. Então, uma ou duas vezes por semana, eu encontrava um motivo para sair da aula e passear pelo ginásio.

Ela solta outra risada.

– Você ficava de olho em mim? Está falando sério?

Sim, mas Trent também e ele te ganhou antes que eu me aproximasse de você.

– Confesso que sim.

Então, de repente, algo lhe ocorre.

– Você acha que mudou porque... está com o coração de Eric?

Ela hesita.

– Talvez. Mas não completamente. Ficar doente muda a gente.

Ele tinha certeza disso. Assim como perder as pessoas que você ama.

– Eu liguei para Cassie – Leah diz abruptamente. – Ela não atendeu, e recebi uma mensagem dizendo que o correio de voz dela está cheio... Eu esperei alguns minutos e liguei novamente. Espero que ela veja minhas duas chamadas perdidas e me ligue de volta.

Ele detecta algo na voz de Leah e se lembra do medo que viu nos olhos dela mais cedo.

— Você está encarando isso numa boa?

— Sim.

— Leah, se você não quiser...

— Vou falar com ela.

Seus instintos lhe dizem que ele não deveria envolvê-la nisso, mas ele não tem mais a quem pedir ajuda.

Ele hesita.

— E se nós dois formos à casa dela amanhã?

— Eu não posso. Eu tenho... Vou comprar roupas com a minha mãe.

O pensamento de não vê-la faz com que o dia seguinte pareça sombrio.

— O dia todo?

— Sim.

— Que tal amanhã à noite? Poderíamos... — Ele pensa em convidá-la para sair. Para um encontro de verdade. — Talvez a gente...

— Não posso. Vamos viajar no fim de semana. O amigo do meu pai tem uma casa em Fredericksburg.

Merda! Se ela não parecesse tão chateada, ele suspeitaria que ela estava dando uma desculpa para não vê-lo.

— O final de semana todo?

— Até domingo.

— Que merda! Lady vai ficar com saudade de você — diz Matt em vez de dizer que é ele que vai.

— Eu também vou sentir falta da Lady.

Ela quis dizer...?

— Posso te ligar?

— Eu estava esperando que você pedisse. E vou ligar para você também. — Ela fica quieta. — Se não tiver problema.

— Claro que não. — Ele quer dizer a ela como gosta de beijá-la, como deseja beijá-la de novo. Também quer perguntar sobre Trent. Mas ouve um sinal sonoro alto no telefone.

— O que é isso?

— O alarme do celular me lembrando...

— O quê?

– Que eu preciso assistir a um programa de TV às nove horas com minha mãe. Melhor eu desligar.

– Ok.

O jeito como ela desligou rápido acentua a impressão que ele tem de que a voz dela tinha ficado estranha.

Ótimo! Agora ele está pensando outra vez na possibilidade de ela estar querendo se livrar dele. Por que é tão difícil entender as garotas?

17

Estamos fazendo compras. A loja está cheia de novas cores e estilos de inverno. Não faço compras há mais de um ano. Uma música de Natasha Bedingfield toca no sistema de som. Mamãe já me disse que posso gastar quanto quiser. Ela está mais animada com a ideia de eu voltar para a escola do que eu mesma.

Estou assustada. E está me ocorrendo agora que não estou nem um pouco ansiosa para rever Trent. Ele ligou para lembrar que eu tinha dito que seríamos amigos. Disse que ainda quer ser mais do que amigo e espera que eu mude de ideia.

Mudei de assunto e passei a falar de livros. Só conversamos durante uns cinco minutos. Cinco minutos que duraram uma eternidade.

Pego uma camisa azul, vejo o preço e a devolvo à arara. Por mais que eu goste de fazer compras, não estou a fim hoje. Ou será que minhas opções são tão limitadas que as compras não estão divertidas?

As roupas são lindas, mas os decotes mais discretos não estão na moda. Só encontro blusas de gola alta e manga comprida. Tudo chato. Discreto. Comportado.

Quando se tem uma cicatriz enorme no meio do peito, as roupas servem mais para esconder do que para você tentar ficar bonita.

– Adoro isso! – Mamãe me mostra uma blusa cor-de-rosa com decote em V.

Ela está esquecendo uma coisa...

– Eu gosto mais desta. – Aceno para a camiseta cor de vinho na minha cesta, achando que ela vai se lembrar e nós vamos poder fingir que ela não esqueceu.

Mamãe vai para a próxima arara.

– Você tem que experimentar isso! – Ela levanta outra blusa. A cor está certa. Azul fica bom em mim. O decote cavado, no entanto, não é uma opção. Mas ela está tão animada que pego a blusa para deixá-la feliz. Não que eu vá experimentá-la. *Lembra logo, mãe!*

– Acho que vou pegar este jeans e ir para o provador. – Aponto para os itens na minha cesta.

– Você só pegou quatro blusas.

Quatro blusas sem graça.

– É um bom começo.

– Ok. Vá para o provador. Vou pegar mais algumas.

Tento dizer não a ela, mas não consigo. Em vez disso, pego a calça jeans e sigo para o provador. Tiro minha camisa para experimentar a blusa sem graça número 1. Vejo de relance minha imagem no espelho de corpo inteiro.

Olho para as cicatrizes. Tenho evitado olhar para mim mesma. Eu sei exatamente onde me vestir no meu quarto para não ver meu reflexo no espelho.

Mas não há como evitar isso agora.

Há uma cicatriz enrugada onde meu coração artificial estava conectado, logo abaixo da costela esquerda. A segunda, menor, onde eu tinha um dreno quando recebi o novo coração. E então a grandona. Onde eles cortaram e abriram o osso do peito.

Ainda está vermelha e brilhante, tem quase dois centímetros de espessura, e começa alguns centímetros abaixo do pescoço. Depois desce uns bons dez centímetros pelo meio do peito. Eu não sou tão vaidosa a ponto de não querer ter essa cicatriz. Estou viva por causa dela. Mas eu gostaria que ela sumisse.

Eu queria não ter visto Brandy se assustar. Não estou chateada com ela, só mais insegura do que nunca.

Corro o dedo pela cicatriz. Ainda está entorpecida em alguns lugares. Eu gostaria de saber se a sensibilidade vai voltar. Colocando a mão no peito, sinto o leve *tum-tum* do meu coração.

Eu me pergunto se o coração de Eric é do mesmo tamanho que o meu. Eu me pergunto o que eles fizeram com o meu coração. Jogaram fora? Cortaram para estudá-lo?

Foi isso que aconteceu com a Antiga Leah? Perdi parte dela quando eles tiraram meu coração?

Sinto falta dele?

Eu me pergunto se um dia o coração de Eric vai parecer como o meu. Vou parar de me sentir como se eu tivesse roubado a vida de alguém? Que me beneficiei de algo terrível?

Percebendo que todos esses desejos e perguntas estão arruinando meu dia, paro. Visto a blusa nova. É sem graça, mas veste muito bem. Eu me viro para o lado e, pela primeira vez, vejo do que Brandy estava falando.

Sim. Meus peitos estão maiores.

Coloco as mãos na cintura. Estou mais curvilínea. E me lembro das mãos de Matt na minha cintura. Lembro-me de como foi sentir meus seios maiores pressionados contra o peito dele. Seus lábios nos meus. Senti um frio na barriga. O tipo bom de frio, que faz o corpo formigar.

Então outro pensamento afasta essa sensação.

Eu me pergunto se Matt vai se assustar se ele vir minha cicatriz.

É um pensamento idiota. Na volta às aulas, ele pode nunca mais querer me beijar. Talvez nem goste realmente de mim. Ou será que vai fingir que gosta, para que eu continue ajudando na investigação sobre a morte de Eric?

Digo a mim mesma que é melhor não ficar pensando nessas coisas.

Tiro meu jeans e visto o novo. Ele serve. E fica bom.

– Leah? – Ouço minha mãe.

– Aqui.

Destranco a porta do provador.

Ela abre e me vê com a blusa nova e o jeans.

– Hmm... – ela diz. – Não sei, é um pouco...

– Sem graça. – Eu tento não levar isso tão a sério.

– Não, só muito simples.

Como se "simples" e "sem graça" não fossem sinônimos. O que posso dizer? Mamãe sempre foi mais dos números do que das palavras.

– Encontrei estas aqui.

Ela joga uma braçada de blusas e suéteres para mim.

Quatro das seis blusas têm estampas com a cor rosa. Aposto que todas elas têm decote.

– Você não quer experimentar alguma coisa? – sugiro.

– Hoje é o seu dia. Quero vê-las em você – diz mamãe, com sua voz cheia de animação, então fecha a porta do provador.

Penduro todas as blusas no gancho e pego a azul. Eu não queria ter de dizer a ela, porque sei que ela vai se sentir mal, mas... ou eu digo ou mostro. E não quero mostrar a ela. Não quero que ela veja. Ver a cicatriz espiando por trás de uma peça bonita de roupa é pior do que me ver nua.

– Elas não vão ficar boas, mãe.

– Por que não? São tão fofas...

Toco o peito por baixo da camiseta de manga longa vinho.

– A cicatriz.

Seus olhos se arregalam e lágrimas enchem seus olhos.

– Ah, querida. Sinto muito. Eu... esqueci.

Ela faz uma cara de quem acha que acabou de me insultar. Do jeito como Brandy me olhou. Eu a abraço.

– Está tudo bem.

Ela me aperta e me solta.

– Eu amo essa cicatriz. Ela salvou sua vida. Você está aqui por causa dessa cicatriz. Por causa dela vou entrar num provador e ver você experimentando vestidos de noiva. – Lágrimas escorrem pelo rosto dela.

– Eu sei. Mas não quero...

– Entendi. Espere, tive uma ideia. – Ela sai às pressas do vestiário e não sei para onde vai.

Experimento a próxima blusa sem graça. Mal vesti as mangas quando mamãe irrompe no provador.

– Regatas de cetim com renda! – Ela me passa três cabides. – Experimente uma com aquele suéter azul. Alguns meses atrás, vi um programa sobre como usar regatas sensuais com roupas cotidianas. – Ela aponta para o meu celular. – Consulte o Google, se não acredita em mim. – Eu vou procurar mais algumas blusas para combinar.

Ela corre para fora do provador. Uma mulher com uma missão. Olho para a porta e percebo que é a mesma missão que ela cumpre há quase dois anos. Manter Leah viva e feliz.

Minha mãe precisa se concentrar em si mesma agora. Ela não fala em voltar a trabalhar. Eu deveria incentivá-la. Ela costumava adorar seu trabalho numa grande empresa de contabilidade. Os amigos dela ainda trabalham lá.

Olho para as regatas rendadas. Pego uma e visto embaixo do suéter azul. Não fica nada mal. Talvez mamãe tenha razão.

Não é sem graça. O decote do suéter é grande e solto e um ombro fica um pouco de fora. Antes eu não o compraria, porque mostraria a alça do meu sutiã, mas com a regata de seda é diferente. É sexy. Eu me sinto sexy. Penso em Matt me vendo com essa roupa.

Ainda estou ocupada pensando na reação de Matt, quando meu telefone toca. Brandy ficou de ligar para saber das compras.

Procuro minha calça jeans, com meu celular no bolso de trás. Atendo sem ver quem é, e no mesmo instante eu me lembro.

De quem mais tem meu número.

– Alô? – O leve tremor na minha voz ecoa em meu estômago.

– Quem é? – Eu não reconheço a voz, mas sei que é ela.

Minha mente começa a dar voltas. Perguntas. Perguntas. Quais eram?

– Cassie? – Eu me forço a falar. Emoções indefinidas inundam meu peito. Não tenho medo. Só estou nervosa.

– Quem é você? – O tom é incerto, inseguro. Não como eu esperava que a linda e corajosa líder de torcida Cassie Chambers fosse falar. Mas então a imagem dela no parque à beira da estrada, onde Eric foi baleado, inunda minha mente. Ela não parecia tão ousada.

A tristeza me invade. Sinto tristeza. Por Cassie. Muita. Tristeza.

– É Leah. Leah McKenzie. Da escola. Você provavelmente não se lembra de mim. – Eu ouço passos do lado de fora do provador. *Que não seja minha mãe. Por favor, que não seja minha mãe.*

Ouço a porta de outro provador se abrindo.

– Eu me lembro de você – diz Cassie. – Por que está me ligando? Foi você que veio à minha casa?

Respiro fundo. Minha língua parece grossa. Tenho vontade de chorar. Não sei por quê, mas sinto.

– Sim. Eu... Eu tenho conversado com Matt Kenner e ele tem perguntas e queria que eu...

– Pare. Já estou sofrendo demais. Diga ao Matt para me deixar em paz!

– Mas, Cassie, por pior que seja para você, para Matt é ainda muito pior. Eric era o irmão gêmeo dele. Ele está apenas tentando entender como... tudo aconteceu. Você poderia ajudá-lo? Por favor.

– Não posso... Não posso...

Ouço a respiração instável de Cassie. Ela está chorando. O peso no meu peito aumenta, pressionando minha caixa torácica. Quero chorar com ela. Por ela. Por Eric.

– Por que não pode? – As palavras estrangulam minha garganta.

– Você não compreende.

– O que eu não compreendo? Me conte. Eu vou contar a Matt.

A última coisa que ouço é Cassie soluçando. Então ela desliga.

Meus joelhos fraquejam, me sinto tonta. Desabo no banco do provador.

O sentimento desaparece. E é substituído por outro. Eu falhei. Não tenho nada que ajude Matt.

Então ouço as palavras de Cassie. *Não posso. Você não compreende.* É imaginação minha ou parece que Cassie sabe alguma coisa, mas não pode me contar?

Será que Matt está certo? Cassie de fato sabe mais do que está dizendo?

Cumprindo sua promessa, Matt volta à delegacia para falar com o detetive no dia seguinte. Para na frente do balcão da recepção e enfrenta a sra. Johnson. A mulher afro-americana corpulenta, que se parece com uma avó, fita o computador, alheia à sua presença.

– Vim ver o detetive Henderson.

Ela olha para ele.

– Seu nome?

Matt aposta sua jaqueta de futebol que ela sabe muito bem o nome dele. Assim como ele sabe o dela. E provavelmente sabe por que ele está ali.

A consternação em seus olhos não deixa dúvida.

Ele odeia que sintam pena dele. Precisa de respostas. Não de compaixão.

Não sabe o que vai fazer se eles o ignorarem outra vez.

Quanta confusão pode criar até ser preso?

Não seria culpado de nada. Mas seria um problema. Um problema que ele aceitaria por Eric, mas que aborreceria muito a mãe. E Matt não quer isso

Ele respira fundo e solta o ar. Para manter o foco, pensar com mais clareza.

É um truque que aprendeu com Leah. No instante em que pensa nela, começa a sentir sua falta. Ele não se lembra de ter sentido algo tão forte assim por uma garota.

A sra. Johnson pega o telefone e digita alguns números.

– Sim, Matt Kenner está aqui.

Ela olha para baixo. Ele observa a carranca no rosto dela.

Isso não é bom.

– Ok. Tudo bem. – Ela desliga e levanta os olhos castanho-escuros.

– Sinto muito, mas ele vai entrar numa reunião.

– Vou esperar. – O tom de voz é duro. O estômago ronca, lembrando que ele não tomou café da manhã.

Ela franze a testa.

– Ele pode...

– Eu não vou embora. – Matt cerra a mandíbula. Dane-se. Se ele não pode ver Leah, pode ficar ali o dia todo. O que vão fazer? Prendê-lo? Talvez por vadiagem? Eles fariam isso?

Uma porta nos fundos se abre.

É o detetive Henderson. Com uma expressão muito contrariada. Ele olha para a sra. Johnson.

– Eu resolvo isso. Venha – o detetive diz para Matt.

Matt o segue, reparando na grande estatura do homem e em seus ombros largos. O detetive passa pelo escritório onde eles costumam conversar e entra no que parece ser uma sala de interrogatórios. Ali há câmeras nos cantos do teto. E um grande espelho que Matt suspeita ser uma janela.

O detetive puxa uma cadeira e se senta. Matt escolhe a cadeira da frente para que possa olhar o detetive nos olhos. Encontra o severo olhar acinzentado do homem e quase faz uma observação irônica, mas lembra-se do antigo ditado: "Não é com vinagre que se apanham moscas".

– Obrigado. Por concordar em falar comigo. Eu queria perguntar...

O homem levanta a mão.

– Eu primeiro.

– Contanto que eu também tenha a minha vez – rebate Matt.

O homem esfrega a mão no rosto.

– Eu odeio ter que ver você.

A espinha de Matt enrijece.

– Porque eu te lembro do péssimo trabalho que você fez no caso do meu irmão?

O detetive balança a cabeça.

– Odeio ver você porque você me faz lembrar do meu irmão mais novo. Ele morreu aos 18 anos. Eu quase tinha esquecido quanto isso doía até você começar a aparecer na minha porta.

Matt está surpreso.

– Como ele morreu?

– Ele comprou um monte de cocaína ruim. – Henderson suspira. – Como você, eu queria culpar todo mundo. Os traficantes, o amigo que o levou para pegar aquela merda. A namorada que não largava dele. Meus pais, por não intervirem. Até eu mesmo. Mas nunca culpava meu irmão.

– Eric não...

– Não terminei! – Ele estende a mão. – Eu sei como você se sente, filho. Passei exatamente pelo que você está passando, e isso quase me matou. Eu gostaria de poder ajudar. Gostaria de poder dizer que acredito em você. Mas nunca vi um caso tão evidente.

– Você não sabe...

– Droga, eu queria estar errado! Cada vez que você entrava por aquela porta, eu abria o maldito arquivo e procurava alguma brecha. Não há. Eu não sei o que dizer a você para que pare de doer. Só o tempo pode curar essa dor.

A dor oprime o peito de Matt, pressionando suas costelas, acumulando-se no coração. Lágrimas ameaçam encher seus olhos. Ele engole o nó na garganta.

– Você não conhece Eric. Ele...

– Eu não posso ajudar, Matt. Daria minha mão esquerda para que pudesse.

Matt luta contra a sensação de desesperança. Então se lembra da razão pela qual está ali.

– Você enviou um policial para conversar com Cassie Chambers?

O detetive faz que não com a cabeça.

– Uma viatura da polícia foi até lá. Pensei que...

– Não fique incomodando a garota. Se ela fizer outra queixa, vou ter que pedir uma ordem de restrição contra você. Eu não quero fazer isso, entendeu?

– Quem se queixou? – Matt pergunta. – Cassie?

– Não importa.

– Eu só queria entender...

O detetive Henderson se levanta.

– Tente não pensar mais nisso. Encontre algo para ocupar seu tempo. Arranje uma namorada.

Matt pensa em Leah. Ele quase quer contar ao detetive sobre os sonhos, sobre os sonhos dela e sobre o coração. Seus instintos dizem que é inútil. O detetive iria pensar que Matt está perdendo o juízo. O que ele pode fazer para o detetive acreditar nele?

Sem conseguir pensar em nada, Matt se levanta e se vira para sair. Depois se volta e olha o detetive nos olhos.

– O seu irmão estava tentando se matar?

– Não, ele era viciado.

– Talvez por isso quisesse se matar.

O detetive balança a cabeça.

– Ele simplesmente não sabia como a cocaína fazia mal.

– Mas ele sabia que era perigoso. Provavelmente estava procurando uma saída.

– Não estava...

Os olhos do detetive se arregalam como se ele percebesse as intenções de Matt.

A espinha de Matt endurece.

– Como você pode saber? – Matt faz uma pausa. – Você apenas sabe, não é? Porque ele era seu irmão. Como Eric era o meu. Éramos gêmeos idênticos. Eu quase podia ler a mente dele. Eric não se matou.

O detetive Henderson passa a mão no rosto.

Matt continua.

– Já ouvi falar de casos que pareciam suicídios incontestáveis e na verdade eram homicídios. Sei que é possível isso acontecer. E não vou parar de procurar provas. Entendo que você não esteja investigando. Não gosto, mas entendo. Mas posso vir falar com você quando encontrar alguma coisa? Vai me atender? Vai me ouvir?

O homem fecha os olhos e depois volta a abri-los.

– Vou falar com você, mas tem que ser uma prova. Uma prova sólida. Entende o que isso significa?

Matt acena com a cabeça.

– Obrigado. – Matt decide que é hora de ir embora.

– Filho?

Matt se vira.

– Estou falando sério sobre você não se expor. O carro da polícia que você viu... Não é o que você pensa.

– Então o que é?

– É o carro do policial Yates. Ele é noivo da sra. Chambers. Cassie nem estava em casa. Ela está morando com o pai na Califórnia. Yates diz que a mãe de Cassie culpa você por ela ter ido embora. Eu só liguei para a sua mãe porque Yates viu você por lá e veio falar comigo. Então não vá arranjar problema. Fique longe deles.

– Você está errado. – As palavras de Matt são tão duras quanto está sua espinha dorsal agora. – Cassie está na cidade. E embora você ainda não acredite em mim, ela mentiu para você. Eric foi à casa dela na noite em que foi morto.

O detetive franze a testa. Mas Matt não se importa. Vai continuar dizendo aquela maldita verdade até alguém escutá-lo.

– Eric me disse. Ele não tinha motivos para mentir. Eu ia comprar comida aquele dia. Ele disse para não incluí-lo porque ele ia sair com Cassie.

– E ela não foi ao encontro.

– E você acredita nela?

– A mãe dela confirmou.

– Então a mãe também está mentindo.

O detetive olha para Matt como se olha para um cão abandonado querendo entrar em casa. Matt sai da delegacia se sentindo pior do que antes.

18

Ouço o familiar toc-toc do salto da dra. Hughes, então ela entra no consultório.

Guardo o celular no bolso e olho para ela. Estou com pressa de ir embora, quero ligar para Matt e contar sobre a ligação de Cassie.

Deixei mamãe almoçando e fui ao banheiro ligar. Mas não liguei.

Não sabia o que dizer a ele. Não tenho certeza se Cassie está escondendo alguma coisa. Não tenho certeza... Não tenho certeza se Matt e eu temos chance de ter alguma coisa. Estou com medo de que o beijo no parque tenha sido o último que vou receber dele. Com medo de... ter esperança.

Por muito tempo, não me permiti ter esperança. Esperança não era algo para alguém com um coração morto ou moribundo. Pelo menos não para alguém com sangue do tipo AB.

Agora estou com medo de... ter esperança. Que tristeza...

– Nem Dumbo nem Mickey? – O sorriso da dra. Hughes é contagiante.

No estado de espírito em que estou, fico surpresa que ela consiga arrancar um sorriso de mim.

– Eles estavam dormindo quando saí. – Fecho o avental descartável.

Ela puxa uma cadeira até a lateral da mesa de exames e se senta. É o oposto de qualquer outro médico que já conheci. Sempre parece realmente feliz por me ver. Nunca está com pressa. E não fala apenas da minha saúde. Fala da minha vida.

Provavelmente porque ela a salvou.

– Como você está? – pergunta.

– Tudo bem, eu acho.

O sorriso dela perde o brilho.

– O que está havendo?

A dra. Hughes é uma cardiologista especializada em crianças e membro da equipe de transplantes. Costuma ver seus pacientes sem os pais na primeira metade da consulta. Para o caso de eles terem preocupações ou perguntas que não querem que os pais saibam. Nunca tive perguntas que não quis fazer na frente da minha mãe.

Agora eu tenho.

Se eu conseguir reunir coragem para fazê-las.

– Diga logo, Leah. – Ela levanta uma sobrancelha.

Engulo em seco.

– Ontem acordei e me lembrei de um dos sonhos e, em seguida, quando medi a pressão, estava alta.

– Quanto estava? – ela pergunta.

– Quinze a máxima e nove a mínima.

Ela faz aquele olhar que já vi em seu rosto tantas vezes. Como na época em que eu entrava no consultório sem fôlego. Ou quando voltei ao consultório com febre, depois de colocar o coração artificial.

– É alta mesmo. O sonho foi perturbador? – Ela pega o aparelho de pressão no bolso do jaleco branco.

– Sim.

– Você mediu a pressão de novo?

– Estava um pouco mais baixa, mas ainda alta. Então, quando tirei a pressão naquela noite, foi normal. Bem, um pouco acima da minha pressão normal. E estava normal esta manhã.

Ela fica calada enquanto verifica minha pressão sanguínea.

– Está tudo bem agora. Sua circulação também está normal. Foi provavelmente o sonho.

– É o que eu pensei. – Sorrio.

– Estou surpresa que sua mãe não tenha me ligado.

Encolho os ombros, cheia de culpa.

– Não contei a ela. Eu... Você sabe como ela é. Ia surtar.

Ela me fita nos olhos com uma expressão séria, lembrando o modo como a mamãe olha para mim às vezes.

– Melhor ela surtar do que não saber das coisas.

– Se tivesse continuado alta, eu teria contado a ela.

– Nenhum outro sintoma? Palpitação? Dificuldade para respirar? Inchaço? – Ela se abaixa e toca meus tornozelos. – Aperto no peito?

Senti muito aperto no peito, mas...

– Nenhum que não tivesse a ver com os sonhos.

Ela se senta de novo.

– Os sonhos são os mesmos de antes? A perseguição? Depois as dores de cabeça?

Eu confirmo. Parte de mim quer contar tudo a ela, mas...

– Quantas vezes você tem os sonhos? Eles te mantêm acordada?

– Duas ou três vezes por semana, mas normalmente volto a dormir.

– Eu poderia dar algo para ajudá-la a dormir...

– Não. Pílulas para dormir me deixam grogue. – E não me lembraria dos sonhos depois.

Ela coloca um dedo no queixo.

– Talvez devêssemos fazer outra biópsia.

– Não. Você disse que eu só precisaria de outra daqui a nove meses. Como você disse, são os sonhos.

Eles já fizeram uma biópsia uma vez, quando coletaram pedacinhos do coração de Eric para se certificar de que não estava no modo de rejeição. Exigiu internação hospitalar. A última coisa que quero é voltar para o hospital.

Ela pensa um pouco.

– Ok, mas se a sua pressão arterial subir mais uma vez, você me liga.

– Prometo.

– Você está pronta para voltar à escola?

Eu digo que sim.

– Animada?

– Com medo.

– Por quê?

Decido confessar um pouco mais.

– Eu fui a uma festa no Ano-Novo e saí com meus antigos amigos.

– E como foi?

– Eu me senti diferente. Como se não me entrosasse mais.

– O que você está passando é uma mudança de fase. Você não passa por algo assim sem amadurecer. E quando amadurecemos, ficamos diferentes.

– Eu não sei se estou amadurecendo. Estou apenas... diferente. Pessoas que eu costumava conhecer e aceitar agora me irritam. Por muito tempo, quis voltar a ser eu mesma. Agora sinto como se estivesse tentando viver a vida de outra pessoa.

– Então não tente. Viva a vida que você quer viver. Seja quem você é agora.

– Eu ainda não descobri quem sou agora.

– Você vai descobrir. – As palavras dela transmitem confiança.

Eu me lembro da minha outra pergunta. Abro o avental descartável.

– Quanto tempo demora para isso desaparecer?

– Demora cerca de nove meses para ela parecer menos inflamada. Algumas demoram um ano. Você está usando o creme, não está?

– Estou.

Ela me analisa e tenho a nítida impressão de que está lendo minha mente.

– E aquele garoto com quem você costumava sair? Já voltou a vê-lo?

Sim, ela com certeza lê mentes. O fato de saber que estou pensando em ficar nua com ele me deixa morta de vergonha.

– Como você se lembra disso? Nós falamos sobre ele um ano atrás. Você se lembra de tudo que seus pacientes dizem?

Ela sorri.

– Apenas as partes boas. Você voltou a ver esse garoto?

– Ele estava na festa.

– E então? – ela pergunta.

– Ele é uma das coisas com que acho que não me encaixo mais. – Antes de pensar, acrescento: – Mas há outro garoto. – Não sei por que fui dizer isso, acho que para parecer descolada. Ou talvez porque esteja realmente apaixonada por Matt.

Ela sorri.

Eu não.

– Não sei ainda se a gente tem a ver um com o outro.

– Por que não?

– Porque as aulas começam segunda-feira e nós não somos... da mesma turma.

Quando ela parece não entender, eu acrescento:

– Ele é zagueiro do time de futebol e eu sou...

– Uma garota incrível – diz ela.

– Você diz isso só porque sou sua paciente.

– Ah, por favor. Tenho muitos pacientes que não são incríveis. – Ela parece totalmente sincera. – Você vai perceber que, depois do Ensino Médio, as turmas acabam se desfazendo.

– Mas ainda estou no Ensino Médio.

– Vocês dois já saíram?

– Não. Passeamos com a cachorra dele e almoçamos... duas vezes. Mas isso não...

– Ele é bonito?

– Você gosta de homens mais novos? – Eu sorrio.

Ela ri.

– Depende... Se for bonito.

– Sim. Ele é.

Ela pega o estetoscópio.

– E o que você faz para prevenir uma gravidez?

Eu prendo a respiração.

– Eu... A gente só se beijou... duas vezes. – Mas eu me lembro muito bem da sensação de "querer muito mais" ao beijá-lo.

Esfregando o estetoscópio para aquecê-lo, ela dispara:

– O beijo dele é bom?

– Sim, mas...

Ela levanta uma sobrancelha.

– Beijos bons podem levar a algo mais.

Meu rosto aquece.

– Mas meus pais não... Se mamãe soubesse que a gente se beijou, ela ia surtar por causa dos germes.

– Contanto que ele não esteja doente, não vou dizer para você não beijá-lo. Não que você deva beijar qualquer um. Apenas quem realmente valer a pena. – Ela faz uma pausa. – Quanto à prevenção... Pode deixar que eu cuido disso. Você só precisa se lembrar de que sexo é uma possibilidade, gravidez não.

– Eu sei. – Eu me lembro do menininho assistindo aos fogos de artifício. – Sobre a gravidez. – Não tanto sobre o sexo. Além disso, a cicatriz pode ser a prevenção de que preciso.

Ela escuta meu coração. Me pergunto se não é muito cedo para pensar em sexo. E em Matt. Faço o exercício de respirar fundo, segurar a respiração e depois respirar normalmente.

– Parece que está tudo bem.

Eu concordo.

– Você e seus pais já conversaram sobre a faculdade?

Meus ombros afundam. Não que eu não tenha pensado na faculdade. Mas, quando esse assunto aparece, é como se a minha mente se recusasse a funcionar.

Percebo que ela está esperando uma resposta.

– Eu tinha planos antes de ficar doente. Tanto a minha mãe quanto meu pai estudaram na Universidade de Houston. Eu pretendia seguir os passos deles.

– Deixe-me adivinhar. Você pensa em fazer Letras.

Adivinhou. Talvez ela me conheça melhor do que eu mesma.

– Estava pensando nisso ou em jornalismo.

– Estava?

– Eu... – Não sei o que dizer, mas de repente me vejo falando: – Vivi um dia por vez durante muito tempo. Depois passei a viver uma semana por vez. Não cheguei ainda aos meses, muito menos aos anos.

– Ela coloca a mão quente em meu ombro.

– Entenda uma coisa muito importante: meu trabalho é garantir que você pense em anos. O seu é planejá-los.

A emoção faz surgir um nó em minha garganta. Não sei nem mesmo por quê. Não penso mais em morrer. Ou será que penso? Talvez eu simplesmente não consiga mais esquecer o que é ver os sonhos... naufragando, porque não há mais tempo para concretizá-los.

Porque a droga de um vírus estranho, do qual você nunca ouviu falar, roubou a sua vida e fez com que ela chegasse a um ponto em que seus sonhos nem tinham mais importância. A um ponto em que seu maior objetivo era acordar forte o suficiente para conseguir andar até o banheiro, pois usar um penico seria humilhante demais.

— Vou tentar, mas acho que meus pais também não estão preparados para falar sobre a faculdade ainda.

— Acho que seria uma boa ideia fazer uma visita à faculdade da nossa cidade. Mas, depois disso, o céu é o limite.

Ela segura minha mão.

— Você tem toda a vida pela frente, Leah. Faça planos. Descubra quem você é agora e o que quer fazer da vida. Depois, arregace as mangas e vá atrás do que quer. Sonhe grande. São pessoas como você que vão fazer diferença neste mundo. Não tenha medo de se arriscar. De ganhar ou de perder. É disto que é feita a vida: escolhas.

— Você está falando como a minha avó.

— Contanto que eu não pareça uma vovó... – ela diz, brincando.

Eu sorrio. A emoção agita meu peito. A minha emoção. Minha. Posso sentir a diferença entre esta e a emoção que senti quando conversei com Cassie.

— Mais perguntas ou preocupações?

Eu hesito. Engulo em seco. Devo perguntar? Minha melhor amiga não acredita em mim. *Assuma riscos.*

— Às vezes sinto... Algum paciente seu sente como se... – Eu coloco a mão no peito e recomeço. – Estou com o coração de outra pessoa e acho que esse coração sente coisas que eu não sinto.

A dra. Hughes descruza as pernas e apruma os ombros, o que a faz parecer mais alta. Minha vontade é engolir de volta as palavras. Em vez de olhar para o rosto dela, fico com os olhos pregados no crachá com o nome dela, no jaleco branco.

— Você andou lendo sobre isso na internet?

— Só depois que comecei a ter sentimentos que não pareciam meus.

— O que você sente exatamente?

— Só emoções.

Ela me analisa.

– Os sonhos fazem parte disso?

Eu confirmo com a cabeça.

Ela cruza os braços.

– O que você acha que os sonhos significam?

Que alguém matou Eric. Eu recuo.

– Não sei. – É mentira. Quantas vezes já menti hoje?

– Leah, do ponto de vista médico, não há provas de que as histórias que você leu sejam reais. Elas se baseiam na teoria de que as células têm memória e isso ainda não foi provado. Os especialistas acreditam que as evidências não são científicas.

Ouço o que ela está dizendo e acho que ouço o que ela não está dizendo.

– Mas em que você acredita? – pergunto.

A médica suspira.

– Acabei de dizer.

– Não, você falou do ponto de vista médico. E no que os especialistas acreditam. Quero saber no que você acredita e se outros pacientes seus já passaram por isso.

Ela suspira outra vez.

– Você está me colocando numa saia justa, hein?

– Desculpe.

– Tudo bem. Sim, tive pacientes que já me contaram coisas parecidas.

– Quantos?

– Menos de dez, e já fiz centenas de transplantes.

– E mesmo assim você não acredita?

– Na maioria dos casos os pacientes são muito suscetíveis a acreditar em qualquer coisa. As histórias eram vagas e não tinham muita consistência. Como o paciente que de repente desenvolve uma paixão por doces, porque o doador sentia o mesmo. Eles se esquecem de que alguns medicamentos que tomam aumentam o apetite.

Eu me pergunto se isso explica minha nova paixão por comida indiana. Provavelmente. Será que ela me considera muito suscetível a acreditar em qualquer coisa?

– E os outros casos?

Ela franze a testa.

— Alguns são mais convincentes. – Ela hesita. – Não estou dizendo que acredito. Estou dizendo que meus pacientes acreditam e que as histórias deles têm mais mérito.

— Então você acha que é possível? – pergunto.

— Eu não... O que eu penso é que ofereço esperança para quem não tem nenhuma. Ofereço vida. E a última coisa que eu quero é que casos não comprovados façam com que as pessoas tenham receio de aceitar a chance que a medicina moderna oferece.

— Essas histórias não me impediriam de aceitar o transplante, nem que você me contasse sobre elas antes – garanto.

— Nem todo mundo tem a sua coragem.

Dou uma risada.

— Acho que você está me confundindo com outra pessoa.

— Não – ela rebate. – Você gostaria de falar com alguém sobre esses sonhos? Um psiquiatra?

— Não – respondo depressa.

— Tem certeza?

— Absoluta.

Pelo menos agora sei que não sou a única paciente transplantada que sente isso. A dra. Hughes pode não acreditar muito, mas vi uma pitada de incerteza nos olhos dela.

Depois me lembrei de suas palavras de sabedoria: *Não tenha medo de se arriscar. De ganhar ou de perder. É disto que é feita a vida: escolhas.* Será que vou me arriscar com Matt?

Mamãe está quieta na volta para casa. Muito quieta. Suponho que tenha sido a conversa que a dra. Hughes teve com ela quando me pediu para sair da sala. A conversa sobre prevenir uma gravidez. Várias vezes, vejo mamãe olhar para mim como se fosse dizer alguma coisa. Então ela se vira para a frente e encara a estrada.

Normalmente sou a favor de que as pessoas falem o que pensam – especialmente nestes últimos tempos –, mas agora estou feliz que ela não esteja falando. Não estou pronta para ter essa conversa.

Quando estaciona na garagem de casa, ela diz:

– Estamos atrasadas. Seu pai queria que estivéssemos prontas para viajar quando ele chegasse em casa. Então pegue suas coisas. Temos menos de uma hora.

– Ok. – Minha mala já está quase pronta, por isso tenho tempo de ligar para Matt. Tenho que contar a ele que Cassie me ligou.

Nós saímos do carro e entramos em casa.

Quando estou indo em direção ao meu quarto, ouço minha mãe chamar:

– Leah? Podemos conversar um minuto?

Engulo em seco.

– Pensei que tivéssemos que nos apressar.

– Só um minuto.

Merda. Merda. Merda.

19

Eu a sigo até a cozinha.
— Vamos tomar um chocolate quente.

Ah, droga... Sempre que mamãe faz chocolate quente durante uma conversa é porque o papo é sério.

Meu pulso dispara. Não sei por quê. Nós já tivemos uma conversa sobre sexo.

Mas na época não falamos nada sobre prevenir uma gravidez...

Eu desabo na cadeira. Minha mãe coloca duas xícaras de água no micro-ondas e se ocupa procurando colheres, chocolate em pó e marshmallows. Ela está esfregando as palmas das mãos nas laterais do jeans. Eu não sou a única que está nervosa.

Ela arruma tudo na minha frente, mas seu olhar não cruza o meu. Está atenta ao micro-ondas, esperando o bipe. O único ruído na sala é o zumbido elétrico dos aparelhos. O sinal sonoro quebra o silêncio. Ela me passa a água quente e se senta. Nós colocamos chocolate em pó em nossas xícaras e acrescento um punhado de marshmallows. Eles ficam boiando na água e estão começam a derreter. Gostaria de poder derreter junto com eles.

— A dra. Hughes sugeriu que eu levasse você a um ginecologista, para que ele sugira um método anticoncepcional.

Eu sabia sobre o que seria a conversa, mas mesmo assim entro em pânico. Pego a colher e mexo meu chocolate, observando o último dos marshmallows se dissolver na espuma doce.

Preciso dizer alguma coisa. Preciso decidir rápido. Provavelmente posso acabar logo com a conversa, dizendo a verdade. Dizendo a ela que não estou fazendo sexo. Que não fui eu que comentei sobre o método anticoncepcional.

Mas, se eu fizer isso, ela vai decidir que não é necessário. Então, quando eu começar a pensar em fazer sexo, vou ter que ter essa conversa novamente. E então ela vai saber que estou planejando fazer sexo. E não quero que a minha mãe saiba quando estou planejando fazer sexo.

– Sim. – Minha língua parece grande demais na boca. Minha boca está muito seca. Eu tomo um gole de chocolate quente.

Queimo a língua e não sinto o gosto do chocolate. A espuma do marshmallow gruda no meu lábio superior.

– Você e Matt estão... O relacionamento entre vocês é tão sério assim?

Eu abro a boca para explicar. Nada sai.

– Dois dias atrás você disse que ele não era seu namorado.

– Sim. – Não tenho certeza de para o que eu disse "sim". Pela cara dela, mamãe também não sabe.

– Eu gosto dele – murmuro.

– Então ele é seu namorado? – Ela parece confusa.

– Eu não sei. Quando começarem as aulas... Ele vai ter os amigos dele.

– O que os amigos têm a ver com isso?

– Ele é zagueiro e normalmente namora líderes de torcida. Eu não sei se ele ainda vai querer ficar comigo.

Ela acena com a cabeça.

– Entendi – diz franzindo a testa. – Não acho que você saiba quanto é linda, mas não é disso que estou falando.

– Não estou fazendo sexo com ele – deixo escapar. *Não fale mais nada. Não fale mais nada.* – Mas... – Droga, droga, droga. Não vou falar mais nada.

– Mas o quê? – ela pergunta.

– Mas eu tenho quase 18 anos e... – Eu não posso dizer mais do que isso, e não porque seja sobre sexo, mas porque... isso pode acontecer só daqui a alguns meses e mal comecei a pensar numa semana por vez.

Respiro fundo e sinto a respiração tremer. *Não tenha medo de se arriscar. De ganhar ou de perder. É disto que é feita a vida: escolhas.*

– Talvez não seja uma má ideia – finalmente digo.

As pupilas da minha mamãe se dilatam. Não sei se é de decepção ou choque. Parte de mim sente que ela está prestes a me bater.

– Eu vou... marcar uma consulta para você. Só não quero... Que, só porque está prevenindo uma gravidez, faça algo antes de estar preparada.

– Não vou fazer.

Fico chocada ao ver quanto foi fácil.

Ela acena com a cabeça. Eu olho para a porta.

– Não é melhor eu ir...? – Não quero mentir, então deixo que ela presuma que estou me referindo a fazer as malas, mas na verdade quero é falar com Matt.

Mas anunciar que preciso falar com Matt parece uma má ideia. Ela pode pensar que eu vou contar a ele sobre o método anticoncepcional. Não vou contar a ele sobre isso. Mas então percebo que gosto de pensar que poderia fazer isso. Percebo que gosto dessa coisa furtiva chamada futuro. E realmente gosto que Matt esteja incluído nele.

– Vá, então – diz ela.

Eu me levanto, mas antes mesmo de me virar ela está em cima de mim, me dando um abraço de urso.

– Minha garotinha está crescendo e não tenho certeza se estou preparada. – Ela se afasta. E tem lágrimas nos olhos. – Eu ainda quero pentear o seu cabelo e prendê-lo com tranças.

Eu sorrio.

– E me vestir de cor-de-rosa.

Ela acena com a cabeça e depois diz:

– O que há de errado com o cor-de-rosa?

É agora ou nunca.

– Cor-de-rosa não é a minha cor favorita.

Ela me olha surpresa.

– Mas eu pensei que... e o seu quarto?

– É legal – digo rápido. Rápido demais.

Ela percebe que estou mentindo.

– Você não escolheria rosa?

– Não, mas...

– Ah, merda...

Eu olho para ela, chocada.

– Só porque eu disse um palavrão, isso não significa que você possa.

Nós rimos juntas.

– Vamos fazer alguma coisa a respeito de seu quarto. Você pode escolher desta vez.

Sei que ela pagou uma pequena fortuna para o pintor.

– Talvez no próximo... – A palavra "ano" fica presa em minha garganta. – Talvez da próxima vez.

Ela tira um fio de cabelo da minha bochecha. Os olhos dela brilham de pura emoção materna.

– Por mais que eu odeie ver que você cresceu, menos de um ano atrás o meu maior medo era que isso nunca acontecesse. Só me prometa que vai fazer escolhas sensatas.

Toda escolha envolve riscos, eu penso. É disso que se trata o futuro.

– Prometo. – E estou sendo sincera. Essa é a segunda ou terceira chance que eu tenho na vida. Não quero pôr tudo a perder. Sei que nem toda escolha que eu fizer vai ser a mais sensata. Mas só vou descobrir se tentar. E não tentar é deixar de viver...

Dou outro abraço na minha mãe. A escolha está feita, então corro para ligar para Matt.

Matt está descansando, deitado em sua cama, com Lady dormindo a seu lado, enquanto ele olha para o celular. Ele já pensou em ligar para Leah três vezes, mas desistiu. Eric ficaria desapontado com ele.

Matt diz a si mesmo que não quer interromper as compras de Leah.

A verdade é que está com receio de que ela não atenda. Com receio de que ela, na verdade, tenha só dado uma desculpa no dia anterior, para se livrar dele. Mas, que droga! Ele precisa falar com ela.

Precisa falar para que ela fique longe de Cassie. Algo lhe diz que o detetive Henderson não estava blefando quando lhe disse que o noivo da sra. Chambers é policial. E a última coisa que ele quer é deixar Leah em apuros.

Seja homem! Ele pode ouvir o irmão dizer.

Com raiva de si mesmo por ser tão covarde, ele liga para o número dela e pressiona o aparelho no ouvido.

– Oi. – Ela responde antes de ouvir o toque. – Eu estava ligando para você.

A voz dela, cada palavra, provoca um sentimento de felicidade em seu peito.

– É mesmo? – ele pergunta.

– Estava procurado seu número quando o celular tocou.

Então não era uma desculpa só para se livrar dele.

Ele sorri.

– Você levou Lady para passear?

– Sim. Sentimos sua falta.

– Eu também senti falta de vocês dois. – Ela parece um pouco tímida.

Ele se senta na cama, com cuidado para não acordar Lady.

– Como foi hoje?

Ela faz uma pausa.

– O quê?

– Não foi fazer compras?

– Ah, foi ótimo. Compramos algumas roupas.

– Ótimo. – Ele hesita. – Fui ver o detetive Henderson. – Seu peito fica apertado e ele deixa de sentir um pouco da felicidade que a conversa com Leah lhe traz.

– Você perguntou a ele sobre a viatura da polícia?

– Sim. Ele disse que a polícia não está mais cuidando do caso. Aquela viatura pertence ao noivo da sra. Chambers. Henderson disse que a mãe de Cassie me culpa por a filha ter saído de casa e que o noivo dela também me culpa. Então, não acho que você deva ir lá outra vez.

— Cassie me ligou — diz Leah.

Ele sente um frio na barriga. E se senta mais ereto. Lady choraminga.

— O que ela disse?

— Foi estranho. Ela pediu para dizer a você que a deixe em paz e que ela está sofrendo. Eu disse que você só queria algumas respostas. Ela começou a chorar e disse que eu não compreendia.

— Não compreendia o quê?

— Não sei. Posso estar imaginando coisas, mas pareceu até que havia uma razão para ela não poder falar. Alguma coisa além do fato de você fazê-la se lembrar de Eric.

Sentindo que seus instintos estavam certos, seus músculos se contraem.

— Eu disse que ela sabe alguma coisa.

— Eu sei. Eu só... Eu ainda não acredito que ela tenha feito algo a Eric. Ela não parece culpada. Parece estar sofrendo. Talvez esteja com medo.

— De quem? E por que ela ficaria com medo se não fez nada errado? Por que ela mentiu, se não tinha nada a ver com a morte dele? E por que a mãe dela mentiu e disse que Eric não foi à casa delas aquela noite?

— Talvez elas não estejam mentindo — Leah diz lentamente, como se estivesse escolhendo as palavras com cautela. — Talvez ele não tenha chegado lá. E se estivermos interpretando tudo errado? E se o que aconteceu com Eric não tiver nada a ver com Cassie?

— Mas tudo aponta para Cassie. Ela não falou comigo no funeral. Foi para a Califórnia morar com o pai. E havia alguma coisa errada com ela que fez com que Eric voltasse a procurá-la.

— Vocês dois tinham os mesmos amigos?

— A maioria — diz ele. — Eric tinha alguns que frequentavam outra escola.

— Você perguntou a eles se sabiam de algo?

— Eric e eu éramos muito unidos. Nós não guardávamos segredos um do outro.

– Não me leve a mal, mas ele guardou um segredo de você. Ele pegou a arma. Algum motivo ele teve.

Matt fecha os olhos. Ela está certa. Uma parte dele sabia que algo estava acontecendo com Eric, e ele pressionou o irmão para que contasse. Mas não pressionou o suficiente.

Se ele tivesse pressionado, o irmão ainda estaria vivo.

Se ao menos... Se ao menos...

– Desculpe, eu não tinha intenção de...

– Não. Você está certa. Vou falar com os amigos dele.

Mas Matt odiava o jeito como eles o olhavam, com pena. Acreditavam que Eric tinha se suicidado. Isso só provava que não conheciam Eric muito bem.

Ele fecha o punho.

– Mas, caramba, Cassie precisa falar também.

– Você não disse que ela vai terminar o ano letivo aqui?

– Isso é o que eu ouvi.

– Então espere até segunda-feira. Podemos conversar com ela na escola.

Ele fecha os olhos e tenta afastar a dor e a culpa que sente.

– Eu deveria tentar falar com Marissa novamente. Talvez Cassie tenha falado com ela depois que voltou.

– Você quer que eu ligue para Marissa? – Leah pergunta.

Leah se ofereceu para ligar de modo sincero e isso significa muito, mas ele não pode se esquecer de como ela ficou com medo depois de ir à casa de Cassie.

– Não, eu vou fazer isso.

– Eu quero ajudar, Matt. Acho que Eric quer que eu ajude.

– Eu sei, mas não quero que tudo isso recaia sobre você. E Marissa não está me evitando.

Provavelmente porque gostava de Matt, e ele tinha deixado claro que o sentimento não era recíproco.

Leah fica quieta.

– Ok. Mas estou disposta a ajudar.

– Eu sei. Obrigado. Por tudo. Não só por isso. Ter alguém com quem conversar significa muito.

– Eu gosto de falar com você também. Lamento não poder te encontrar hoje ou neste final de semana.

– Eu também. – Parece que a conversa está chegando ao fim, mas ele não está pronto. – O que você vai fazer de divertido este fim de semana?

– Talvez vá a um museu ou faça compras. Fredericksburg tem um centro comercial bem bonito, com lojas exclusivas. Mas vou, principalmente, ler. Na verdade, prefiro isso às compras.

– Quantos livros você lê num mês?

– Isso depende de quanto os livros são bons – ela diz. – No ano passado, li 78.

– Uau! Você gosta mesmo de ler.

– Sim, mas eu estava doente, então não podia... Bom, eu só lia.

Ele percebe algo na voz dela.

– Eu não estava caçoando de você. Acho genial.

– Obrigada. – Minha lista... meu objetivo agora é ler cem livros.

– E depois?

Ela dá uma risadinha.

– Ler mais cem.

– Você faz com que eu me sinta um preguiçoso. Vou ter que encontrar um livro para ler.

– Você não é preguiçoso. Mas deve ler mesmo. Ler é como dar férias para a mente. Bem, se o livro for bom, é claro.

– Você gostaria de escrever? – ele pergunta.

Ela não fala nada por alguns instantes.

– Eu já fiz isso. Na verdade, comecei um livro antes de... ficar doente. Mas era difícil demais ser criativa. Então eu só lia.

– Você devia tentar outra vez.

– Provavelmente eu tente.

– O que pretende estudar na faculdade?

Ela faz outra pausa, como se estivesse pensando. Depois ele ouve alguém chamando o nome dela.

– É a minha mãe. Preciso desligar. Meu pai chegou.

– Me ligue se cansar de ler. Aliás, não leve seus livros bons, porque assim você logo vai ficar entendiada e me ligar.

Ela dá risada.

– Está bem. Ligo pra você. Mas não vou levar livros chatos. Não leio livros chatos.

Depois de desligar, ele deixa cair o celular sobre o peito. Então percebe que está sorrindo. Falar ao telefone com ela já basta para que ele se sinta... mais leve. Livre. Como se não estivesse mais preso no lugar escuro em que geralmente fica.

Mas, caramba, ele realmente gostaria que ela não fosse passar o final de semana longe dele.

Lady vai para a beira da cama e choraminga. Ela ainda tem medo de saltar para o chão.

Matt a leva até o quintal. Depois que ela faz suas necessidades, eles voltam para dentro.

A mãe não está em casa. Ele se lembra de que ela disse que iria jantar com as amigas antes de ir para o grupo de apoio.

Ele pensa em ligar para Marissa. Mas é sexta-feira à noite. Ela provavelmente saiu. O mesmo pode-se dizer de John e Cory, os amigos de Eric que estudam no colégio Southside.

Matt pensa em ligar para Ted e ver o que ele está fazendo. Mas não tem certeza se está mesmo com disposição para isso. Ele quer Leah. Quer a leveza que ela o faz sentir.

Ele passa os dedos pelo cabelo e se dirige para o quarto. Para diante da porta fechada do quarto de Eric. O quarto do irmão agora é como o escritório do pai. Ninguém entra. Isso dói demais.

Antes de Eric morrer, eles leram alguns artigos sobre como lidar com o luto, na esperança de ajudar a mãe e talvez até eles mesmos. Um dos artigos sugeria que se fizesse uma arrumação nas coisas da pessoa falecida. Não havia problema em guardar lembranças, mas limpar um armário ou uma sala fazia parte da cura. Era um passo para superar a dor.

Matt põe a mão na maçaneta da porta de Eric, mas não consegue nem mesmo virá-la, muito menos entrar.

Ele não está pronto.

Deveria limpar primeiro o escritório do pai. Mas também não está pronto para fazer isso.

Entra em seu quarto e fica apenas sentado ali, pensando, sofrendo. Não quer mais sofrer. Está cansado disso.

Ler é como dar férias para a mente. Ouve as palavras de Leah.

Ele precisa de férias.

Vai até o lugar da casa que a mãe chama de biblioteca. Duas paredes cheias de estantes de livros, do chão até o teto. Há uma prateleira de livros que a mãe comprou para ele e Eric. Matt corre os dedos pelas lombadas. Já leu todos.

Passando para a próxima prateleira, vê os romances da mãe. Localiza o nome de um autor que, pelo que se lembra, Leah disse que gosta de ler. Pega o livro.

Lê a sinopse na contracapa. Definitivamente um livro para garotas. Mas ele está curioso. Então leva o livro para o quarto.

No início tem que se forçar a continuar, mas depois a história começa a prender sua atenção. Ele ri das palhaçadas do personagem e mal pode esperar para ver o que acontece a cada página, à medida que a história se enche de suspense. E depois... vem a parte... quente.

Mal pode acreditar que a mãe e Leah leem isso. Ele baixa o livro, chocado demais. Ele é homem. Os homens não leem essas coisas. Eles não...

Dane-se!

Matt pega o livro de volta.

Três horas depois, só quando ouve o estômago vazio resmungando, é que fecha o livro. Já está quase no final.

A leitura é como dar férias para a mente.

Leah tem razão. Ele se sente revigorado. Com uma fome de urso, mas se sentindo muito bem.

Vai até a cozinha, come batatas fritas e bebe leite enquanto a pizza descongela no forno e ele pensa no livro. Pensa em Leah lendo o livro também, especialmente as partes mais quentes.

Será que terá coragem de contar a ela que o leu? Provavelmente não. Mas, pensando bem, se... se isso o levar aonde ele quer chegar... sim, talvez conte.

Ele gosta desse "talvez".

A lembrança do beijo de Leah enche sua cabeça. E isso o faz pensar em outras cenas do livro. As cenas que se passam no quarto.

Droga, ele quer isso! Com Leah. A provocação. O riso. O toque. Os corpos nus. Ele realmente quer tudo isso.

Cinco minutos depois, ele está tentando parar de querer tudo isso quando ouve o carro da mãe. Começa a andar em direção à porta da frente, mas o forno apita, anunciando que a pizza está pronta. Volta e a tira do forno, enquanto a ouve entrar em casa. Está colocando a pizza sobre a mesa quando a ouve chorar.

As férias acabaram.

Ele volta à realidade.

A dor volta a apertar seu peito.

Culpa. Culpa por estar animado com a expectativa de voltar a viver quando duas pessoas que amava já estão mortas.

20

Matt se vira. A mãe entra na cozinha. Seus olhos estão vermelhos, a maquiagem borrada escorrendo pelas bochechas.

– Está tudo bem? – Ele se aproxima.

– Sinto muito, Matt. Eu me sinto tão culpada... A culpa é minha. Se não tivesse sido tão...

– Não. – Ele se aproxima e envolve a mãe em seus braços. – Não acho que Eric tenha se matado, mas, mesmo que tivesse feito isso, a culpa não seria sua nem... minha. – No momento em que diz isso, ele sente o peito mais leve. A culpa não é da mãe. Nem dele. Essa é a verdade. – Nós dois estamos sofrendo, mãe.

– Mas era minha responsabilidade cuidar de vocês dois.

– Não é culpa sua. Escute. Não. É. Culpa. Sua.

Quando ela se afasta, ele diz:

– Talvez o grupo de apoio não seja o que você precisa.

– Não. O grupo é bom. Eles disseram que preciso chorar até não sentir mais vontade. – Ela olha para o filho e coloca a mão no peito dele. – E você? Chorou?

Ele faz que sim e, sem querer, prova isso no ato. Lágrimas enchem seus olhos.

Eles se sentam na cozinha, ambos chorando; depois conversam, choram um pouco mais e voltam a conversar. E se entregam ao sofrimento. Só que dessa vez a dor parece diferente. É quase catártica. Ou talvez seja apenas o fato de que esta é a primeira vez em que ele e a mãe realmente compartilham essa dor. Ele não sabe por quê. Nem quer saber. Só sabe que se sente um pouco melhor.

A mãe por fim se levanta, corta a pizza em oito pedaços e coloca-a na mesa.

Ela está prestes a se sentar quando de repente abraça a si mesma e solta outro suspiro triste.

Vai até o balcão, abre o pote de doces e tira dali um saquinho de M&M's. Esvazia o saco de balinhas coloridas de chocolate sobre a pizza.

Os dois riem, depois choram de novo, depois se forçam a comer a pizza, à moda de Eric.

Meus sapatos parecem pesados, mil borboletas parecem voar no meu estômago e meus pulmões estão cheios de um medo líquido. Será que realmente odeio tanto esse lugar, eu me pergunto, enquanto caminho em direção ao Colégio Walnut, segunda-feira de manhã.

Estou trinta minutos adiantada. Tenho que pegar o horário das minhas aulas e meus livros na secretaria, encontrar meu armário, levar meus comprimidos para a enfermaria e tentar me lembrar das regras do jogo.

O jogo do Ensino Médio. Aquele em que você tem que saber se entrosar, saber quem ignorar e para quem sorrir, saber como enfrentar o dia sem desejar ser outra pessoa.

Não que a minha autoestima fosse muito ruim antes. Mas eu sabia qual era o meu lugar, minha turma e meus planos para o futuro. Agora não sei droga nenhuma.

Por que eu quis voltar para cá?

Estou vestindo o suéter azul royal com uma regata rendada caramelo por baixo e o jeans novo. Combinei esse visual com minhas botinhas pretas novas.

Passei uns bons trinta minutos arrumando o cabelo e fazendo a maquiagem. Até lixei e poli as unhas. Antes de sair de casa, fiquei na frente do espelho e me senti muito confiante com o que vi. Tenho certeza de que Matt iria apreciar minha... como ele chamou isso? A arte de se vestir.

Mas agora toda essa confiança se desvaneceu. Já era. É passado. Não sou nada além de um feixe de nervos a ponto de ficar em frangalhos.

Digo a mim mesma que isso é bobagem, mas nada parece bobagem. Leah McKenzie está de volta às aulas. Já não sei bem quem ela é.

Abro as pesadas portas da escola. O cheiro me atinge. Não sei definir que cheiro é, mas eu o conheço. Faz mais de um ano e meio que não o sinto. É cheiro de escola. São mais de mil crianças e adolescentes num único prédio, com seus hormônios, raiva, sonhos, egos e crises de identidade. É o leve cheiro da horrível torta de atum do refeitório. São pessoas. Muitas e muitas pessoas. E faz muito tempo que não me vejo no meio de tantas.

Vários alunos andam pelos corredores. Reconheço muitos deles e sei o nome de alguns porque já tive aula com eles. Mas, pela maneira como me olham, não me reconhecem. Seus olhos se fixam em mim como se eu fosse uma estranha no ninho.

Eu me sinto uma estranha no ninho. Como se não pertencesse a esse lugar. Como se eu devesse ter morrido.

Então um pensamento maluco me ocorre. Todos eles conheciam Eric. Todos eles amavam Eric. O que não sabem é que estou com o coração dele. Que estou viva porque ele está morto.

Graças a Deus eles não sabem.

Algumas vezes, olho para baixo e fito apenas as minhas botas pretas em movimento, mas não quero parecer fraca ou esquisita. Então levanto o queixo, enfrento os olhares, encaro-os também e continuo andando. *Graças a Deus eles não sabem.*

Sinto os olhares me cercando. Eric era o herói desses garotos. Não sei se sou digna de ter o coração de um herói. Quero correr, fugir daqui. *Por favor, meu Deus, não deixe que eles descubram.*

Viro uma esquina e vejo a secretaria. Respiro aliviada. Ajeito a mochila no ombro e abro a porta.

Odeio carregar essa mochila. Ela me lembra do que tive que transportar nela por quase seis meses.

Duas pessoas estão conversando com os funcionários da secretaria. Outros cinco ou seis alunos estão por ali, como se esperassem sua vez de serem atendidos. Vários estão de costas para mim e eu não faço ideia de quem sejam. Paro e espero a minha vez.

Então reconheço uma das senhoras atrás de uma escrivaninha: a sra. Clarkson. Ela sempre foi simpática. Gostava de ler e achou legal quando fundei o clube do livro. Ela até nos ajudou a levantar fundos para que os alunos que não tinham condições de comprar livros pudessem ter um também. Foi ela também que atendeu minha ligação quando, semanas atrás, telefonei para dizer que aulas eu queria ter.

Ela levanta os olhos e nossos olhares se encontram. Eu não acho que ela tenha me reconhecido. Será que mudei tanto assim? Então ela sorri e demonstra sua alegria em me ver batendo duas palmas silenciosas.

– Estou muito feliz por você estar de volta! – diz ela alto o suficiente para todo mundo ali ouvir.

Todos olham para mim. Eu me forço a sorrir, mas me pergunto por que ela não podia esperar para me dizer isso pessoalmente.

Uma das garotas me olha com mais atenção e se assusta. Eu a reconheço tambem. Lisa Porter. A valentona que, durante tantos anos, tentou fazer da minha vida um inferno. A garota que quase me empurrou para fora do vestiário enquanto eu me trocava, para que todos pudessem ver os meus peitos.

Fico feliz de não mais precisar fazer educação física. Se ela tentasse esse truque agora e expusesse minhas cicatrizes, eu... não sei o que eu faria. Mas não seria pouca coisa.

Ela se aproxima.

– Pensei que você estivesse morta.

Fico chocada com a grosseria dela. A velha Leah apenas desviaria o olhar e a ignora, porque ela é uma idiota. Mas sinto que meu silêncio lhe daria um pouco da minha força pessoal. E eu não tenho força suficiente para dividir com ninguém.

Então eu sinto. Minha ousadia. Eu me inclino e falo a única coisa que me ocorre:

– Como pode ter certeza de que não estou?

Faço minha voz soar sinistra.

Eu não falo tão alto quanto ela, mas algumas pessoas devem ter ouvido porque soltam risadinhas. Lisa pisca, franze a testa, murmura algo e sai. Ela provavelmente me chamou de *nerd* idiota dos livros. Esse foi o apelido que ela me deu quando fundei o clube do livro. Eu pego o celular e finjo estar fascinada com o que vejo na tela, sem perceber dezenas de olhos sobre mim.

– Leah? – Eu ergo os olhos. – Está voltando? – pergunta a sra. Clarkson, abrindo a meia porta da secretaria para eu entrar.

Eu me sento com a minha nova conselheira, a sra. Milina, para pegar meus horários e a senha do meu armário. Ela também quer saber como está a minha saúde. Finjo que não odeio falar sobre isso – finjo que não vejo a compaixão nos olhos dela. Mas paro de me esforçar tanto para fingir quando ela diz que reservaram uma cadeira motorizada para eu ir de sala em sala. Rejeito a ideia no mesmo instante. Ela recua educadamente. Então vou direto para a enfermaria, deixar meus comprimidos. Mamãe já enviou as orientações sobre a medicação por e-mail.

Entro e saio da enfermaria. Menos uma coisa para fazer.

Enquanto tento encontrar o armário 169, vejo que há estudantes em todos os lugares. Ignoro os olhares. Às vezes ouço o meu nome e as palavras "transplante de coração". Isso faz com que eu me sinta uma aberração.

As aulas devem começar em quinze minutos. Continuo procurando Brandy ou Matt. As duas únicas pessoas que eu quero ver.

Eu falei com os dois três vezes no fim de semana.

Ambos se ofereceram para me encontrar em algum lugar, mas não sei onde eu precisava estar, então sugeri que apenas nos encontrássemos pelos corredores. Agora eu gostaria de não ter dito isso.

Pensando bem, preciso enfrentar essa provação sozinha. Não posso depender de outras pessoas para atravessar um corredor. Posso não saber muito bem quem sou, mas nunca fui excessivamente carente. Ei, cortaram meu peito ao meio duas vezes. Não sou covarde.

Encontro meu armário e paro diante dele, como se encontrasse um amigo. Por fim aproveito o tempo para verificar o meu horário, em seguida guardo as coisas de que não vou precisar nas duas primeiras aulas. O barulho nos corredores é alto; pessoas falando, armários sendo abertos e batidos ao fechar.

O coro de vozes ao meu redor é como uma sinfonia. Olho em volta e novamente me pergunto por que eu queria voltar.

Fecho o armário quando ouço uma voz familiar.

– Ei, Leah.

Finalmente, eu acho, vou encontrar alguém que eu queria encontrar.

Fico com Brandy por cerca de três minutos. Comparamos nossos horários e eu me sinto mais forte agora que não estou completamente sozinha.

Quando ela se afasta, respiro fundo e vou para a aula de Ciências. Estou quase lá quando vejo Matt. Meu coração faz um *looping* duplo e eu sorrio. Começo a andar na direção dele. O nome dele está prestes a sair dos meus lábios quando vejo que não está sozinho. Ele está com uma loira. Uma loira linda. Eles estão conversando; não, estão sussurrando, encostados a uma parede.

Considerando quanto estão perto um do outro, concluo que seja uma conversa particular.

A emoção oprime meu peito.

Eu reconheço a garota. Não sei o nome dela, mas sei que ela é uma líder de torcida. Então reconheço mais do que o rosto dela. Muito mais. Também reconheço a emoção que se instala no meu coração. Ciúme.

Num piscar de olhos, me ocorre que a loira é provavelmente Marissa. A conversa que estão tendo pode ser sobre Cassie, não sobre algo pessoal.

Eu me dou uma bronca mentalmente e vou depressa para a aula. Mas, droga, mesmo racionalizando que é Marissa, o ciúme espicaça meu coração. Por um bom motivo, claro. A garota é linda. Ela faz parte do grupinho de Matt Kenner. E está usando o mesmo suéter que eu, exceto que é vermelho, mas não veste nenhuma regata por baixo.

Ela não tem cicatrizes.

Matt caminha pelos corredores procurando Leah. Ele não a encontra. Mas encontra Marissa. Ele ligou três vezes para ela no final de semana.

Ele quer respostas, então a puxa de lado no corredor para um bate-papo.

– Ok, vou repetir. Eu não sei de nada – Marissa diz. – Mas que inferno, eu não sabia nem que Cassie estava de volta. Ela desistiu de mim. É como se nunca tivéssemos sido amigas.

– Por quê? Por que ela faria isso? – Matt pergunta.

– Porque ela amava Eric e ele morreu. – Ela franze a testa. – Bem, não pode ser só isso. Ela começou a se afastar alguns meses antes. Mas achei que era porque ela e Eric tinham terminado.

Matt pensa em tudo que ela disse.

– Mas o rompimento não foi ideia de Eric. Por que ela terminou com ele?

– Não sei – diz Marissa. – Ela me disse que precisava de espaço. Mas nunca me disse por quê. Foi quando ela começou a agir... diferente. Eu achei que era por causa daquele cara.

– Que cara? – Matt pergunta.

– James ou Jake, começa com J. Ele tinha uma motocicleta. Tatuagens. Era mais velho, tipo uns 21 anos. Cabelo castanho e uma cara de *bad boy*. Ele tinha uma queda por Cassie. A família dele se mudou para a casa ao lado da dela.

– Quando foi isso?

– Antes que ela e Eric terminassem o namoro. Não estou dizendo que ela o traía. Não sei se chegaram a sair. Tudo que eu sei é que, antes do rompimento, esse cara apareceu.

– Por que você não contou a Eric? – A frustração de Matt é como um trovão em seu peito.

– Porque sou amiga de Cassie. Ou era. E não achei nada de mais. Sim, Cassie ficou toda vaidosa quando viu que um cara mais velho tinha se interessado por ela, mas ela dizia que amava Eric. Mais tarde, quando ela disse a seu irmão que precisava de espaço, eu achei que era por causa desse cara.

Matt travou a mandíbula com tanta força que achou que ela podia se quebrar.

– Quando o detetive Henderson conversou com você, contou isso a ele?

– Não, isso foi cinco meses antes de o Eric se mat... – ela reformula a frase. – Antes de ele morrer.

A frustração de Matt ruge no seu peito. Elas conheciam Eric. Como podem pensar que ele se matou?

– Será que você não vê que esse cara provavelmente ficou contrariado quando Cassie voltou com Eric? Ele tinha um motivo pra matar Eric!

Marissa pisca.

– Como ele poderia pegar a arma do seu pai?

– Talvez Eric tenha pegado a arma porque estava com medo desse cara. E depois esse sujeito talvez tenha se apoderado da arma e disparado contra Eric.

Os olhos de Marissa se enchem de compaixão.

– Não acha que são muitos "talvez"?

Ele engole em seco.

– Cassie veio para o colégio hoje?

– Não a vi.

O último sinal toca. Droga, ele precisa ir para a aula e nem encontrou Leah ainda.

– Você me liga se lembrar de mais alguma coisa? E vai parar de evitar minhas ligações?

Ela suspira.

– Me leve pra sair na sexta-feira. Aí podemos conversar.

– De jeito nenhum! – Eu não posso... Não existe nada entre nós.

– Poderia haver. Nós nos divertimos quando saímos, não é?

Não.

– Sim. Mas eu só preciso da sua ajuda para entender o que está acontecendo. Por favor.

– Tudo bem – diz ela num tom decepcionado, e depois se afasta.

Lutando contra o tráfego do corredor – e contra a frustração que borbulha dentro de si –, Matt se apressa para assistir à primeira aula. De repente, sentindo uma vontade urgente de ver Leah, ele para num canto do corredor e envia uma mensagem para ela. *Não achei você. Onde está?*

Ela não responde. Ao entrar na sala, seu olhar procura uma garota de cabelo castanho, que faz ele se sentir inteiro e empurra a escuridão que sente para o fundo da sua mente.

Ela não está ali. Vozes se destacam na sala. O sr. Muller, um professor que ele teve no ano passado, está arrumando sua mesa.

Matt de repente não só quer ver Leah como precisa dela! Precisa da calma que ela lhe oferece.

Ele quase sai da sala, mas então vê Brandy, a amiga de Leah.

Há um lugar vazio ao lado dela. Ele se senta ali e se inclina para ela.

– Você viu Leah?

Os olhos dela se arregalam como se estivesse surpresa ao vê-lo falando com ela.

– De passagem.

– Você sabe o horário dela?

– Dei uma olhada nele. Ela tem Ciências na primeira aula e nós temos Inglês juntas na quarta aula. Aula do sr. Applegate.

Ele tira seu horário do bolso e desdobra o papel. Como não tinha voltado ainda para as aulas de educação física, eles tinham reorganizado seu horário.

– Quem é o professor dela na primeira aula?

– Whitney. – Brandy olha para o horário dele. – Você tem o mesmo horário que eu, exceto pela aula de Inglês.

– Você está em alguma das outras aulas dela?

– Só Inglês.

– Merda. Ele amassa o papel com a grade de horários.

– Posso dizer uma coisa? – O tom dela é cauteloso.

– Sim.

– Não magoe Leah. Ela já passou por maus bocados.

Os ombros dele endurecem defensivamente.

– Eu não penso em fazer isso.

Ela se inclina mais para perto.

– Não esqueça que, se partir o coração dela, vai estar fazendo isso com o coração do seu irmão.

Ele perde o fôlego. *Leah contou a Brandy?* Ele sabe que as garotas contam tudo uma para a outra. Ele não está chateado, apenas surpreso.

– Ok. – A voz do sr. Muller ecoa acima da conversa.

Matt se levanta e se dirige para a porta.

– Matt? – pergunta o professor.

Matt se vira, mas continua andando em direção à porta.

– Lembrei que preciso passar na secretaria para resolver uma coisa.

– Não pode esperar?

– Não, senhor. – Ele se vira e dispara para fora da sala.

21

Estou no meio da aula de Ciências, tomando notas, quando uma garota entra na sala.

Ela se aproxima da sra. Whitney e sussurra alguma mensagem importante, a ponto de se interromper a aula.

A sra. Whitney olha para cima. Tenho a nítida impressão de que seus olhos se concentram em mim.

A mensagem não pode ser sobre mim. Só estou me sentindo paranoica. Com relação à escola. A Matt. À minha cicatriz. Mas recebi uma mensagem de Matt. Infelizmente, já estava na aula e não quis correr o risco de ter meu celular confiscado. Mas assim que a aula acabar...

A garota sai. A professora se dirige ao corredor entre as carteiras.
O meu corredor.

Poderia ser sobre os meus comprimidos? Verifico o relógio na parede. Não são nem oito. Eu os tomo às nove.

A sra. Whitney para ao meu lado.

– Você precisa ir à secretaria.

– Por quê? – pergunto; em seguida desejo não ter perguntado, porque todo mundo está de ouvidos em pé.

– Não sei direito. Provavelmente não é nada.

Ninguém é chamado na secretaria por nada. Pego meus livros, minha caneta e minha mochila e saio da classe, nervosa. Estou tremendo. Nunca fui chamada para ir à secretaria antes. *Nerds* dos livros e o os membros dos clubes do livro são bons estudantes.

Cruzo o "corredor da morte", até a secretaria. A sra. Clarkson sorri para mim.

Eu me aproximo do balcão.

– Algo errado?

– Não. A sra. Milina, sua conselheira, quer falar com você novamente.

Droga. Espero que não seja sobre a cadeira motorizada.

A porta dela está aberta. Paro do lado de fora.

– Entre! – soa a voz dela.

Eu entro. Devo fechar a porta? Como não quero que ninguém escute, eu fecho.

– Algum problema?

– Não. – Ela faz um gesto para que eu me sente. – Você conhece Matt Kenner?

Prendo a respiração. Resolvo me sentar.

Ela se inclina para a frente.

– Ouvi dizer que vocês dois têm uma... conexão especial.

Sinto meu estômago se contrair de tensão. Ela sabe?! Merda, merda, merda!

Mas – inspiro e expiro – como ela pode saber?

Ela está me encarando. Eu consigo confirmar com a cabeça.

– Matt veio aqui mais cedo. Ele mencionou que... – Ela está falando devagar. Eu gostaria de poder arrancar as palavras dela. Mas talvez eu não esteja pronta para ouvi-las. Não estou pronta para que o mundo saiba. Eles vão me culpar...

Porque, lá no fundo, num canto da minha mente onde eu não gostaria de ir, a culpa é minha. Não da morte dele, mas de me beneficiar dela. Parte de mim se pergunta por que Matt não me culpa disso.

– Matt me fez um pedido. Eu queria ter certeza de que você não se importa.

Eu me reviro na cadeira, fazendo seus pés arranharem o assoalho de madeira.

– Um pedido?

– Ele disse que gostaria de ajudá-la a estudar.

– Sim, ele me disse. – A tensão no meu estômago diminui um pouco.

– Ele me pediu para mudarmos o horário dele, para que fique igual ao seu.

Ele pediu? *Ah, merda... Isso é demais!* Eu provavelmente não deveria sorrir, pelos menos não abrir um sorrisão, mas não consigo me conter. Matt Kenner quer ter aulas comigo.

– Eu queria ver com você primeiro.

– Ajudaria muito, se for possível.

– Só posso transferi-lo para as suas aulas de Matemática e Ciências.

– Essas são as máterias em que vou precisar mais de ajuda – digo a ela.

Ela se ajeita na cadeira, que range ao seu peso.

– O novo horário começa a vigorar a partir de amanhã. – Ela faz uma pausa. – Normalmente não atendemos a esse tipo de pedido, mas Matt esclareceu que vocês dois tiveram um ano difícil e isso de certa forma fez surgir uma ligação entre vocês.

Meu sorriso fica ainda maior. *Matt acha que temos uma ligação. Uma ligação!*

No momento em que saio da secretaria, pego o celular para escrever uma mensagem para Matt. Não sei o que dizer. Hesito, depois escrevo. *Ciências e Matemática com você. Que demais!*

Recebo uma resposta. *Concordo. Que horas vai almoçar?*

Eu respondo: *11h40.*

Eu também. A gente se encontra na entrada C. Descobri algo sobre Eric.

Respondo com um *Ok* e voo de volta para a minha aula, mais feliz do que provavelmente tenho o direito de estar.

Não encontro Matt durante o intervalo entre as aulas e nem tenho tempo de procurá-lo, porque só temos seis minutos entre uma aula e outra. A bolha de felicidade me segue enquanto vou para a aula de História e me aproximo da mesa do professor, o sr. Perez. Procuro ficar perto o suficiente para não ser ouvida pelos estudantes que estão entrando na sala aos bandos. Ele está verificando alguma coisa no celular.

Sem jeito, limpo a garganta para que ele preste atenção em mim. Ele ergue os olhos. A testa dele está tão franzida que eu recuo.

– Só queria avisar que vou ter de ir à enfermaria tomar remédio às nove.

– Não. Você pode tomá-los depois da aula. Agora, sente-se, assim podemos começar. – As palavras dele são rudes, e eu sinto todo mundo olhando fixamente para mim, como se eu fosse um chiclete embaixo de uma carteira. Minha bolha de felicidade explode.

Estou atordoada. Não me mexo. Presumi que os professores tinham sido notificados.

– Sinto muito, mas tenho que tomá-los às nove.

– Qual é o seu nome? – A voz dele ecoa pela sala, atraindo mais olhares. Sou o centro das atenções e quero que o chão se abra para me engolir.

– Leah McKenzie.

Meu nome arranha minha garganta apertada quando o pronuncio. Nunca me senti tão pouco à vontade na minha própria pele.

– Bem, senhorita McKenzie – ele diz com desdém. – Tenho certeza de que tomar um comprimido vinte minutos depois do horário não vai matar você. Agora sente-se.

Pode matar, sim. Basta perguntar à equipe de transplantes.

– Senhor, eu...

Suas sobrancelhas grossas e peludas se unem.

– Sente-se! – Ele tira seus papéis de uma pasta e se dirige à classe: – Primeiro dia de aula, e eu já sei quem vai dar problema.

Meu rosto fica quente. Não estou mais constrangida, agora estou com raiva.

Estar com o coração de Eric já não é nada fácil. Eu não preciso disso. Não preciso que um babaca rude e detestável me trate assim. Meu nariz arde, mas prefiro morrer do que chorar.

Quando ele percebe que não fui me sentar, faz cara feia novamente. A raiva contorce seu rosto. Não acho nem que seja algo pessoal. Ele é apenas uma daquelas almas cheias de ira e eu sou o alvo dele agora. Estou cansada de ser o alvo de alguém.

– Você tem algum problema de audição? Sente-se! – ele ordena.

Várias respostas rudes fazem cócegas na minha língua, mas não consigo botá-las para fora. E não me mexo também.

– Está de brincadeira comigo? – Ele bate a mão na mesa. – Você realmente quer que eu a mande para a secretaria logo no primeiro dia de aula?

A Antiga Leah não continuaria em pé ali. A Antiga Leah já teria ido para a carteira. Mas eu não sou mais a Antiga Leah. Ergo o queixo.

– Sim, senhor. Por favor, me mande para a sala do diretor. – Minhas palavras são educadas. Mas o tom não é.

– Então pode ir – ele manda, como se eu fosse um cachorro.

Ainda não saí da sala quando ouço alguém dizer:

– Perez, você sabe que o coração dela está morto, não sabe?

Outro aluno o corrige:

– Não está morto. Veio de uma pessoa morta.

– Ela é praticamente um zumbi – diz outro.

Eu disparo para fora da sala. Meu peito dói. O maldito nó na garganta dobra de tamanho.

Não vou para a secretaria. Vou para a porta da frente. Não quero ficar ali. Empurro a porta para abri-la. O vento frio de inverno me envolve. Isso é bom. Estou fervendo por dentro. Estou com raiva. Não me conformo que essa seja a minha vida agora.

Que algum vírus idiota tenha tirado tudo de mim.

O que fiz para merecer isso?

Estou do lado de fora da escola. O vento espalha meus cabelos escuros pelo rosto.

Olhando para o estacionamento, vejo meu carro. É como se ele me chamasse. Me tentando.

Eu poderia ir para casa. Minhas chaves estão no bolso. Mas, se eu for, não vou voltar.

E tenho que voltar. Eu preciso. Tenho duas matérias na mesma sala que Matt.

Aperto os punhos. Não vou embora, mas não estou pronta para enfrentar ninguém. Eu me afasto da porta, me escondo atrás de alguns arbustos e me inclino contra a parede do edifício de tijolos vermelhos. É onde eu costumava esperar minha mãe depois das aulas. Um lugar reservado onde eu podia ler sem que ninguém me visse. É então que me ocorre. Isso é o que a Antiga Leah sempre fazia. A Antiga Leah, na verdade, não gostava da escola mais do que a Nova Leah. Passei toda a minha vida escolar me esquivando das pessoas.

Fico ali, morrendo de raiva e me sentindo mal comigo mesma. Inspiro. Expiro. Conto um, dois três e inspiro. Um, dois, três e expiro.

O tempo passa. Um minuto, dois, três.

Dez.

Estou quase calma o bastante para ir à secretaria quando um carro branco passa na rua.

Eu me viro para não ser vista, esperando que o sr. Perez não tenha ligado para a secretaria e avisado que saí da classe.

Uma garota sai do carro. Meu peito fica instantaneamente apertado. No começo não a reconheço. Mas depois percebo. É Cassie.

Ela parece transtornada. Seu rímel está manchado. Seu rosto está vermelho. O cabelo, todo bagunçado.

O que há de errado com ela?

Eu me encolho contra a parede de tijolos. Meu coração se agita com a emoção. Algumas emoções são minhas. A maioria não.

Ouço um leve zumbido e vejo a janela do passageiro baixar.

– Cassie! Eu te amo! – diz a mulher no carro. Não consigo vê-la, mas reconheço a voz da mãe dela, do dia em que fui à casa delas. – Vá ao banheiro e limpe o rosto, ok?

– Vá para o inferno! – Cassie volta para o veículo. Ela golpeia a porta do passageiro. – Eu não posso acreditar que você está me obrigando a fazer isso. Você ama mais esse cara do que a sua filha?

Ama quem *mais*? Lembro-me de Matt me dizendo que a sra. Chambers está noiva.

– Você tem que ir para a escola! – ela diz. – Vá. Eu liguei e eles estão esperando você.

A janela sobe. O carro arranca.

Cassie fica ali, parecendo totalmente derrotada, sozinha, desesperada. Quero sair do meu esconderijo e confortá-la, mas algo me diz que ela não iria gostar. Eu não iria gostar se alguém me visse depois de uma cena dessas.

Ouço um soluço saindo dos lábios de Cassie; então ela corre para as portas da escola. Mas não entra. Fica ali, aparentemente tentando se decidir se entra ou não.

Então, quase como se me sentisse observando-a, ela olha para os lados. Depois de um instante, arruma a bolsa no ombro e se afasta.

Para longe da porta.

Para longe da escola.

Para longe do que a mãe mandou-a fazer.

Antes de eu voltar para dentro, eu a vejo atravessar a rua.

É engraçado como, depois de ver outra pessoa sofrendo, você para de sentir pena de si mesmo. Ou talvez seja meu coração, o coração de Eric. Ele se preocupa mais com Cassie do que comigo.

Mas, quando me aproximo da secretaria, volto a pensar no meu próprio problema.

Fui enviada para a sala do diretor.

E não fiz nada de errado. Mas isso não importa. A vida é um grande vírus filho da mãe.

Quando entro na secretaria, a sra. Clarkson suspira.

– Ficamos tão preocupados...

O diretor Burns sai correndo de uma sala nos fundos.

– Ela apareceu?

Eu sei que "ela" sou eu. Estou numa baita encrenca agora.

– Acabou de entrar – diz Clarkson.

Alívio transparece no rosto rechonchudo do diretor. Eu me lembro da frase que todas as crianças costumavam dizer. *Quem procura encrenca encontra Burns.*

– Venha cá. – Seu tom é direto, talvez até zangado.

Minhas mãos de repente ficam escorregadias. Eu o sigo.

Embora não tenha procurado encrenca, já encontrei Burns.

22

Burns se acomoda atrás de uma grande escrivaninha de madeira escura, com uma aparência intimidante. O escritório é decorado com as cores marrom e preto.

Eu me sento numa das cadeiras de couro em frente à mesa e respiro fundo. Juro que sinto o cheiro do medo. Talvez o meu ou o de todos os outros alunos que estiveram ali antes de mim.

Nossos olhares se encontram. Meu coração bate forte.

– Quero me desculpar – diz Burns.

Será que entendi certo?

– Como?

Ele repete e se acomoda melhor na cadeira. Um cara troncudo numa cadeira não tão troncuda assim.

– Enviamos um e-mail aos professores informando sobre a sua doença.

A minha doença?

– Por algum motivo, o sr. Perez não estava nessa lista. A sra. Clarkson já explicou a ele. Isso não vai acontecer novamente.

Talvez encontrar Burns não seja tão ruim assim.

– No entanto, se algo assim acontecer de novo, você deve explicar ao professor em vez de... ser agressiva.

Agressiva? Ele não fala isso num tom de quem dá uma bronca, mas suas palavras me ofendem mesmo assim.

O alarme do meu telefone dispara. São 8h55. Ele franze a testa.

– Hora dos meus comprimidos – digo.

– Claro. Pode ir. – Ele sorri como se tudo estivesse resolvido.

Mas ainda estou chateada. Vou até a porta. E paro.

Vá embora. Vá embora. Digo a mim mesma... Eu não fui punida. Eu deveria deixar passar. A Antiga Leah deixaria passar.

Mas não sou mais como ela.

Eu me viro. Ele está olhando a tela do computador.

– Sr. Burns.

Ele olha para mim.

– Eu tentei explicar ao sr. Perez. Cada vez que eu abria a boca, ele me interrompia e mandava que eu me sentasse. Então anunciou, alto o suficiente para todos ouvirem, que já podia dizer quem é que lhe daria problemas na sala.

O sr. Burns abre a boca para falar alguma coisa, mas eu continuo.

– O sr. Perez foi rude. E eu não merecia. Mas não por causa da minha "doença". Todo estudante aqui merece respeito. É com ele que o senhor precisa ter uma conversa. Ele é que foi agressivo.

Eu saio da sala. *Acabei de repreender o diretor da escola?*

Continuo de queixo erguido. Estou apreensiva e, ao mesmo tempo, sorrindo por dentro.

Me sinto orgulhosa de mim mesma. Gosto do jeito como a Nova Leah encara as coisas.

Olho para os meus peitos. Eles podem estar maiores, mas essa não é a única mudança em mim. Por algum motivo, consegui ficar mais peituda em outros sentidos também.

Eu só vejo Matt quando estou a caminho da aula de Inglês.

Estou andando depressa, porque me atrasei e meu armário fica do outro lado do prédio. Nossos olhares se encontram. Há cinco estudantes entre nós. Ele abre caminho entre eles, pega minha mão e me puxa para longe do bando de adolescentes que cruza o corredor.

– Oi! – Seu sorriso é encantador. Sua mão está quente. O toque dele é bem-vindo.

Seu olhar desce pelo meu corpo, mas não é um olhar indecente, é só de admiração.

– Você está bonita!

– Obrigada. – Tento não pensar na loira usando o mesmo suéter. O polegar dele desenha círculos lentos nas costas da minha mão.

– Mal posso acreditar que a sra. Milina mudou o horário das nossas aulas – digo.

O sorriso dele chega aos olhos.

– Isso significa que vamos ter que estudar juntos mesmo.

– Puxa, mas que azar! – digo, brincando.

O sinal toca. Quero ignorar. Quero ficar com Matt – esquecer as aulas. Mas a Nova Leah ainda segue as regras.

– Tenho que ir... Mas vejo você na hora do almoço.

– Tudo bem. – Ele ainda segura a minha mão. Olha em volta, se inclina e pressiona os lábios nos meus. É um beijo rápido, mas carinhoso.

Depois ele se apressa para a aula. Eu não. Meus joelhos estão moles. É o primeiro. O primeiro beijo que ganho na escola. E é especial. Proibido.

De repente todas as coisas ruins que aconteceram hoje comigo parecem menos importantes. Toleráveis.

Lembro-me de que o sinal já tocou e me forço a sair dali.

Vou para a sala 12. Graças a Deus, dois alunos entram junto comigo e eu não chamo a atenção por estar atrasada. Brandy faz sinal para uma carteira vazia ao lado dela. Trent está do outro lado da sala.

Eu já o vi no corredor, mas achei que ele não tinha me visto, por isso me escondi atrás de um grupo de garotas e passei por ele bem depressa.

Agora ele me vê. Dá uma boa olhada em mim e faz uma cara triste. Eu não gosto de ser a razão para alguém fazer uma cara triste. Mas esse não é um motivo forte o suficiente para me fazer voltar para ele.

Sandy e LeAnn acenam para mim.

Carlos solta um assovio.

– Arrasando, hein, Leah?

Eu sorrio. Carlos está sempre passando cantadas. Sempre foi assim. Mas nunca está falando sério.

Eu me sento na carteira ao lado de Brandy.

Ela se inclina.

– Como vão as coisas?

Penso no beijo.

– Tudo ótimo. – Eu quase enviei uma mensagem, contando a ela sobre o que tinha acontecido com Perez, mas depois resolvi deixar para contar mais tarde. Agora estou de muito bom humor e não quero fazer nada para estragar o alto astral.

Ela se inclina um pouco mais.

– Um certo gato de cabelos castanhos tem alguma coisa a ver com isso?

– Talvez. – Um sorriso borbulha em meus lábios.

Ela sorri.

– Matt me disse que mudou o horário dele para coincidir com o seu. Ele está mesmo a fim de você.

Adorei ouvir isso, mas fico chocada.

– Você o viu?

– Eu tenho quatro... Eu *tinha* quatro aulas com ele antes da mudança de horário. Ele se sentou ao meu lado. Você devia ter visto a cara daquelas garotas esnobes...

Gosto de saber que Matt é simpático com a minha melhor amiga. Acho que eu deveria fazer o mesmo com os amigos dele. O problema é que não os conheço a ponto de ser simpática com eles.

– Ah, o sr. Applegate concordou em deixar que o clube do livro se reúna aqui durante o intervalo do almoço. Então, vamos pegar a comida e comer aqui na classe.

Eu balanço a cabeça.

– Não posso. Combinei de almoçar com Matt.

Brandy faz uma careta.

– Hmm... que dilema... um cara gostosão ou o clube do livro? Fez uma boa escolha.

– Obrigada.

– Mas saiba que, se não estiver aqui, você não vai poder opinar sobre os próximos seis livros que vamos ler.

– Penso nisso depois. – Agora sei que estou ficando muito boa em falar o que penso.

– Mas é a regra. Quem não aparece na primeira reunião não pode votar.

– Quem criou essa regra? – Mais uma vez me pergunto se quero mesmo voltar para o clube do livro.

– Sandy e LeAnn – responde Brandy num tom de voz mais baixo.

– Bem, como não estou sabendo dessas regras novas, vou falar do mesmo jeito.

Ela olha para mim surpresa.

– O que foi? – pergunto.

– Você está diferente.

Sei que estou, mas fico curiosa para saber como ela me vê.

– Diferente como?

– Você costumava ser mais quieta. E sempre acatava a vontade da maioria. Talvez até exagerasse um pouco nisso. Agora não engole sapo. Gosto disso.

– Ou talvez eu não esteja tão covarde.

Nós duas rimos. Alto.

– Ok, classe. – O sr. Applegate se levanta da sua mesa. – Vejo duas alunas novas na minha turma. Então deixem que eu me apresente. Sou seu professor de Inglês e um amante dos livros. – Sei que vou gostar dele.

Quarenta minutos depois, o professor dispensa a classe para o almoço. Acabo de guardar meus livros na mochila e, quando ergo os olhos, estou cercada pelos membros do clube do livro. Trent, inclusive. Isso me lembra de como me senti na festa de Ano-Novo, na casa de Brandy. Nem um pouco entrosada.

Sandy é quem fala:

– Por que não compramos um pedaço de pizza e voltamos rápido para começar logo a reunião do clube?

Começo a responder, mas Brandy se antecipa.

– Leah não pode participar da reunião hoje.

– Por quê? – pergunta LeAnn.

Brandy sempre é a primeira a me defender, e eu a amo por isso, mas às vezes essa atitude não me agrada muito.

– Marquei de almoçar com uma pessoa. – Coloco no ombro a mochila.

– Com quem? – pergunta Trent.

Engulo em seco.

Antes que eu possa responder, Sandy dispara:

– Não me diga que é Matt Kenner!

Eu confirmo.

– O clube do livro vem antes dos namorados – decreta LeAnn.

Quase digo que ele não é meu namorado. Mas ele me beijou no corredor da escola. Talvez seja de fato meu namorado.

LeAnn fica olhando para mim como se esperasse uma resposta. Mas não foi uma pergunta. Então só me despeço de Brandy com um aceno de cabeça e saio da sala. Um pouco antes de sair, ouço LeAnn dizendo:

– Ela está diferente.

Matt está me esperando onde disse que estaria.

– Olá.

Ele me oferece um sorriso tímido e me analisa. Quase acho que está preocupado com a possibilidade de ter me desagradado com o beijo.

Eu sorrio.

– Vamos comprar alguma coisa rápido para poder conversar. – O cheiro de torta de atum impregnou todo o refeitório.

– Tudo bem. – Ele vai para o balcão da pizza.

– Pode ser pizza? – Ele faz uma careta. – Ou você prefere torta de atum?

Pizza está ótimo para mim, mesmo suspeitando que o clube do livro em peso logo vai estar ali. Mas não posso evitá-los para sempre.

Entramos na fila. Ele chega mais perto. O braço está encostado no meu. Então aproxima a cabeça do meu ouvido.

– Como foi o seu dia até agora?

Além de sofrer um leve bullying *e ser enviada para a sala do diretor?*
– Foi bom. – Ainda estou nas nuvens por causa do beijo dele.
– Então não está mais sentindo como se estivesse calçando os sapatos de outra pessoa? – Ele olha para as minhas botas.
O fato de ele se lembrar do que eu disse significa que realmente presta atenção no que eu falo. Gosto disso.
– Um pouco, mas estou me acostumando. – Eu levanto um pé e viro o tornozelo.
Ele olha para baixo.
– Odeio dizer, mas gosto mais dos Patos Donalds.
Abro um sorriso.
– Mas você nem viu os Dumbos ainda.
Ele ri. Perto como está, consigo distinguir tons diferentes na risada dele. Um tom mais grave e depois ligeiramene mais agudo. Adoro esse som. E toda vez que ele ri, sua risada parece menos enferrujada.
– E como foi o seu dia? – pergunto.
– Começou ruim. Mas melhorou em torno de uns quarenta e cinco minutos atrás.
Percebo que ele está se referindo ao nosso beijo no corredor. Sorrio.
– Engraçado, foi justamente quando o meu dia começou a melhorar também.
A fila anda.
Ouço vozes conhecidas e olho em volta. É o clube do livro. Brandy me deseja "boa sorte" movendo os lábios sem emitir nenhum som.
Matt começa a falar sobre as aulas que vamos fazer juntos e me pergunta se conheci os professores.
– Não tive Matemática ainda. A sra. Whitney, nossa professora de Ciências, é legal. Mas peguei o sr. Perez em História. Ele é um babaca. – Um pouco da minha raiva volta quando penso no professor.
– No ano passado, ele foi professor de Eric. E ele dizia a mesma coisa.
Pegamos nossas pizzas e bebidas, e pagamos. Sinto minha nuca formigando e me viro. LeAnn, Sandy e Trent estão olhando para nós. Matt e eu nos afastamos do balcão da pizza.

Matt para e olha em volta.

– Estou vendo dois lugares vagos lá nos fundos.

Começamos a andar na direção deles quando ouço alguém chamar:

– Matt, guardei o seu lugar!

Eu me viro e vejo que a voz vem da mesa mais próxima de uma grande janela. A mesa dos alunos mais populares. Onde se sentam as líderes de torcida e os atletas. Toda a escola sabe que aquela mesa é deles. Ninguém ousa se sentar ali. Eu reconheço a garota com quem Matt estava conversando, que eu acho que é Marissa. Noto que há mais de um lugar vago ali. Eu me lembro de que prometi a mim mesma que seria simpática com os amigos dele, mas me sentar com eles... E agora? Será que estou pronta?

Espero para ver o que Matt vai responder, preocupada que ele diga que se encontra comigo mais tarde.

– Obrigado. Fica pra próxima! – ele responde.

Solto o ar preso nos meus pulmões. Fico envergonhada por pensar que ele ia me largar ali sozinha. Então sou tomada por emoções contraditórias. Não sei se me sinto eletrizada ao ver que ele quer ficar sozinho comigo ou aborrecida porque não quer que eu me sente com os amigos dele.

Por que a escola tira tanto a autoconfiança de uma garota?

Colocamos nossas bandejas sobre a mesa, que fica um pouco distante das outras, e nos sentamos. Ele se senta tão perto que sinto a perna dele pressionando a minha. E isso faz com que eu sinta todo o meu corpo formigar.

Ele abre sua caixinha de leite. Eu destampo a minha garrafa de água e tomo um gole. As pessoas estão olhando. Provavelmente querendo saber por que um cara popular está sentado com uma garota que é membro do clube do livro.

Matt pega seu pedaço de pizza.

– Quer levar Lady para passear comigo depois da aula?

– Sim. Mas antes a minha mãe vai querer me interrogar sobre o primeiro dia de aula.

– Que tal às quatro? – Ele dá uma mordida na pizza.

– Está ótimo.

Pego minha pizza de muçarela e dou uma mordida também.

– Hmm... – murmuro, enquanto mastigo a pizza sem graça – Esqueci como é maravilhosa a pizza da escola... – digo, cheia de sarcasmo. Ele deve ter entendido, porque solta uma risada.

– Você poderia ter escolhido a torta de atum – ele diz.

Reviro os olhos.

– Nem morta!

Ele passa um dedo pelos meus lábios.

Pego o guardanapo, achando que estou com a boca suja.

– Sua boca não está suja. – Ele sorri, quase sem graça, mas depois pressiona nos próprios lábios o dedo que passou nos meus. Um gesto... sexy.

Sinto um gelinho no estômago. Juro que, se ele quiser me beijar agora, mesmo que seja na frente dos duzentos alunos desta escola, eu vou deixar.

Ficamos olhando um para o outro por vários segundos.

Matt volta a olhar para a pizza.

– Posso te perguntar uma coisa?

Ele parece nervoso.

– Claro. – Dou outra mordida na pizza.

– Qual é o lance entre você e Trent?

23

A pergunta sobre Trent me pega de surpresa.
– Ah, lance nenhum.
Ele fica em silêncio como se esperasse eu concluir a resposta. Sentindo a pressão, me forço a dizer mais alguma coisa.
– A gente namorava... antes.
– Antes...?
– Terminamos quando fiquei doente.
– Que canalha!
Eu me dou conta do que ele concluiu.
– Fui eu quem terminou com ele. Não o contrário.
– Por quê?
Dei de ombros.
– Não me pareceu justo.
– Ok. – Ele fez uma pausa. – Mas parece que ele ainda está a fim de você.
Eu estava morrendo de pena de mim mesma quando terminei o namoro. Mesmo quando afastei Trent de mim, fiquei chateada quando ele não protestou. Mas não fiquei chateada por muito tempo. Doeu muito mais quando Matt não ligou.

É diferente. Eu sei que é. Matt perdeu o pai e não estávamos namorando... e eu estava doente, mas... estou assustada. Assustada com a possibilidade de ele perceber que, mesmo com o coração de Eric, nunca vou ser totalmente saudável. E se ele já se afastou uma vez...

Isso dói...

– E agora? – Matt pergunta. – Você não está mais doente.

Não é bem assim, mas não vou dizer isso a ele.

Matt olha no fundo dos meus olhos.

– Vai voltar com ele?

– Não, eu... não sinto mais a mesma coisa.

– Mas ele sente, não é? – Ele franze a testa.

Quando não respondo imediatamente, ele continua:

– Eu sei, porque ele anda me olhando de um jeito... Se pudesse, me fulminava com o olhar...

– Desculpe... Eu disse a ele que só queria que fôssemos amigos.

– Ótimo. – O alívio nos olhos dele é evidente. – Não quero estar me apaixonando pela garota de outro cara.

Ele está se apaixonando por mim! Volto a sentir a mesma alegria de antes. Percebo a oportunidade e aproveito.

– E você?

– Eu?

– Eu estou me apaixonando por alguém que...

– Não. Eu... não saio com ninguém desde... – Ele brinca com a pizza no prato. – Parei de sair com garotas quando meu pai morreu. Só saí duas vezes depois disso. Eric me convenceu. Eu não queria ir, mas Eric sabia ser insistente às vezes.

Matt dá mais algumas mordidas na pizza. Depois pega a caixinha de leite e toma um grande gole. Fica quieto por alguns segundos.

– Se você não for viajar, posso te levar para comer uma pizza melhor do que esta no final de semana?

Ele está me convidando para sair! Está realmente me convidando para sair!

– Não vou viajar. Quer dizer, vou. – Ele me olha sem entender e eu de fato não estou sendo nem um pouco clara. – O que estou tentando dizer é que... adoraria ir comer uma pizza com você. – Minha alegria agora não vai me deixar tão cedo...

Um coro de risadas ecoa pelo refeitório. Nós dois erguemos os olhos. Ele veio da mesa dos alunos mais populares.

Vejo quem eu acho ser Marissa se levantar, segurando vários guardanapos, como se algo tivesse espirrado no decote do seu suéter vermelho. Ela está secando a blusa com os guardanapos. A mesma que ela usa sem nenhuma regata por baixo.

Tento ignorá-los e me inclino para chegar mais perto de Matt.

– O que você descobriu sobre Eric?

Matt olha para mim.

– Falei com Marissa hoje de manhã. Ela disse que Cassie conheceu um cara mais velho que ficava dando em cima dela quando ainda namorava Eric. Marissa disse que, no início, pensou que Cassie tinha terminado com Eric por causa desse cara.

– Ela disse o nome dele?

– Disse só que começava com J. Mas contou que ele e os pais se mudaram para a casa ao lado da de Cassie e que ele tinha uma moto e tatuagens.

Tento digerir o que ele disse.

– Você acha que esse cara pode ter atirado em Eric?

– O ciúme não é um dos principais motivos para se cometer um assassinato?

– Sim. – Sinto um arrepio percorrer a minha espinha. Eu me recordo de que essa investigação pode ser perigosa. – Marissa disse se Cassie ainda vê esse cara?

Ele balança a cabeça.

– Ela não sabe. Cassie se afastou dela.

– Que estranho... – Eu o observo enquanto ele come o último pedaço de pizza.

– *Muito* estranho. – Ele suspira. – Agora não sei se devo procurar o detetive Henderson para contar isso ou se ele simplesmente diria que não é importante.

É claro que Matt não pensa em se aproximar daquele cara sozinho.

– Ele não disse que era para você procurá-lo se descobrisse alguma coisa?

– Só se eu tivesse uma prova sólida.

– Isso é sólido.

Ele concorda.

– Acho que primeiro vou investigar para ver se esse cara ainda mora na mesma casa. Se eu mandar o detetive lá e o sujeito nem morar mais na mesma casa, ele vai pensar que tenho um parafuso a menos. E nunca mais vai querer me ouvir outra vez.

Eu toco o braço dele.

– Você não tem um parafuso a menos. Mas como vai investigar? O detetive não disse para você ficar longe da casa da Cassie?

– Não vou à casa da Cassie. Vou à casa vizinha.

Balanço a cabeça.

– Não gosto nada dessa ideia. Se ele estiver lá, vai reconhecer você. – De repente fico com mais medo por ele do que por mim. – Eu é que deveria ir. Ele não me conhece. Eu poderia fingir que estou vendendo revistas ou algo assim e...

– Está brincando, né? – Ele dá uma risadinha. – Acha que vou deixar você conversar com um cara que pode ter matado o meu irmão?

Ergo uma sobrancelha.

– Então simplesmente conte para o detetive.

A determinação é visível em seu olhar.

– Não preciso falar com esse cara. Só ter certeza de que ele mora lá. Vou apenas ficar sentado dentro do carro e ver se ele aparece ou se a moto dele está lá.

Eu balanço a cabeça outra vez.

– Ainda não gosto nada dessa ideia.

Ele coloca uma mecha do meu cabelo atrás da orelha. Juro que posso sentir seu dedo deixando uma marca de fogo na minha bochecha.

– Prometo que vou ter cuidado. Mas é bom ver a sua preocupação. – Ele sorri.

Eu franzo a testa.

Continuo olhando para ele de cara feia quando sinto a eletricidade causada pelo seu toque na minha pele e seu sorriso, que me faz derreter por dentro. Eu. De fato. Não. Gosto. Dessa. Ideia.

Nesse momento, me lembro do que preciso contar a ele.

– Eu vi Cassie esta manhã.

– Ela está aqui na escola? Andei procurando por ela e não a encontrei.

Conto a ele sobre o carro parando em frente à escola e o que Cassie disse à mãe. Mas não explico por que eu estava do lado de fora da escola. Qualquer referência aos meus comprimidos faz com que eu pareça... doente.

– Ela parecia arrasada – eu digo. – Nem chegou a entrar na escola.

Ele balança a cabeça.

– *"Você ama mais esse cara do que a sua filha?"* – Matt repete as palavras de Cassie para a mãe. – Ela só pode estar falando do noivo da mãe.

– Foi o que pensei – suspiro. – Ela parecia uma vítima, Matt, não a vilã.

Os olhos castanhos dele escurecem.

– Vítima ou não, se ela sabe alguma coisa e não contou, é culpada. – Parece que ele está com raiva. Não de mim, mas de Cassie. E de quem quer que tenha assassinado o irmão. Não o culpo por sentir isso, mas já ouvi mais de mil vezes que a raiva não faz bem ao coração.

Alguns adolescentes se aproximam e se sentam na mesma mesa em que estamos. Posso ver pela expressão de Matt que é melhor mudarmos de assunto.

Ele pega a minha pizza e segura-a perto da minha boca. Eu acho graça. Dou uma mordidinha, depois a afasto.

– Não quero mais.

Ele acaba com o que resta da pizza. Pode parecer bobagem, mas gosto de vê-lo comendo o meu pedaço de pizza. É como se... estivéssemos mais próximos por causa disso. Meus pais fazem isso. Minha mãe come todas as batatas fritas dela e depois rouba as do meu pai. Ele sempre faz piada disso. E ela o beija sempre que ele finge reclamar.

Eu fico tentada a reclamar para ver se Matt me beija também.

Sentados ali no refeitório, ao som das conversas, talheres batendo nos pratos e os mais variados cheiros de comida, conversamos sobre Lady, o horário que estudaremos juntos, coisas triviais.

Gosto de conversar sobre coisas triviais. Faz com que eu sinta que ele está se apaixonando por mim apenas pelo que sou.

Não porque o estou ajudando.

Não porque acredito nele.

Não porque estou com o coração de Eric.

— Como foi? – minha mãe pergunta no instante em que piso em casa. Antes que eu possa responder, ela me arrasta para a cozinha.

Eu já deveria ter pensado no que iria dizer. Mas, no caminho para casa, só consegui pensar em Matt.

Olho para mamãe. Ela surtaria se eu contasse que Matt me beijou no corredor da escola? Acho que ela ainda está com sua fobia por germes. Será que eu deveria contar sobre o papelão que fez meu professor de História? Contar que, se não fosse por Matt, eu estaria implorando para voltar a estudar em casa?

Quantas dúvidas... Deixo minha mochila sobre a mesa.

— E então?... – ela pergunta.

— Foi bom e ruim. – Pego um biscoito de manteiga de amendoim. Está tão quente que se parte na minha mão.

— Obrigada – eu digo. Aposto que sou a única aluna do último ano que encontra biscoitos caseiros recém-assados ao chegar em casa. Tenho sorte de ter meus pais. Pena que eles não podem dizer o mesmo. Mereciam uma filha saudável. Netos. *Desculpe, mãe.*

— Então me conte tudo. – Mamãe me serve leite. – Participou da reunião do clube do livro?

— Não. Fizeram a reunião na hora do almoço. E Matt almoça no mesmo horário que eu, então preferi almoçar com ele.

Ela arregala os olhos.

— Os garotos agora vêm antes do clube do livro? – ela pergunta, me fazendo lembrar do que LeAnn me disse. – Quem é você e o que fez com a minha filha? – ela pergunta, brincando.

Eu quase digo que não faço ideia de onde a filha dela está. Eu estaria enlouquecendo se não estivesse tão animada com a perspectiva de ver Matt mais tarde.

— LeAnn e Sandy assumiram o clube do livro. Está diferente agora.

— Dê um tempo. – Ela suspira com seu olhar materno de quem entende. – E resolveu a situação com o seu professor de História?

Engasgo, pego o leite e o engulo.

— Como você sabe...?

— O diretor me ligou. Ele não estava nada satisfeito com o professor. E me garantiu que não acontecerá de novo. Também disse que, se você quiser mudar de professor, ele pode dar um jeito nisso.

Meu primeiro pensamento é "Aleluia!" O segundo é "Isso pode estragar meus planos de estudar na mesma classe de Matt". O terceiro é "Não gostei que o diretor ligou para a minha mãe".

— Não, está tudo bem – digo rápido.

— Conte agora as coisas boas – diz ela.

— Eu realmente gosto de Matt. – Eu sorrio. – E gostei do meu professor de Inglês.

— Ótimo. – Ela descansa uma mão quente no meu braço. – Senti sua falta hoje.

Droga. Agora vou me sentir mal por ter combinado de sair com Matt. Pego outro biscoito e então me dou conta. Quando fiquei doente, meu mundo ficou tão pequeno, mas o da minha mãe também ficou...

Eu não me lembro da última vez que ela foi almoçar com uma amiga. Ou foi à pedicure. Puxa, isso é muito injusto!

— Eu estive pensando... – digo. – Você precisa voltar a trabalhar.

Ela levanta uma sobrancelha.

— Nossa, que coincidência! Meu antigo chefe me ligou hoje, perguntando se eu gostaria de voltar a trabalhar meio período.

— Diga sim, mãe. — Lembro-me de ter pensado que eu precisava cortar o cordão umbilical e percebo que a minha mãe também. Como eu, ela tem que aprender a viver de novo.

— Estou pensando.

— Mãe, você saiu do seu emprego para cuidar de mim. E estou bem agora. Volte a viver a sua vida. — A culpa torna minhas palavras pesadas.

As lágrimas enchem os olhos dela e são contagiosas. Meus próprios olhos se enchem de lágrimas também.

Ela pisca.

— Você e seu pai são a minha vida.

— Sua outra vida, então. Aquela que você amava antes que eu a roubasse de você. — Eu vejo o relógio na parede. Dou um abraço nela. Ela cheira a biscoitos e amor. Mas eu ainda quero ver Matt. — Matt vai passar aqui daqui a pouco. Vamos levar Lady para passear e eu quero trocar de roupa.

— Não está muito cansada?

Cansada? Um pouco, mas...

— Estou bem. — Eu me levanto.

— Pelo menos leve seu aparelho de medir a pressão.

Eu abro a boca para começar a discutir. Só preciso medir a pressão de manhã e à noite. E isso apenas por mais uma semana. Mas para deixá-la feliz, concordo em levá-lo.

— Ah, Matt me convidou para sair no fim de semana. Como papai o conheceu, estou supondo que isso não será problema.

Ela não parece muito animada.

— A consulta com a sua médica está confirmada para sexta-feira.

— Mas só preciso ver a dra. Hughes no mês que vem.

— Não é a dra. Hughes. É a ginecologista.

— Ah... — Meu rosto fica vermelho porque sei que a mamãe está pensando em Matt e eu fazendo sexo.

Vou para o meu quarto, arrastando comigo o meu constrangimento. Não que eu não tenha pensado em nós dois fazendo sexo.

Bem, comecei a pensar, mas, quando imaginei a parte em que tiro a roupa, só consegui pensar na cara de Brandy ao ver minha cicatriz.

E na cara de espanto de Matt quando a vir.

Depois da aula, Matt acompanhou Leah até o carro. Ele esperava roubar outro beijo, mas havia gente demais em volta e não parecia o momento mais oportuno.

Então ele só apertou a mão dela e disse que estaria na casa dela às quatro.

Assim que Leah partiu, ele mandou uma mensagem para a mãe, dizendo que demoraria um pouco mais para chegar, pois ficaria na escola até um pouco antes das quatro, quando levaria Lady para passear.

Não era uma mentira completa. Ele demoraria um pouco mais para chegar. Só que não ficaria na escola.

Ele se lembra de Leah lhe dizendo que ele não deveria ir à casa de Cassie. Mas não está cometendo nenhuma imprudência. Não pretende ficar ali muito tempo.

O rosto de Leah, quando a beijou no corredor, não sai dos seus pensamentos. Ela parecia surpresa e tão sexy...

Ele estacionou o carro do outro lado da rua, onde pode ter uma boa visão das duas casas vizinhas à de Cassie.

Não há nenhuma motocicleta na frente de nenhuma delas. Na verdade, não há nada acontecendo em nenhuma das casas, nem mesmo na de Cassie.

Por fim, um jipe entra na garagem da casa ao lado. Matt se abaixa no banco, esperando ver um cara de cabelos castanhos e tatuagens.

Mas quem sai do carro é uma mulher loira. E do banco de trás, duas garotas loiras.

Ele olha para a casa ao lado da de Cassie. Só porque essa família não coincide com a descrição do cara não significa que ele não more lá. Mas Matt percebe que a mulher parece jovem demais para ter um filho de mais de vinte anos.

Ele fica lá por mais trinta minutos. Ninguém aparece. Nenhuma motocicleta, nem um cara de cabelos castanhos e tatuagens. Inesperadamente, o peito de Matt fica apertado. Sua frustração aumenta.

– Eric? – Ele diz o nome como se esperasse que o irmão respondesse.

Só sente um arrepio, como se alguém estivesse olhando para ele.

Encolhido no banco, ele observa as casas para ver se alguém está olhando para a rua. Não vê nada.

Ele se pergunta se Cassie está em casa. Tem vontade de bater na porta da casa dela.

Quanto mais pensa sobre o sujeito tatuado, mais se convence de que ele está envolvido. Eric e Cassie não estavam juntos havia muito tempo quando Eric morreu. Aquele cara provavelmente viu Eric com Cassie, ficou com raiva e... o assassinou.

Os pelos da nuca de Matt ficam arrepiados, como se alguém estivesse respirando atrás dele. Olhando por cima do ombro, esperando... Droga, ele não sabe o que esperar. Então ele a vê.

Ela está andando na rua. Matt prende a respiração. Ela anda na direção de casa. Ele sai do carro.

– Cassie?

Ela se vira, balança a cabeça e dispara para a porta da frente.

Ele corre enquanto ela está tentando abrir a porta.

– Apenas fale comigo.

– Vá embora! – ela grita para ele.

– Por favor...

– Vá embora! – Ela entra e bate a porta.

Frustrado, ele aperta a mandíbula e volta para o carro. O ar fica preso nos pulmões quando ele vê a viatura na garagem de Cassie, com um policial dentro. O oficial Yates. Ainda sem respirar, Matt vai para o carro, entra e se concentra no espelho retrovisor. Será que ele vai ser preso? Eles poderiam acusá-lo de assédio, talvez até de estar perseguindo Cassie. O que seria frustrante, porque ele estava apenas tentando falar com ela.

Matt afunda no banco. Ainda olhando pelo retrovisor, vê o policial sair do carro. O som do sangue jorrando nos ouvidos é tão alto que ele não consegue nem pensar. Não consegue respirar.

Quando olha pelo retrovisor lateral, vê o homem parar e pegar o celular, enquanto olha para o carro de Matt.

Com as mãos trêmulas, ele finalmente se dá conta de que nada o impede de dar o fora dali o mais rápido possível. Matt dá partida no carro e arranca.

Mas não consegue deixar de se perguntar se o policial estava ligando para o detetive Henderson.

Eric, pelo amor de Deus, o que você quer que eu faça?

24

Mal entrei no meu quarto cor-de-rosa e Brandy me liga. Conto a ela sobre o comentário de Lisa de que pensava que eu estava morta, e o que respondi. Brandy morre de rir.

Conto a ela sobre o sr. Perez. Que fui mandada para a sala do diretor e o que eu disse a ele antes de sair.

– Ok, agora é oficial – diz ela. – Você definitivamente está mais corajosa.

Conto também sobre o beijo que Matt me deu no corredor.

Ela grita e diz:

– A próxima coisa que vai fazer, eu sei o que é: vai transar com Matt no depósito dos materiais de arte.

– O depósito dos materiais de arte? – Eu nunca tive aulas de artes. Mas Brandy, sim.

– É para onde você e Brian vão?

Ela não responde, mas não nega também.

Pergunto como as coisas vão no clube do livro. Eu escuto, mas ao mesmo tempo ainda consigo pensar em Matt e me pego desejando ter solicitado aulas de artes.

Por fim, ela me conta sobre o seu dia. A conversa passa a girar em torno dos planos dela e de Brian para passar o final de semana juntos, quando os pais dela estiverem fora.

Eu ouço a excitação na voz dela. E me pergunto como seria dormir com Matt. Não me refiro a sexo – já me perguntei sobre isso –, mas a dormir ao lado dele, usando seu ombro como travesseiro. Me sentir aconchegada nos braços dele.

Brandy não pergunta sobre meus sonhos ou sobre qualquer coisa relacionada a Eric. Isso provavelmente significa que ela ainda não acredita em mim. Isso me magoa, mas eu a amo de qualquer maneira.

Como não amar? Ela poderia ter me deixado de lado e arranjado outra amiga que não estivesse morrendo.

Eu olho para o meu relógio cor-de-rosa.

– Merda. Tenho que ir. Matt já deve estar chegando.

Meço minha pressão sanguínea. Está um pouco mais alta, mas estou com pressa e já pensando em Matt. Corro para o banheiro, aplico uma camada de pó compacto, blush e brilho labial. Olho para o meu cabelo bagunçado, solto um gemido e o prendo. Com um rabo de cavalo, vasculho meu armário para encontrar minha blusa vinho nova e meu moletom de capuz. Eu me lembro de que os usei no fim de semana.

Vou até a lavanderia para ver se mamãe os lavou. Estão na secadora. Ainda quentes.

Desisto do suéter azul. Arranco da secadora o moleton com capuz, cheio de eletricidade estática e o visto.

Ainda estou me arrumando quando a campainha toca. Acabo de vestir o moletom, pego a bolsa e saio correndo.

Mamãe, com o telefone no ouvido, vem até a porta da cozinha.

Ela acena para mim e retorna para a cozinha e para a sua conversa.

Eu abro a porta.

Matt está ali. Ele está com a mesma roupa que usava na escola, mas me examina disfarçadamente.

Um olhar de aprovação ilumina os olhos dele. Gosto disso.

– Onde está Lady?

– No carro. Eu não sabia se era para eu entrar e como não estou a fim de limpar o chão da sua casa novamente...

Solto uma risada. Nós saímos. Eu o sinto me observar, mas, quando olho, ele desvia o olhar.

Quando entramos no carro, deixo minha bolsa no assoalho do carro.

Lady tenta vir para o banco da frente. Matt não deixa.

– É... – Matt está me olhando de um jeito estranho de novo. Quase sorrindo.

– O que foi? – pergunto.

– Você tem... algo preso na parte de trás do casaco.

– O quê? – Olho por cima do ombro direito.

– Aqui.

Ele põe a mão atrás do meu ombro esquerdo e tira dali um pedaço de tecido fino.

Levo um segundo para reconhecer minha calcinha vinho nova.

A estática deve tê-la feito grudar no casaco.

Sinto o tempo parar. Tenho duas opções. Posso morrer de vergonha ou posso achar graça da situação.

Escolho a última opção. Antes que eu saiba o que estou dizendo, as palavras deslizam para fora da minha boca.

– Eu estava procurando isso.

Uma profunda gargalhada escapa dos lábios dele. Seus olhos se iluminam de um jeito sexy, como quem diz "acabei de ver a sua calcinha!".

Tomo a calcinha da mão dele.

– Achado não é roubado... – Seu tom é cheio de provocação.

– Não. E posso saber por que você quer a calcinha da minha mãe?

Ele parece mortificado, deixa cair a *lingerie* no meu colo, e agora é a minha vez de rir.

Eu a coloco na bolsa.

Quando olho para trás, Matt se inclina na minha direção. E me beija. Um beijo suave. Sexy. Poderoso. Terno.

Eu me derreto. Eu quero isso. Eu quero mais do que isso.

– Nossa! – consigo dizer quando ele se afasta.

Ele passa um dedo nos meus lábios.

– Eu achei a *lingerie* da sua mãe muito sexy.

Nós dois caímos na risada.

– Não é dela – confesso.

– Eu sei. – Ele cobre meus lábios com o dedo indicador, para brincar.

Ele ainda está perto de mim. Seus olhos estão semicerrados, cheios de desejo. Eles são castanhos, mas têm raias verdes e douradas que eu quero analisar melhor. O que realmente prende a minha atenção é o que eu não vejo neles. Compaixão. Tristeza. Dor.

Quero levar o crédito pelos dois últimos – acreditar que eu o estou ajudando. Sei que nunca vai deixar de sentir falta de Eric ou do pai. Eu nunca deixei de sentir falta da minha avó. Mas há vários tipos de saudade. Um deles faz com que pareça que está faltando um pedaço do seu ser.

Ele dirige para o parque. Caminhamos pela trilha e falamos sobre a escola. Matt às vezes põe o braço em volta da minha cintura e às vezes segura a minha mão.

Acabamos nos sentando no nosso banco. É engraçado, porque só nos sentamos nele duas vezes, mas parece que já é nosso. O nosso lugar. Como se nos conhecesse. Como se as árvores, o chão e o banco de madeira preservassem a nossa memória. A nossa história está viva ali.

Ele prende a guia de Lady no banco. Ela deita no chão numa pose de filhote sonolento. Sua doce cabecinha amarela repousa sobre as patas e os olhos tristes e sonolentos olham para mim.

Matt coloca o braço em volta de mim, como se quisesse me manter aquecida. Não está tão frio quanto antes. Acho que é apenas uma desculpa para ficar mais perto de mim. Mas vou aceitar qualquer desculpa que ele inventar.

Eu inclino a cabeça e encosto em seu ombro.

Ficamos assim por vários instantes. Pássaros voam acima, alguma pequena criatura corre no chão. A mais leve brisa sussurra entre as árvores. E dentro de mim, outro eco. Um eco de felicidade. Estou feliz. A Nova Leah é feliz.

Eu quero me lembrar disso. Sempre.

Eu me levanto do banco.

– Você se importa se eu tirar algumas fotos?

– Não – diz ele. Eu tiro algumas fotos de nós dois e de Matt e Lady. – Mande-as para mim.

Eu faço o que ele pede. Depois de um segundo, estamos de volta ao mesmo aconchego.

– Tive aulas com Brandy hoje – ele diz.

Eu não olho para ele, apenas respondo.

– Ela me disse.

– Ela me mandou cuidar bem de você.

– Desculpe. Ela é uma boa amiga. Um pouco protetora demais.

– O que me surpreendeu foi que ela sabe que você está com o coração de Eric.

Eu me sento ereta no banco. Olho nos olhos dele e lá está. A mesma dor.

– Sim. Eu estava... assustada e precisava de alguém para conversar. Espero que você não se importe.

– Não, apenas fiquei surpreso. – Ele hesita. – Você contou a ela sobre os sonhos?

– Sim.

– O que ela disse?

Eu não consigo me decidir se digo a ele a verdade ou não. Não quero que Matt fique chateado com Brandy. Mas já estou escondendo tantas coisas de Matt...

– Ela acha que passamos por situações muito difíceis e estamos confusos.

– Então ela não acredita em você. – Seu tom tem um toque de pesar.

– É mesmo difícil de acreditar.

Ele suspira.

– Às vezes quero contar à minha mãe ou até mesmo ao detetive Henderson, mas é como dizer que estou vendo fantasmas. Mas é ele, Leah. Hoje mesmo eu senti... a presença dele. É como reconhecer uma parte de mim mesmo.

– Acredito em você.

Ficamos sentados ali em silêncio, até que ele olha para mim.

– Você já contou aos seus pais?

– Eles sabem que eu tenho sonhos, mas nada além disso.

Eu me lembro de algo que pode fazê-lo se sentir melhor.

– Li histórias sobre gêmeos idênticos que têm essa conexão. E muitos pacientes transplantados passam por isso. Não somos os únicos.

Ele assente e, depois de alguns segundos, pergunta:

– Seus pais sabem que você está com o coração de Eric?

– Não. Estou... com receio de que eles entendam mal.

– Entendam mal o quê? – ele pergunta.

– Que... eles pensem que gostamos um do outro por esse motivo.

Eu espero (com muita esperança) que ele me assegure de que isso não tem nada a ver. Mas ele não diz nada. Em vez disso, olha em volta.

– Acho que o cara tatuado mora na casa à esquerda da de Cassie.

– Você foi lá?

Ele parece meio culpado.

– Depois que você foi embora da escola. Eu não o vi, mas uma loira com duas garotas entraram na outra casa. Então Cassie apareceu. – Ele franze a testa quando outra brisa gelada passa por nós. – Um policial apareceu. Então fui embora, mas ele ficou olhando para mim enquanto eu saía.

– Matt, você não pode mais fazer isso. Sério, você pode arranjar encrenca. E não por causa do policial. Se esse cara tatuado vir você e achar que você sabe alguma coisa, ele pode... te matar.

Eu me levanto, olhando para ele ainda sentado no banco. Ele se levanta também.

Enterro as mãos nos bolsos.

– Prometa que você não vai mais voltar lá. – O vento sopra de novo.

Ele passa os braços em volta da minha cintura. E meio que sorri.

– Alguém já disse que você tem o nariz mais fofo do mundo? Ele é perfeito. Um pouco arrebitado e pequeno e...

– Não acredito que você está usando o meu nariz para mudar de assunto...

– Talvez, mas é verdade. Seu nariz é perfeito.

Tiro uma mão do bolso e a pressiono contra o peito dele.

– Prometa que não vai voltar lá.

– Seus lábios são quase tão perfeitos quanto o seu nariz. – Ele inclina a cabeça como se fosse me beijar.

Eu levanto a mão e ele a beija.

– Prometa. – Sinto seus lábios úmidos nos meus dedos.

Ele emite um som baixo, como um rosnado.

– Não posso prometer. Tenho que descobrir quem fez aquilo com meu irmão. Se isso significa arranjar encrenca ou me colocar um pouco em perigo, que seja.

Odeio ouvir isso. Odeio. Recuo, para longe do seu calor.

– Vá procurar o detetive e...

– Eu vou. Quando tiver provas.

Nós ficamos ali, olhando um para o outro. Posso ver a dor nos olhos dele. Eu entendo, mas ele não percebe o que pode acontecer?

Ele pode morrer. Matt se aproxima um pouco mais.

Inclinando a cabeça para baixo, sua respiração está na minha têmpora.

– Por favor, compreenda. Eu tenho que fazer isso. Não fique com raiva de mim.

– Não estou com raiva. Estou com medo. – Ele segura meu rosto com ambas as mãos. Seu toque é caloroso e bem-vindo.

– Vou ser cuidadoso. – Ele toca os lábios nos meus. Roça sua boca no canto da minha, num leve beijo. Testando. Degustando. Me tentando.

Eu sei o que é isso. Pura distração.

E estou me deixando levar por isso. Pela isca, pela linha e pelo pescador.

Sua língua abre caminho para dentro da minha boca. Inclino a cabeça e aprofundo o beijo. E ficamos ali, a brisa fria em torno de nós, os ecos dos pequenos animais, mas a única coisa que me importa é o beijo dele e suas mãos segurando minha cintura.

Antes que eu perceba, as mãos dele se movem e se esgueiram pelo meu moletom, para baixo da minha camiseta. Suas mãos estão na minha pele nua. Moldam-se à curva da minha cintura. Ele se move mais um centímetro. Para baixo. Eu quero que vá um pouco mais. Quero o seu toque em todos os lugares.

Vibrações doces sussurram pelo meu corpo. Os músculos do meu abdômen inferior se contraem quase dolorosamente. Meus seios, pressionados contra o peito dele, parecem pesados e sensíveis.

Eu me sinto elétrica.

Sinto um tipo estranho de vazio e quero que ele o preencha.

Sinto como se estivesse flutuando. Estou me movendo pelo ar em algo cheio de luz – algo místico.

Então quero tocá-lo. Deslizo as mãos para baixo da jaqueta dele. Eu as movo para cima, sob a camiseta dele. Estou tocando a parte inferior das costas dele. O beijo fica mais intenso. Meus dedos sobem e tocam as laterais do corpo dele, explorando sua pele com as palmas das minhas mãos. Mas eu quero mais.

Quero tocar mais, mais pele, mais Matt. Deslizo as mãos pelas costas dele. Sua pele é macia, mas abaixo dela os músculos são firmes. Rígidos. Estou entregue a essa sensação.

Inclino um pouco mais o corpo, querendo ficar mais perto dele ainda.

É quando sinto que ele está rígido em outros lugares. É como um chamado de despertar. Mas não tenho certeza se quero despertar.

Ainda assim, eu me afasto. Meus lábios lentamente se separam dos dele. Quando abro os olhos, vejo que os dele estão abertos, brilhantes, cheios de calor. Seus lábios estão molhados do nosso beijo. Sei que os meus também estão. Eu o ouço respirar ou será que sou eu? Seu gosto permanece na minha língua.

Estou quase envergonhada, mas não muito. Apesar de ter sido eu quem pôs fim ao beijo, me sinto corajosa. Mais ousada do que a Antiga Leah. Percebo que não me importo se me sinto assim porque estou com o coração de Eric. Eu o sinto. Eu o possuo.

– Desculpe – ele diz como se soubesse que notei algo estranho nele, abaixo da linha da cintura. Como se achasse que essa é a razão pela qual recuei. As bochechas dele estão cor-de-rosa, e eu não acho que seja por causa do frio. A última coisa que eu quero é que ele se sinta mal.

Forço um sorriso.

– Eu não sinto muito. Nem um pouco.

Ele sorri. Seu sorriso chega aos olhos.

– Então eu também não.

Lady late ao ouvir um ruído na floresta.

– Precisamos ir – diz ele.

Concordo. Ele deposita o mais doce dos beijos na minha bochecha. Ao se afastar, toca meu nariz.

– Seu nariz é realmente perfeito.

Ele pega a guia de Lady e vamos para o carro, de mãos dadas. Eu adoro essa sensação. Andamos em silêncio. Estou ocupada, guardando a sensação na memória, para que possa voltar a ela e reviver isso.

Ouço as palavras dele novamente. *Seu nariz é realmente perfeito.*

Minha alegria diminui um pouco porque percebo que nem tudo em mim é perfeito. Eu me lembro das cicatrizes.

Matt aperta minha mão.

– Eu queria perguntar uma coisa. Você tem planos para a universidade?

Prendo o ar na garganta. Planos requerem um futuro e até recentemente eu não tinha nenhum. E agora...?

Percebo que ele está esperando uma resposta.

– Não tenho grandes planos – eu digo, e então percebo o que isso pode significar. Matt tem planos. Matt vai embora. Vai sair da cidade. Se afastar de mim. Eu já estou sentindo falta dele.

– Então, não tem planos? – pergunta ele.

– Eu vou... provavelmente fazer uma faculdade daqui.

Só dizer isso já basta para fazer meu pulso acelerar, porque isso é... daqui nove meses. Olho para ele e penso que vai embora, e pela primeira vez nove meses parece muito pouco tempo. Eu noto que ele está sorrindo.

– O que foi?

– Eu também. Vou fazer faculdade aqui por pelo menos um ano. O alívio desoprime meu peito.

Ele aperta minha mão.

– Não acho que seja uma boa ideia deixar minha mãe ainda. Posso fazer um curso de administração aqui mesmo.

— Administração? É isso que você quer fazer?

— Sim. Pensei em fazer direito, mas... — Ele faz uma pausa. — Eu sei o que quero fazer. Só não tenho certeza se é viável.

— O quê? — pergunto, querendo saber tudo.

O que o deixa feliz. O que o deixa triste. Tudo sobre ele. Cada mínimo detalhe.

— Não dê risada. — Ele transfere o peso para os calcanhares.

— Não vou rir. Prometo.

— Adoraria abrir a minha própria oficina de carros. Fazer manutenção. Retificar motores. Restaurar carros antigos.

Eu me lembro de uma parte do passado que arquivei.

— Você fazia um curso de tecnologia automotiva alguns anos atrás. Costumava chegar na aula com as mãos cheias de graxa.

— Sim, fiz isso durante dois anos. Não consegui me organizar para fazer este ano também.

— Como começou esse seu interesse por motores de carros?

— Meu avô era mecânico e tinha sua própria oficina de carros. Quando criança, eu adorava ir lá. Até meu avô morrer, meus pais sempre levavam Eric e eu para ajudá-lo a consertar os carros. Acho que meu avô ensinou o meu pai a consertar motores. Era uma tradição. Eu adorava. Até os 8 anos de idade, eu podia ficar embaixo de um carro o dia todo. Passei um tempo trabalhando meio período numa oficina. — Ele faz uma pausa. — Antes de o meu pai morrer, ele comprou um Mustang para restaurarmos.

Matt engoliu em seco.

— Eric e eu decidimos restaurá-lo juntos.

Meu peito fica apertado, e pressiono a palma da mão contra a dele.

— Você ainda pode fazer isso. Faça pelos dois.

Ele concorda com a cabeça, mas não responde. Depois olha para mim.

— Você não gostava de escrever? Pretende se formar em Inglês?

— Estou pensando. — Por um segundo me deixo levar. Para o futuro. Para um futuro longínquo. Não só até a minha formatura no Ensino

Médio, mas para a faculdade. Depois me forço a voltar para a realidade, com receio de fazer planos. Com receio de ter esperança.

– Não sei ao certo – murmuro.

– Você pode tentar entrar na faculdade.

– Sim. – Meu peito está tão pesado que parece cheio de bolinhas de gude. O medo contamina a minha recém-encontrada alegria. Por que estou com medo de fazer planos para o futuro? Será que sei de alguma coisa que não quero saber?

25

Na tarde de quarta-feira, depois de passar uma hora com o carro estacionado na frente da casa de Cassie, Matt entra no Whataburger. O ar está impregnado com o cheiro de hambúrgueres e batatas fritas. John e Cory, amigos de Eric do Southside High, finalmente ligaram e concordaram em se encontrar com ele. Eles estão atrasados, então Matt vai até o balcão para pedir uma Coca e batatas fritas.

Quando ele olha o cardápio de milkshakes, a tristeza o pega de assalto. Pra valer.

É incrível como as coisas mais simples podem trazer tantas lembranças.

Pelo menos duas vezes por semana, ele e Eric iam até o Whataburguer.

O irmão sempre pedia um milkshake de baunilha e batatas fritas. Ele usava o milkshake como se fosse ketchup. Ou as batatas fritas como colher.

Caramba, como Matt sente falta do irmão!... Sente falta daqueles momentos corriqueiros junto dele – saudade de ter um irmão gêmeo. A maioria das pessoas não sabe o que isso significa, e talvez signifique coisas diferentes para cada par de gêmeos, mas para Matt ter um irmão gêmeo era... o oposto de se sentir solitário como se sente agora.

Ele nunca tinha sentido isso, porque nunca soubera o que era ser apenas um – não até Eric morrer.

Claro, cada um tinha a sua própria vida e hobbies e, em alguns casos, até mesmo os amigos eram diferentes, mas ele sempre tinha essa sensação de ser a metade de um todo.

Lembrando-se do truque de respiração de Leah, ele inspira e segura a respiração, em seguida solta o ar lentamente. A dor ainda está lá, mas a pressão diminui.

Com a bandeja na mão, ele vai até uma mesa e espera John e Cory. Claro, ele conhecia esses caras e já tinha passado algum tempo com eles. Eric, principalmente, vivia com eles quando Matt estava trabalhando na oficina. O irmão gostava de beber cerveja e ocasionalmente fumar um pouco de maconha. E esses caras eram mais propensos a essas coisas do que seus amigos do Walnut High.

O Honda preto de John estaciona e eles entram. Matt acena para eles e tenta se decidir como fazer a sua pergunta. Ele ainda não falou com seus amigos mútuos na escola também. Está mais difícil falar com eles, porque sabe de que lado da cerca eles estão. Eles acreditam na ideia do "suicídio".

No segundo em que os olhos de John e Cory pousam nele, Matt percebe. Eles piscam. Olham para ele, mas ele sabe que veem Eric. E, maldição... ele sabe como é isso. Sente o mesmo olhar a cada manhã, quando se olha no espelho e vê Eric olhando para ele.

Ele se lembra de Leah dizendo que é por isso que Cassie não conversa com ele. Mas Matt acredita que não é só isso. Tudo dentro dele diz que existe algo mais.

– O que está pegando? – Cory pergunta enquanto ambos se sentam numa mesa.

Matt de repente não sabe muito bem como começar.

– É que eu estava... – Ele hesita. – Sei que Eric passou algum tempo com vocês no dia anterior em que levou o tiro. Eu só estava me perguntando se... se ele disse alguma coisa.

Os ombros de Cory se acomodam nas costas da cadeira.

– Já repassei tudo que ele disse, imaginando se eu poderia ter dito algo para evitar o que aconteceu. Eu sabia que ele estava chateado, mas não tão mal assim.

O peito de Matt aperta. Será que ninguém conhecia Eric de verdade? Matt hesita em corrigi-los. Ele só precisa de informações, mas se não corrigi-los parece que está sendo desleal com Eric. Com a memória do irmão. Ferindo o orgulho do irmão.

– Eric não fez aquilo. Ele não iria...

John se inclina.

– Não era a arma do seu pai?

Esse é o argumento que todo mundo usa. Mas isso não prova nada. Só porque ele pegou a arma não significa que a tenha usado para se matar.

– Eu acho que ele pegou a arma, mas alguém a usou para atirar nele. E se você me contar alguma coisa que ele disse ou com o que ele estava chateado, talvez eu consiga descobrir o que aconteceu.

Eles olham um para o outro. Cory fala.

– Era a namorada dele. Ele estava chateado com ela.

Isso Matt já sabe. Ele precisa de mais.

– E daí? – Matt se concentra em John.

– Nós fizemos tudo para deixar Eric mais animado, para consolá-lo. Pensamos que ele tinha superado. Que ele iria ouvir a gente.

Matt vira o copo de refrigerante em suas mãos.

– Ele disse por que eles terminaram?

Cory nega com a cabeça. Matt não desiste.

– Não disse nada?

John encolhe os ombros.

– Ele disse... algo que pareceu que ele estava se sentindo traído.

Matt se endireita na cadeira.

– O que ele disse? Ele disse por quê?

– Não. – John se mexe na cadeira. – Eu não me lembro das palavras exatas, mas algo como se ele não conseguisse nem pensar nele com ela. Eu disse a ele para esquecer a cadela. Ele surtou. Nunca vi Eric tão furioso. Ele dizia que ela não era cadela coisa nenhuma.

Então era verdade! Cassie estava saindo com o vizinho? Com o filho da mãe que matou seu irmão. A raiva queima Matt por dentro.

– Eric estava estranho – Cory diz. – É por isso que faz sentido que ele tenha se matado.

– Ele não se matou. Que droga, pessoal. Vocês não conheciam Eric? Não veem que esse cara que estava saindo com Cassie é quem matou Eric?

Cory se inclina.

– Mas eu pensei... A polícia não investigou?

– Eric não se matou! – Matt repete. Mas ele só não consegue entender por que Eric não lhe contou nada sobre isso. Por que diabos Eric não confiou no próprio irmão?

– Matt?

Quinta à tarde por volta das seis, Matt ouve a mãe chamar seu nome e tem um sobressalto. Ele não tinha ouvido o carro dela chegar.

Ele pensa em se esgueirar de volta para dentro de casa. Mas ela provavelment já viu a luz acesa.

Ir à garagem foi uma má ideia. Mas depois de conversar com Leah ele ficou pensando no Mustang e em como restaurá-lo. Não que isso fosse acontecer em breve. Agora ele planejava concentrar todas as suas energias em obter uma prova para levar ao detetive Henderson. Embora sua conversa com Cory e John tivesse ajudado, ele ainda precisava de mais. Da próxima vez que entrasse na sala do detetive, queria deixá-la com um sorriso no rosto.

Ele respira fundo. O cheiro é tão familiar... Ferramentas. Óleo de motor. O cheiro que ele sempre associava ao pai. Quando não estava em combate, ele costumava passar seu tempo ali.

– Matt – a mãe chama outra vez.

– Estou aqui – ele responde.

– O que está fazendo? – A tensão comprime a voz dela.

Ela para na porta, como se entrar na garagem lhe custasse muito. Eles costumavam ficar longe dali, assim como faziam com o escritório do pai.

Ele dá um passo na direção dela, mas ela avança de repente, como se esse gesto provasse alguma coisa. Cruzando os braços, abraça a si mesma e olha para os carros do marido e de Eric – estacionados e esquecidos.

– Eu estava pensando – ele explica – no Mustang.

Ela ergue os olhos; Matt vê que estão marejados de lágrimas.

– Eu me lembro do dia em que vocês trouxeram esse Mustang para casa com aquele trailer alugado. Parecia que era Natal para vocês três. Estavam tão animados...

A respiração dela estremece.

– Eu me lembro de ter pensado que grande pai era o pai de vocês. Ele adorava fazer coisas com vocês dois.

O peito de Matt fica apertado. Ele respira fundo, como Leah costuma fazer.

– Ele era um pai e tanto.

Matt olha para a mãe e imagina se seria muito cedo para contar a ela sobre os seus planos.

– Eu estava pensando em restaurá-lo.

Ela segura a respiração.

– É uma ótima ideia!

Ele esfrega as mãos.

– Vai custar caro, mas como no ano que vem vou ficar por aqui em vez de ir para o Texas estudar, pensei em investir nele um pouco do dinheiro da faculdade... Passei na oficina do Jim e ele me disse que eu poderia trabalhar lá nos finais de semana. – Não que eles não tivessem dinheiro. Tanto os avós maternos quanto os paternos tinham lhe deixado uma herança considerável, e com o seguro de vida do pai, eles nunca passariam necessidade, mas ele não queria mexer nesse dinheiro.

– Como assim? Você não vai para o Texas estudar? Filho, foi isso que você sempre quis... Seus avós economizaram para isso.

– Eu vou. Mas não no ano que vem.

– Não. Você está fazendo isso por mim. E eu...

– Não é verdade – ele a corrige. Antes era só por ela, mas agora...

– Não é só por você, mãe. É por mim. Preciso de um tempo também.

– E ele se sentia mais próximo da cura agora. Mais próximo de descobrir a verdade sobre Eric.

Ela o abraça.

– Tem certeza de que não é só por minha causa?

– Absoluta.

Eles ficam ali na garagem por mais um tempo. Ele sabe que isso já é um avanço. Um avanço na direção da cura. E é por causa de Leah. Ela está fazendo um bem danado a ele.

O silêncio na garagem é confortável. Então a mãe dele fala.

– Você quer os carros do seu pai e de Eric?

Ele olha para o Lexus SUV do pai e para o Subaru de Eric. Sente um apego por eles porque pertenciam aos dois, mas se lembra do artigo que leu sobre a importância de se desfazer das coisas dos entes queridos que partiram.

– Não – ele se obriga a dizer, mesmo quando seu coração diz sim.

– Então talvez seja melhor vendê-los e usar o dinheiro para restaurar o Mustang. Eu acho que seu pai e Eric aprovariam, não acha? – Ela aperta a mão sobre os lábios trêmulos.

Matt assente e engole a própria emoção. *Por que a cura, seguir em frente, tem que doer tanto?*

– Falando em dinheiro – a mãe diz. – Vou voltar a trabalhar.

Ele olha para ela. A mãe costumava adorar seu trabalho como corretora imobiliária.

– Já se sente preparada?

– Alguns dias me sinto mais do que em outros. Mas acho que já é hora de arregaçar as mangas.

– Tem razão. – Ele está orgulhoso dela. – Vou colocar um anúncio para vender os carros.

Ela concorda com a cabeça.

– Pode me ajudar? Tenho que tirar as compras do carro.

Eles vão para fora.

– Falando em escola... Como você está indo? Não quero que suas notas piorem outra vez. – A mãe tinha surtado no semestre anterior, quando viu duas notas baixas no boletim dele.

Ele pega algumas sacolas de compras do porta-malas e olha para ela.

– Isso não vai acontecer. Na verdade, estudar com L... ori está ajudando.

– Quando vou conhecer essa Lori? – ela pergunta.

Ele engole em seco.

– Em breve... talvez. – Ele se pergunta o que Leah faria se ele dissesse a ela que mentiu para a mãe sobre o nome dela. Mas, droga, a mãe está indo tão bem. Ele não quer correr o risco de que ela descubra que Leah está com o coração de Eric. Isso pode levá-la de volta à depressão.

A mãe fica ao lado dele e pega ela mesma duas sacolas.

– Por que o carro de Ted está aqui e não o seu?

Porque estou usando o carro de Ted para espionar a casa do vizinho de Cassie. Desde que o namorado policial da sra. Chambers o viu pela última vez, ele está trocando de carro com Ted por algumas horas todos os dias. Mas hoje Ted precisou ir a um lugar e eles só poderiam trocar de carro mais tarde.

Mas ele não podia dizer isso à mãe.

– O carro de Ted estava fazendo um barulho estranho, e ele queria que eu dirigisse um pouco para ver se consigo identificar o problema.

– Gentil da sua parte – diz a mãe.

– Sim – Ele odeia mentir. Mas a mãe surtaria se soubesse. Leah também. Por isso não contou a ela.

Não que algo tenha acontecido. Até agora, ele não conseguiu nada.

Não avistou nenhuma motocicleta ou cara tatuado. Não viu mais Cassie nem o policial, seu futuro padrasto. Mas ele ainda sente coisas quando vai lá. Sente Eric. Sente tristeza. Ultimamente, os sonhos o estão enlouquecendo. Ele continua tendo aquele em que Eric solta a arma, seguido pelo som de um tiro. Cada vez que o tem, ele acorda com a dor latejante na têmpora.

Ele se recusa a acreditar que Eric se matou. Ou que foi um acidente. E nada vai detê-lo até que ele prove isso.

– Então, como vão as coisas? – Brandy pergunta enquanto eu a arrasto para o meu quarto.

Não respondo e não vou responder até estarmos no meu quarto, com as portas fechadas, sozinhas.

—Vamos, desembucha! — Ela desaba na minha cama e se acomoda ali.

É quinta-feira à tarde e depois da "conversa" com a minha mãe um pouco mais cedo, eu precisava desabafar. Então liguei para Brandy.

— É sobre Matt? Notei que vocês não foram caminhar no parque nem ontem nem hoje.

Eu balanço a cabeça.

— Não, não é... Ele tinha algo pra fazer. — Olho para Brandy e me pergunto por onde começar. — Vou começar a tomar anticoncepcional.

A boca de Brandy abre e fecha, fazendo-a parecer um peixe fora d'água.

— O quê?

Contei a história verdadeira, de que a dra. Hughes quer que eu tome pílula. Eu não disse a ela que nunca poderei ter filhos. Não estou pronta para contar isso a ninguém.

— Mas a pílula não é o problema — digo.

— Certo... — ela diz, bem devagarinho, refletindo. — Qual é o problema, então?

— O que ele vai fazer?

Ela me olha, sem entender.

— Ela. — Eu me corrijo, rápido, e então me jogo na cama e começo a estrangular um travesseiro. — Graças a Deus ela é uma mulher, mas mesmo assim estou morrendo de medo.

— Morrendo de medo do quê? — Brandy pergunta.

— De fazer um papanicolau! Já ouvi sobre esse exame antes, mas nunca fiz. — Estrangulo ainda mais o travesseiro. — Eles costumavam fazer em todas as adolescentes, mas pararam porque é muito traumático, mas, como tomo imunossupressores, tenho que fazer. Quero dizer... Ela vai me fazer abrir as pernas e enfiar um negócio dentro de mim e...

— É meio parecido com sexo. — Brandy cai na risada.

Atiro o travesseiro nela.

— Estou falando sério.

Ela continua rindo. Atiro o outro travesseiro. Ela por fim para de rir.

– Você já fez? – pergunto.

– Não. Mas toda mulher faz. Não acho que seja tão ruim.

– Não é só a dor – eu digo. – O problema é que essa médica vai ver partes minhas que eu mesma nunca vi...

Brandy se joga de costas no colchão e começa a gargalhar outra vez.

De repente, as risadas dela me contagiam e ficamos ali rindo um tempão. Então eu digo:

– Estou apavorada.

Ela para de rir.

– Já serraram seu peito não apenas uma, mas duas vezes. Tenho certeza de que você vai tirar de letra.

– Não sei, não. A minha mãe disse que eles usam uma coisa de metal para manter a vagina aberta. Isso deve doer.

– Não deve ser nada divertido, mas... Eu faria se fosse para tomar pílula. Seis meses atrás, a camisinha de Brian estourou. Fiquei paranoica, achando que podia estar grávida. Fiz até um teste de gravidez. Não deixei ele tocar em mim por um mês.

– Você não me contou isso – me queixei.

– Você tinha acabado de fazer o transplante e não achei que devia ficar me lamuriando com você.

– Você pode se lamuriar comigo sempre que quiser – digo. – É para isso que servem as amigas. – Embora eu não tenha sido uma grande amiga ultimamente.

– Eu sei. – Ela agarra uma almofada cor-de-rosa e a enfiou atrás das costas.

– Você não acha que seus pais suspeitam que vocês estão transando? – pergunto.

– Está brincando... Eles vivem num universo alternativo. Ainda me dão bichinhos de pelúcia nos aniversários. – Ela de repente se senta na cama. – Espere aí. Você vai à ginecologista amanhã? – Ela franze a testa. – O clube do livro vai se reunir depois da aula amanhã.

– Lamento.

Ela me lança um olhar cheio de malícia.

– Não acho que esteja mesmo se lamentando.

– Ah, por favor! Acha que prefiro fazer papanicolau?

Ela solta uma risadinha.

– Mas, agora, falando sério: você vai à reunião do clube do livro ou não?

– Acho que não estou mais nessa. E Trent vai estar lá... e as coisas estão meio esquisitas entre nós. Hoje ele passou pelo meu carro justo quando Matt estava se despedindo com um beijo. Ele ficou com uma cara...

– Não se preocupe com ele. Trent vai superar.

– Certo. Faz quase dois anos que terminei com ele.

– Sim, mas... – Brandy encolhe os ombros como se se sentisse culpada. – Nunca contei a você, mas, duas semanas depois que vocês terminaram, ele começou a sair com Tammy Wilcox. E ela dormiu com ele. Eles terminaram, mas ele saiu com pelo menos cinco garotas depois de você.

Eu fico ali sentada, tentando digerir a novidade, que me parece bem indigesta.

– Tá falando sério?

– Hã-hã.

– Eu pensei que... por que você não me contou?

– Você tinha outras coisas com que se preocupar.

Atiro o travesseiro nela, feliz por finalmente me livrar do sentimento de culpa por Trent.

– Nada de segredos daqui por diante. E estou falando sério.

– Ok. – Ela faz uma pausa. – Então você realmente acha que vai transar com Matt?

Eu me lembro dos nossos beijos. A maciez da pele dele sob as minhas mãos. Sei aonde isso vai me levar e eu quero ir. Só não sei como vou fazer para esconder minha cicatriz. Tenho medo que ele veja e não queira fazer sexo comigo. Isso vai me matar. Simplesmente me matar.

– Sim – digo, finalmente.

– Este final de semana?

– Não – respondo, quase engasgando. – Este é o nosso primeiro encontro.

– Vocês saíram juntos a semana toda! E eu vi o jeito como se olham.

– Sim, mas só nos beijamos até agora.

– Então, avancem um pouco mais. – Ela abraça o travesseiro com mais força.

– Acho que ainda não...

Brandy para de falar.

– Você ainda está tendo aqueles sonhos? – O tom de voz dela está diferente, como se pisasse em ovos.

Eu penso em mentir. Mas ela é minha melhor amiga.

– Sim.

Graças a Deus, minha mãe nos chama para jantar. Colocamos um ponto final na conversa sobre os sonhos e vamos comer. Mas, quando entro na cozinha, lembro-me do papo sobre o papanicolau e perco o apetite.

26

Depois da segunda aula, na sexta-feira, durante nosso intervalo de quinze minutos, Matt me manda uma mensagem de texto, dizendo que vai me encontrar em frente ao meu armário. Estou trocando os livros na minha mochila quando meu vizinho de armário se aproxima. Já conversamos algumas vezes entre as aulas.

Ele é simpático. Talvez simpático até demais. Às vezes me pergunto se está dando em cima de mim.

Isso me deixa envaidecida, mas não estou nem um pouco interessada.

– Pronta para o final de semana? – Devon pergunta.

– Sim – respondo com educação, mas sem demonstrar muito interesse.

O corredor está barulhento, por isso ele se aproxima mais, demonstrando muito interesse.

– Eu queria saber se você quer sair este final de semana.

Dou um passo para trás de um jeito educado, não demonstrando muito interesse.

Levo um minuto para descobrir o que falar.

– Desculpe, mas...

De repente, sinto mãos me segurando e girando meu corpo. Quase antes de eu ver Matt, os lábios dele já estão nos meus.

Esse beijo não é nada parecido com os outros que ele me deu no corredor. É profundo, com a língua e... maravilhoso. Esqueço que estamos diante dos olhos de centenas de estudantes, provavelmente. Só consigo pensar no peito dele pressionando o meu, sua mão na minha nuca, a cabeça inclinada para aprofundar ainda mais o beijo.

Ouço assobios altos e posso apostar que são por nossa causa. Mesmo assim não me afasto. A Antiga Leah ficaria mortificada. A Nova Leah está nas nuvens.

Matt se afasta e percebe o olhar de Devon. Ele não parece zangado, está até sorrindo.

– Oi, Devon.

Devon solta uma risada e olha para mim.

– Isso deve significar que você já tem outros planos.

– Tenho. – Agora a Antiga Leah se encolhe um pouco e fica meio constrangida. Mas não muito.

Devon se afasta e Matt olha para mim.

– Espero que não tenha se importado.

– Nem um pouco. Eu estava dizendo a ele que...

– Mas ver com os próprios olhos é melhor do que ouvir.

– Vocês dois já acabaram aqui? – soa uma voz num tom brincalhão.

Ergo os olhos e vejo que é Ted, amigo de Matt, a quem não fui apresentada ainda.

– Sim – diz Matt, com um sorrisinho orgulhoso.

Ted solta uma risadinha.

– Você é Leah, não é? O motivo de eu quase não ter visto Matt ultimamente.

– Sim. Desculpe – digo, sem nenhuma culpa.

– Tudo bem. – Ted olha para Matt e entrega para ele um blusão e um livro. – Você deixou no meu carro. E obrigado pela gasolina, mas não precisava.

— Obrigado — Matt pega suas coisas com uma expressão... de culpa. Depois olha para mim.

Ted vai embora e eu fico me perguntando por que ele parece se sentir culpado enquanto murmura:

— Ele me emprestou o carro para eu tentar localizar o motoqueiro da rua de Cassie. Sei que voce não gosta, mas estou sendo muito cuidadoso. Usando até um blusão com capuz.

A frustração se intensifica, impulsionada pelo medo.

— Mesmo assim é perigoso.

Matt me puxa para perto dele e se inclina até encostar a testa na minha.

— Já estou bem crescidinho.

Sim, mas eu me preocupo. Engulo a frustração, porque não é hora nem lugar. O sinal toca, anunciando a próxima aula.

—Vejo você na hora do almoço — ele diz, ainda olhando para mim.

— Eu tenho... dentista. Logo depois do almoço. — A mentira deixou um gosto amargo na minha boca. Mas eu me convenci de que era praticamente a mesma coisa. Alguém vai enfiar uma coisa num lugar que não me agrada.

— Está com cárie? — Ele toca minha bochecha.

— Só rotina. — Eu quase coro ao pensar na parte do meu corpo que vai ser examinada.

— Nosso encontro esta noite ainda está de pé, certo?

— Sim. — Eu até perguntei à minha mãe se estaria muito dolorida para sair à noite. Ela me assegurou de que não.

— Às seis, ok? — ele pergunta. — Podemos comer uma pizza e depois ir ao cinema às sete e meia.

— Parece bom.

Ele roça um dedo nos meus lábios.

—Vou ficar pensando nisso o dia todo.

Pouso a mão no peito dele.

— Prometa que não vai vigiar a casa de Cassie hoje.

Ele franze a testa, mas responde.

— Não vou. Tenho um encontro muito importante hoje à noite.

Enquanto ele se afasta, eu o sigo com os olhos. Mesmo com os nervos à flor da pele, estou ansiosa por aquele encontro *caliente*.

No almoço, Matt pega uma caixinha de leite e um bolinho de baunilha e vai atrás de Marissa. Ela está no lugar de sempre, com as outras líderes de torcida e os amigos dele.

Há um lugar vago ao lado dela. Ele se senta ali. Ela faz cara feia.

– Perdeu sua namorada? – Ted pergunta em tom de brincadeira.

– Ela teve que sair mais cedo – diz Matt.

Ele espera um minuto e depois se inclina na direção de Marissa.

– Podemos conversar?

– Estou almoçando – diz ela.

Ele puxa assunto com os amigos, esperando que ela termine. Quando isso acontece, ele se inclina novamente.

– E agora?

Franzindo a testa, ela se levanta da cadeira. Ainda não estão fora do refeitório, quando ela diz:

– O que há com você? Está se sentindo solitário sem aquela *nerd* boboca ao seu lado?

Matt franze a testa.

– Não fale assim.

– Assim como? – Ela continua andando em direção à saída e para logo depois das portas duplas. – Como alguém que está irritada porque ouviu de você uma mentira?

– Que mentira?

– Sete meses atrás, quando me disse que não estava pronto para começar a namorar. Fiquei esperando e agora você fica aos beijos com ela pelos corredores.

– Eu nunca disse para você me esperar.

– Também não disse para eu *não* esperar.

Não, mas achou que tinha mandado sinais suficientes de que não estava a fim dela. Ele só tinha saído com Marissa por causa de Eric.

– Não podemos ser amigos? – ele pergunta.

– Amigos não falam com a gente só quando precisam de alguma coisa. O que me leva à minha próxima pergunta. O que você quer?

Ele se sente culpado.

– Eu sinto muito, mas você conhece Cassie melhor do que ninguém.

– Eu a conhecia. Depois que falei com você na segunda-feira, liguei para ela. Ela não atendeu. O telefone dela está cheio de mensagens. Liguei para ela de novo mais tarde. Ela não me ligou de volta. Ficou psicótica.

– Sim, mas quero que você ligue para o telefone de casa dela. Tente falar com ela desse jeito e...

– Por que não telefona você mesmo?

– Porque me disseram para não fazer isso.

– Quem disse?

– Cassie. A polícia. E Cassie novamente.

Ela arregala os olhos.

– O que você anda fazendo, Matt?

– Estou tentando descobrir o que aconteceu com Eric.

Ela revira os olhos.

– Quando você vai aceitar o que aconteceu?

– Eric não se matou. – Ele tenta não demonstrar raiva. Mas isso o magoa.

Marissa solta um gemido.

– Ok, vou ligar para ela. Mas depois, me deixe fora disso, ok?

Ele concorda e se sente grato por ter Leah.

Marissa vai para um canto mais tranquilo e faz a ligação. Matt a segue.

– Oi, sra. Chambers. É Marissa. – Ela faz uma pausa, Matt se inclina, tentando ouvir a mãe de Cassie. – Bem, obrigada. – Marissa franze a testa para ele. – E a senhora?... Ótimo. – Marissa tira o telefone da orelha e põe no viva-voz. – Eu não consigo falar com Cassie – ela continua. – Eu pensei que talvez tivesse algo errado com o telefone dela.

– Ela provavelmente não está atendendo porque está na escola – diz a sra. Chambers. – Você anda faltando na escola, mocinha?

Marissa olha para Matt e responde:

– Hã... Não, senhora. É hora do almoço.

A sra. Chambers continua.

– Perguntei a Cassie por que você não tinha aparecido mais. Ela disse que vocês duas só têm uma aula juntas. Você devia aparecer. Cassie ainda está tentando superar tudo o que aconteceu. Ela está precisando de uma amiga.

Matt vê um brilho de culpa nos olhos de Marissa.

– Sim, vou falar com ela.

– Ótimo – diz a sra. Chambers.

Marissa desliga.

– Conseguiu ouvir a conversa?

Matt confirma com a cabeça.

– Ela está morando aqui e a mãe acha que está assistindo às aulas. Mas ela não está em nenhum lugar desta escola.

Marissa parece preocupada.

– Você acha que ela está usando drogas ou algo assim?

– Não sei – diz Matt. Mas ele pretende descobrir.

Vestida com um avental de papel, não consigo parar de me mexer na cadeira. A dra. Stein finalmente entra. Ela é jovem e simpática. Até me conta quanto ela própria estava assustada no dia do seu primeiro exame ginecológico. Então passa a fazer um questionário rápido.

Fuma? Não.

Bebe? Não.

Faz sexo? Não.

Ela explica tudo o que vai acontecer.

Quando está prestes a abrir o avental de papel para examinar os meus seios, eu aviso sobre minhas cicatrizes. Não quero que se assuste. Uma lembrança de alguém se assustando já é suficiente.

Ela sorri e diz que já está sabendo. Enquanto apalpa meus seios, ela me dá dicas sobre como examiná-los eu mesma. Sério? Realmente preciso fazer isso?

Enquanto seus dedos se movem para baixo, ela continua falando, o que eu acho estranho. E os estribos da maca não ajudam muito.

Não dói nada, mas não é agradável. Fecho os olhos com força e minhas mandíbulas doem.

No meio do papanicolau, ela me informa que o meu hímen já está rompido. Meus olhos se abrem. Levanto a cabeça, olho diretamente para ela entre os meus joelhos, e juro por tudo que é sagrado que nunca fiz sexo. Ela explica que às vezes acontece com garotas que usam absorvente interno.

Acho que só volto a respirar quando ela sai da sala.

Quando estou me vestindo, olho para a minha cicatriz e corro o dedo por ela. Está desaparecendo. Ainda não é tão imperceptível quanto a da dra. Hughes, mas está mais clara.

Quando saio da sala de exames, mamãe está pagando a consulta. Enquanto vamos para o carro, ela pergunta:

– Então, sobreviveu?

– Não foi tão ruim quanto eu pensava.

– Eu te disse. – Mamãe coloca o braço em volta do meu ombro. – Gostou da dra. Stein?

– Sim – eu digo. – Ela disse que mandou a receita para a mesma farmácia que você costuma frequentar.

Ao sair do estacionamento, minha mãe pergunta:

– Por que não vamos pegar suas pílulas e depois comer alguma coisa. Você mal tocou no seu almoço.

– Desculpe. Eu estava nervosa. Na verdade, ainda não estou com fome.

– Há quanto tempo você não tem apetite? – mamãe pergunta no mesmo tom que usava quando eu estava morrendo. Isso desperta em mim lembranças dolorosas que procuro afastar.

– Desde quando comecei a pensar em alguém xeretando entre as minhas pernas. Pare de se preocupar.

Mamãe ri e entra na farmácia. Enquanto ela fala com o atendente no balcão, eu ando entre as prateleiras. Sim, acho que vou deixar o farmacêutico pensar que as pílulas são para a minha mãe. Acabo na frente da pequena seleção de livros da loja.

Eu não preciso de um. Seis já foram entregues no meu Kindle na noite passada, mas prefiro um livro físico. Correndo o dedo pelas lombadas, encontro um que parece interessante. A sinopse na contracapa revela que se trata de uma história leve, e eu sei que é disso que preciso.

Depois de um papanicolau, uma historinha divertida talvez me faça bem.

Estou pagando quando a mamãe chega.

Estamos a meio caminho de casa quando ela coloca o saquinho da farmácia no meu colo.

– Tome. Leia a bula, mas, se tiver dúvidas, é só perguntar.

– Obrigada. – Eu retiro o conteúdo do saquinho. Pego uma das caixinhas, leio o rótulo, solto um gemido e depois jogo-a no banco de trás.

Mamãe solta uma risada.

Eu não.

Olho para ela.

– Por que... por que você comprou preservativos pra mim?

– Porque... se você decidir fazer sexo, precisa se proteger não só de uma gravidez. E... a pílula só vai deixá-la protegida daqui pelo menos um mês.

Eu suspiro.

– Você acha que vou fazer sexo hoje à noite? – Primeiro Brandy e agora minha mãe?

– Não – diz mamãe. – Eu só quero que você esteja preparada para quando acontecer.

Eu fico ali, olhando para ela e balançando a cabeça em descrença.

– Sei que não é fácil falar de sexo, mas se precisar conversar...

– Nós já tivemos essa conversa, lembra?

Ela assente.

– Você sabia que sua avó era um pouco mais avançada que as outras mães?

Eu olho para ela, sem saber o que a vovó tem a ver com essa conversa sobre sexo.

– Ela me levou para comprar preservativos quando fiz 16 anos. Achei que ia morrer. – Mamãe se concentra na estrada. – No final, acabei dando graças a Deus porque... eu tinha um pacotinho na bolsa quando foi preciso. O preservativo que o garoto tinha na carteira estava ali desde antes da puberdade. Nunca que eu ia deixar ele usar aquela coisa.

Eu coloco as mãos nos ouvidos e começo a cantarolar "Parabéns a você", para não ouvi-la. Quando ela para de falar, olho para ela.

– Eu não quero ouvir sobre as suas relações sexuais.

Ela solta uma risada. E continua dirigindo.

A curiosidade toma conta de mim.

– Esse garoto? Era papai?

A expressão dela já responde à pergunta.

– Não.

– Quantos anos você tinha? – pergunto. Então descubro que quero saber mais.

– Era muito jovem – diz ela.

– Quantos anos?

– Tinha 16. Uma semana depois do meu aniversário, e foi por isso que hesitei em falar com você sobre anticoncepcionais. Comigo foi como se eu não precisasse mais esperar, depois que a minha mãe me deu as suas bênçãos.

Estávamos perto de casa, mas gostaria que estivéssemos ainda mais perto. Fico imaginando minha mãe transando com alguém e não consigo olhar para ela. É muito nojento.

Olho pela janela do passageiro enquanto os carros passam. Um sentimento toma conta de mim. Emoção. Não a mesma sensação de nojo ao imaginar a vida sexual da minha mãe, mas outra coisa...

Uma motocicleta passa ao nosso lado. Olho para ela.

Perco o fôlego. A garota que está com os braços em volta da cintura do motoqueiro é Cassie. É nesse momento que tenho certeza de que Eric pode estar me fazendo sentir coisas. Calafrios percorrem meus braços e sobem pela minha espinha e eu sinto os pelos da minha nunca se eriçarem.

Então me lembro de Matt me dizendo que Cassie estava saindo com um motoqueiro.

Um cara de... cabelos castanhos e tatuagens. Esse motoqueiro tem cabelos castanhos, mas está usando uma jaqueta de couro, por isso não dá para saber se ele tem tatuagens, mas... mas... Merda! Merda! Merda!

Volto a sentir as emoções de Eric. Fico triste. Fico com raiva. Fico com ciúme.

Paramos num farol vermelho. Não quero ficar encarando, mas continuo olhando pelo canto do olho, para ter certeza de que não me enganei.

Não.

É mesmo Cassie Chambers. E existe uma boa chance de que ela esteja na garupa de um assassino.

O farol abre. A moto dispara pela South Pine Street. Meu pânico está no volume máximo. Olho para a minha mãe e quase grito, "*Siga aquela moto!*".

Mas não faço isso. E fico aliviada porque mamãe certamente iria querer saber por quê. E eu não tenho nenhuma resposta plausível para dar a ela. Não posso dizer nem mesmo a verdade. Especialmente a verdade.

Meu coração está martelando no peito. Respiro fundo várias vezes para me acalmar, mas não adianta. Nosso carro continua seguindo em frente.

– Está tudo bem? – ela pergunta.

– Só traumatizada com a conversa sobre sexo. – Tento sorrir, mas não consigo.

Mamãe ri novamente. Eu afundo mais no assento e tento pensar. Se Cassie ainda estiver saindo com o cara que possivelmente matou Eric, então talvez Matt tenha razão.

Talvez Cassie não seja tão inocente.

Estou ansiosa para ligar para Matt. Mas não posso fazer isso com a minha mãe ouvindo. Resolvo mandar uma mensagem de texto. Pego o celular no bolso de trás e digito, *Acabei de ver Cassie na garupa de uma motocicleta.*

Fico olhando para a mensagem, então percebo o que Matt vai fazer. Vai sair da escola e tentar encontrá-los. Ele disse que não pretende confrontar o cara, mas sei como ele está com raiva. Sei que a raiva leva as pessoas a fazer coisas idiotas.

E se o motoqueiro de cabelos castanhos e tatuagens encontrar Matt, e se ele de fato matou Eric, vai querer calar Matt. Talvez para sempre.

Assim como fez... Eu sei o que tenho que fazer.

27

Vinte minutos depois, estaciono meu carro e brinco com a minha argola de prata, porque estou muito nervosa. Eu não estacionei bem na frente da casa de Cassie. Nem sequer estou olhando para a casa dela, mas ouço o gato dela miando. Ignoro. Meu sangue está correndo tão rápido nas minhas veias que estou quase tonta. Faço os exercícios de respiração.

Se o cara da motocicleta estiver aqui, ele não vai me reconhecer. Não há nenhuma razão para alguém pensar que estou aqui para confirmar se um motoqueiro com tatuagens mora aqui.

Saio do carro e ando até a casa à esquerda. Está uns quinze graus do lado de fora, mas estou suando quando me aproximo.

Bato na porta.

Ouço uma televisão.

Ouço passos.

Ouço a fechadura da porta virar. O medo contrai o meu estômago e quero vomitar. Respiro fundo. Inspiro. Expiro.

Ah, merda. Num segundo, posso estar cara a cara com um assassino.

E isso não é ficção.

A porta se abre. Uma mulher olha para mim.

Ela é loira e tem cerca de 40 anos.

– Pois não?

– Eu estou... Estou procurando pelo seu filho.

–Você quer dizer meu enteado? – ela pergunta.

Respiro fundo.

– Ele tem uma motocicleta?

Ela revira os olhos.

– Jayden não está aqui. Ele fugiu uns sete meses atrás. Simplesmente desapareceu. Deixando o pai doente de preocupação.

Faz justamente sete meses que Eric morreu! Engulo em seco e tento recobrar a voz. Mas não consigo.

– Eu fiquei muito chateada, até descobrir que meu marido está ajudando aquele delinquente a pagar o aluguel de um apartamento.

– Apartamento? – pergunto.

Ela dá um passo para trás e me olha de cima a baixo.

– Deus, não me diga que você está grávida?

– Não! Juro. Eu... – Preciso de uma mentira e rápido. – Nós saímos um tempo atrás e ele ficou com a minha carteira de motorista. Esqueci de pegá-la. – Fico orgulhosa dessa resposta. Parece verdadeira.

– Bem, não sei onde é o apartamento. É na Pine Street. Mas só posso dizer isso – ela desliza a mão até o quadril. – Seria melhor você tirar outra carteira de motorista. Jayden é problemático. Eu sei que ele tem aquele charme de *bad boy*, mas mal fez 21 anos e já passou um ano na prisão. É com esse tipo de cara que você quer sair?

Calafrios percorrem minha espinha. *Não. Não quero sair com ele.* Balanço a cabeça.

Ela olha para mim, sem parecer convencida.

– Ah, merda. Vou pegar seu celular e peço ao meu marido para passar para ele. Mas Deus é testemunha, você vai acabar grávida. E não pense que o pai dele e eu vamos criar seu filho. – Ela se vira para uma mesinha lateral e pega uma caneta e papel. – Seu número?

– Não, eu... Eu vou tirar outra carteira.

– Garota esperta! – Ela fecha a porta na minha cara.

Atravesso a rua quase em disparada. Minhas mãos estão tremendo. Meus joelhos estão tremendo. Minha vagina recém-examinada está tremendo.

Mas estou sorrindo.

Eu consegui.

Tenho algo que vai ajudar Matt. Jayden já esteve na prisão. O detetive seria um tolo se não investigasse.

Eu estou atravessando a rua quando o gato de Cassie quase me atropela.

– Saia da rua! – eu gesticulo para o gato. Ele ronrona e se esfrega na minha perna. – Vai embora! – Eu o afasto. Ele ronrona mais forte. Eu poderia apenas ir embora, mas, se ele for atropelado, vou me sentir culpada.

Pego a criatura no colo. Mantendo-o longe do meu corpo, eu o levo até o quintal de Cassie. Quando me viro para voltar para o carro, congelo. Uma viatura policial está entrando na garagem.

Merda! Merda! Merda!

Mas como não estou fazendo nada de errado, vou para o carro e ligo o motor. Estou prestes a partir quando eu o vejo andando até o meu carro.

Caramba! Vou vomitar!

Não estou fazendo nada de errado, digo a mim mesma. Não preciso ter medo.

Então, por que estou com medo? Claro, o detetive avisou Matt para ficar longe dali, mas eu não sou Matt.

Abro a janela do carro.

– Sou o policial Yates. Você se importa de me dizer o que está fazendo aqui?

Juro que meu coração, o coração de Eric, está batendo tão alto que o policial pode ouvir.

– Eu estava procurando Jayden?

– Jayden Soprano?

– Sim, senhor. – Então eu me encolho, percebendo que acabei de admitir para um policial que estou à procura de um ex-presidiário.

Ele franze a testa.

– Posso ver sua carteira de motorista?

Minhas mãos estão tremendo e levo uma eternidade para tirá-la da carteira, mas finalmente a entrego a ele.

– Leah McKenzie.

Ele lê meu nome em voz alta.

– Você estava aqui semana passada. Eu vi você.

Meu coração quase para.

– Sim, senhor.

– Então, por que está mentindo sobre a razão de estar aqui?

– Não estou, senhor. – Eu busco freneticamente uma mentira convincente. – Semana passada eu queria falar com Cassie porque pensei que ela poderia saber onde Jayden está.

Os olhos escuros de Yates se contraem. Ele não acredita em mim. E eu pensei que tinha inventado uma boa mentira.

– Olhe, alguém está perseguindo a filha da sra. Chambers. Liga para ela várias vezes durante a noite. Ela está chateada, não consegue dormir. Isso está deixando-a nervosa. Precisa parar. Você tem algo a ver com isso?

– Não. – *Eu só liguei para ela duas vezes, e não era noite ainda.* Merda! Merda! Merda. Eu vim ajudar Matt, e posso só ter causado mais problema.

– Não minta para mim. Jayden não mora mais aqui.

– Eu... soube. Acabei de descobrir quando falei com a madrasta dele.

– Você falou com ela? – Ele quase sorri.

Eu faço que sim, percebendo que o homem provavelmente me viu saindo da casa de Cassie.

– O gato me seguiu. Eu o tirei da rua antes que ele fosse... atropelado.

– Se eu perguntar à sra. Soprano agora, ela vai me dizer que você acabou de falar com ela?

– Sim, senhor.

– Espere aqui.

Ele olha diretamente para mim e depois coloca minha carteira de motorista no bolso da frente.

Ele dá um passo, depois se vira, se abaixa e enfia o braço dentro do meu carro. E tira as minhas chaves do contato. Eu afundo no assento para o braço dele não roçar nos meus seios. Eles já foram examinados hoje, e uma vez já é suficiente.

Ele endireita o corpo.

– Vou ficar com isso.

Ele começa a andar em direção à casa. Com minha carteira de motorista e minhas chaves.

Estou encrencada. Ele vai mostrar à madrasta a minha carteira de motorista e ela vai dizer a ele que eu disse que a perdi. Mentir é contra a lei? Eu não menti para o policial. Só para...

Sinto meu almoço subindo até a minha garganta. Estou pensando em ligar para a minha mãe.

Mas como eu explicaria?

O policial bate tão forte na porta que posso ouvir.

A mesma mulher loira atende. Ele aponta para o meu carro. Eles travam um breve diálogo. Ele começa a voltar devagar, como se quisesse mostrar que não dá o mínimo valor para o meu tempo.

Ele para na minha janela.

– Parece que você não mentiu.

Os olhos escuros do homem me encaram de uma maneira que me deixa nervosa. Provavelmente é o seu olhar de policial. Ou será que ele gosta de intimidar as pessoas?

– Mas por que eu não acredito em você? Deixe-me dizer mais uma vez: se você está incomodando Cassie Chambers, tem de parar. Ela não merece isso.

Ele devolve minha carteira de motorista. Eu a pego.

– Posso ir?

– Não sem isto.

Ele balança as chaves do meu carro na ponta dos dedos e espera que eu as pegue. Eu faço menção de pegá-las. Mas ele puxa a mão um pouco para trás e eu não as alcanço. Ele é um idiota.

Ele as balança para mim de novo. Sim, meu sinalizador interno de babacas está em alerta máximo.

Pego as chaves sem olhar para ele. Ligo o motor e acelero em ponto morto, agarrando o volante com força e esperando que ele se afaste para não correr o risco de eu passar em cima dos pés dele. Na verdade, se tivesse certeza de que ele não iria atirar em mim, eu teria imenso prazer em passar em cima dos pés dele.

Às 5h45 já estou pronta para o nosso encontro. Mandei uma mensagem para Matt e disse a ele para trazer o caderno. Não disse mais nada. Prefiro contar a ele sobre a minha tarde calmamente durante a pizza.

    Estou calma agora. Estava tremendo quando cheguei em casa. Mas eu sabia como resolver isso. Encontrei o livro mais assustador que eu tinha no meu Kindle e mergulhei na leitura. No início da minha doença cardíaca, quando eu tinha que passar por alguns procedimentos assustadores, que podiam ser a diferença entre a vida e a morte, descobri que nada me relaxava mais do que histórias de assassinatos misteriosos.

    Quando uma heroína está sendo perseguida por um bandido num estacionamento, está presa na casa de um *serial killer* ou sendo caçada por um cara com uma faca, meu cérebro envia uma mensagem para o meu sistema nervoso: *Veja, sua vida não é tão ruim assim.*

    E não é mesmo. Embora eu saiba que Matt vai ficar chateado com o que fiz. Mas depois ele vai ficar feliz. Afinal, eu consegui a informação de que ele precisava. Mais do que isso. Eu sei o nome do motoqueiro, Jayden Soprano. Sei que ele ainda está vendo Cassie. Sei que ele mora num apartamento perto da Pine Street. Sei que ele é um ex-presidiário.

    E sei que Matt não precisa ficar perto dele.

    Passo brilho labial e olho para a gaveta onde escondi a caixa de preservativos abençoada pela minha mãe.

    Não preciso de um. Não preciso. Não preciso.

    Mas considerando que mamãe acha que eu provavelmente estou fazendo sexo, Brandy acha que provavelmente estou fazendo sexo e não sei o que Matt pensa, eu me pergunto se colocar um na bolsa não é a atitude mais sensata. E se nos beijarmos de novo? E se dessa vez eu não quiser parar? E se o preservativo dele estiver na carteira desde a puberdade?

    Eu abro a caixa. Nunca peguei um na mão. O plástico liso parece líquido por dentro.

Corro de volta para o meu quarto, como se estivesse roubando alguma coisa, abro o zíper secreto na minha bolsa e escondo-o lá dentro. Sinto-me ousada. Sinto-me corajosa. Sinto-me nervosa.

E se eu largar minha bolsa e ele cair lá de dentro? Eu me certifico de que fechei o zíper.

Então, lembrando-me de outra coisa com que tenho que me preocupar, verifico se estou com a minha medicação. Como vou conseguir tomar meus comprimidos às nove horas sem Matt saber é um mistério. Mas, se vamos estar no cinema, eu posso ir ao banheiro.

Talvez eu deva dizer a ele que tomo os comprimidos. Talvez ele não ligue que eu não seja normal, que meu corpo possa rejeitar o coração do irmão dele, que eu possa morrer e levar o coração do irmão dele comigo. Essa é uma grande dúvida para mim.

Sentindo falta de ar, eu me sento na minha cama. Então outra coisa me preocupa. Eu não deveria estar sem fôlego. Será que...? Não há nada errado com o meu coração. Só estou nervosa.

A campainha toca. Enfio meu caderno na bolsa. Disparo para fora do quarto. Meu celular toca. Eu verifico o aparelho. É Brandy. A mensagem de texto diz: *Me liga.*

Ela vai ter que esperar.

Papai, que apareceu no meu quarto brevemente quando chegou em casa, já está na porta. Eu digo a mim mesma que ele gosta de Matt e eu não tenho com que me preocupar, mas eu também aposto que a minha mãe contou a ele por que fui ao médico hoje. Ela provavelmente também contou que me comprou camisinhas.

Não tenho tanta certeza se o meu pai ainda gosta de Matt.

– Eu atendo a porta – grito.

– Não – papai diz em seu pai tom severo. – Eu atendo.

Ah, droga!

Leah está linda. Está sexy. Está nervosa.

Matt também está nervoso. A ordem do sr. McKenzie para tratá-la bem e com respeito foi seu jeito paterno de avisar: *não ouse pensar em fazer sexo com a minha filha!*

Matt responde com um grande *sim, senhor*, mas é tarde demais. Ele já pensou em fazer sexo com ela quando a viu pela primeira vez vestindo jeans e camiseta justa. Não que ele planejasse ir tão longe hoje à noite.

Eles entram no carro dele. Matt sorri para ela. Depois de perder o controle no parque na última segunda-feira, ele se sentiu como um tarado. Ele não é um tarado. Sim, ele quer fazer sexo com Leah. Quer muito fazer sexo com Leah. Quer se deitar na cama e rir sobre fazer sexo, como o casal do livro que leu.

Mais tarde aquela noite, se não tiver um sonho com Eric, sexo com Leah é tudo em que ele vai pensar. Mas ele não vai pressioná-la. Ele precisa ao menos fazer alguns avanços primeiro. O que Eric dizia? Sair com uma garota que você gosta é como jogar futebol. Você provavelmente vai cometer algumas faltas e pode até levar um cartão vermelho.

Matt quase sorri. Eric tinha uma metáfora esportiva para tudo. Às vezes ele se pergunta como vai viver o resto da vida sem o irmão.

Ele liga o carro.

– Sinto muito – diz Leah. – Meu pai está agindo como um idiota.

– Ele é seu pai. Acha que tem o dever de proteger você. – Matt de fato entende. E ao dizer isso ele se lembra de onde vinha o termo "tarado". Ele estava trabalhando com o pai e Eric na garagem, com a porta aberta, trocando o óleo dos carros. A filha adolescente dos vizinhos estava cuidando do jardim de biquíni e Eric fez um comentário, dizendo que iria convidá-la para *"pegar na sua ferramenta"*.

O pai deu um tapa na cabeça dele e disse que dava graças a Deus por não ter uma filha, porque ele nunca confiaria em nenhum cara com ela.

– Somos todos uns tarados – disse ele. – Sem ofensa, filhos, mas somos. É nosso instinto básico. – Então, ele olhou de cara feia para os dois e disse: – Procurem não agir tanto como tarados.

O pai dele também era muito bom em conselhos.

– Meu pai não precisava ser rude – lamenta Leah.

– Ele se preocupa com você – justifica Matt.

— Sim, mas você não é nenhum Lobo Mau — diz Leah, afivelando o cinto.

Não, ele não é. Mas é um tarado. Para provar, enquanto ela está afivelando o cinto, os olhos dele, por vontade própria, se desviam para os seios dela, pressionando a blusa azul royal. Ela está usando uma blusa decotada, mas com uma regata branca por baixo.

Ela ergue os olhos e Matt faz o mesmo, cheio de culpa.

— Como está a sua boca? — ele pergunta enquanto arranca com o carro.

— O quê?

— A sua boca. — Ele olha de relance para ela.

Ela continua olhando para ele como se Matt estivesse falando chinês.

— Você foi ao dentista, não foi?

— Ah, está tudo bem.

Ela está mesmo bem. E ele não é o único que pensa assim. Ele se lembra de Devon dando em cima dela. E do beijo ardente que deu em Leah para avisar o cara de que ele devia ficar na dele.

— Nenhuma cárie?

— Não. Perdi algo importante na aula de matemática?

— Só revisaram alguns problemas. Talvez a gente possa resolvê-los amanhã ou sábado. — Ele espera para ver se ela planeja vê-lo ao menos uma vez no final de semana. Depois de encontrá-la na escola todos os dias, a ideia de não vê-la um dia inteiro o deixa com um sentimento de vazio. O fim de semana anterior foi uma tortura para ele.

— Seria bom — ela concorda, com sinceridade.

Ela começa a falar sobre o livro assustador que está lendo. Matt a ouve, mas se lembra da época em que Eric só queria estar com Cassie. É isso o que Eric sentia pela namorada? Matt nunca tinha sentido nada parecido.

Nem mesmo com Jamie Anderson. Ela estudava em outra escola e eles tinham namorado por seis meses. E dormido juntos por três. Ele tinha até arriscado um "eu te amo", mas, quando entrou para o time de futebol e começou a trabalhar na loja, ela disse que se sentia sozinha e preferia namorar alguém da sua própria escola. Ele ficou chateado, mas não muito. E o que quer que sentisse por ela não chega nem perto do que sente por Leah.

– Ela foi embora? – ele pergunta, referindo-se à personagem do livro.

– E deu um pé na bunda dele. – Ela sorri.

Ao chegarem ao restaurante, ele estaciona o carro e se vira para ela.

– Está com fome?

– *Morrendo* de fome. Não comi muito no almoço. Você trouxe o seu caderno?

– Sim, mas... – Ele se inclina e a beija. Os lábios dela são macios. Ele não quer que o beijo termine jamais. Mas sabe que não pode ir longe demais. Quando se afasta, ele diz: – Não quero conversar a noite toda sobre... aquele assunto. Eu sei, precisamos conversar e preciso te contar uma coisa, mas quero que esta noite também seja nossa.

– Acho ótimo! – O sorriso dela chega aos olhos e vai direto ao coração dele. – Gosto da ideia de ter uma noite para nós.

– Eu também. – Ele a beija outra vez. Quando o beijo acaba, ele encosta a testa na dela. – Você tem um cheirinho de morango e baunilha.

– É o meu xampu. – Ela enterra o nariz no pescoço dele. – Você tem um cheirinho picante. – Ela levanta um pouco a cabeça. Os olhos deles se encontram. – Acho que a gente devia ir comer em vez de ficar se cheirando. – Ela solta uma risada.

É o som mais doce que ele já ouviu. Ela ainda não se afastou.

Nem ele. Seus olhares permanecem presos um ao outro. Ele sente. Quer. Deseja. Sabe que ela também quer.

Ela finalmente se afasta, mas coloca a palma da mão no peito dele. Ele pode sentir o calor da mão dela através do tecido. Ela está sobre o coração. Ele gosta quando ela o toca. Adora. Mas foi isso que provocou o problema no parque. Quando as mãos dela deslizaram para dentro da camiseta dele...

Ela morde o lábio como costuma fazer quando está nervosa.

– O que foi? – ele pergunta.

– Descobri uma coisa também.

– Sobre Eric? – Ele está chocado.

Ela confirma com a cabeça.

– O quê?

– Vamos conversar enquanto esperamos a pizza?

Ele pega o caderno e se aproxima mais dela. Alguma coisa no tom de voz de Leah deu a entender que ela não acha que ele vá gostar do que ela tem a dizer. E só há uma coisa que ela poderia ter feito que o aborreceria. Ir à casa da Cassie.

28

Matt pega a minha mão.

Dou uma olhada nele. Ele está com sua jaqueta do time de futebol e, por baixo, veste uma camiseta verde-musgo justa no abdômen. O jeans tem uma aparência desgastada e macia e molda as suas formas. Formas que me agradam mais cada vez que eu as vejo.

– O que você descobriu? – pergunta ele.

– Vamos nos sentar.

Será que ele vai ficar bravo?

O cheiro picante do molho da pizza e da massa fermentada dá as boas-vindas a nós dois. Uma garota ruiva nos acomoda numa mesa nos fundos.

Matt se senta na minha frente.

– Você foi lá, não foi? Na casa de Cassie. – Ele junta as sobrancelhas. A preocupação transforma seus olhos castanhos, deixando-os mais escuros.

Tento encontrar palavras em minha defesa. Minha mente está vazia, mas então...

– Você tem um nariz muito fofo.

Ele franze a testa.

Eu levanto o queixo com um ar de desafio.

– Foi o que você me disse quando...

– Eu sei – diz ele. – Mas...

– E você foi assim mesmo.

– Nunca prometi que não iria...

– Nem eu – digo com uma petulância que é novidade para mim. Mas eu gosto. A Nova Leah tem coragem. Talvez não o suficiente para passar por cima dos pés de um policial, mas talvez com o tempo...

– Se algo acontecesse com você, eu... – Ele engole as palavras.

– Nada aconteceu. Ou quase nada... – eu me corrijo.

– O que aconteceu? – ele rosna.

– O policial, noivo da sra. Chambers, Yates, ele praticamente me interrogou.

– Como assim?

– Ok, ele de fato me interrogou, mas tudo está bem quando acaba bem.

Matt pressiona as palmas no tampo da mesa e se inclina para a frente.

– Você percebe a encrenca em que se meteu? O policial vai ligar para o detetive Henderson e ele vai ligar para os seus pais e... – Ele passa a mão pelo cabelo com irritação. – Seu pai não vai mais deixar que você me veja.

– Ei, calminha aí – eu digo. – O policial não vai ligar para o meu pai. Ele acha que eu estava lá por causa de Jayden.

Matt parece confuso.

– Por causa de quem?

– Jayden Soprano. É o cara que morava ao lado da casa de Cassie. Morava, não mora mais. Mas o pai dele e a madrasta moram. Ele se mudou, ou fugiu, bem na época em que Eric foi morto. E ouça isto: ele já esteve na prisão.

Os olhos de Matt se arregalam.

– Como você sabe...?

Eu conto tudo a ele. Desde a hora em que vi os dois na motocicleta até eu ir à casa dela. E ele me conta o que descobriu com Marissa.

– Por que Cassie não quer ir para a escola a ponto de mentir para a mãe dela? – pergunto.

– Por minha causa – conclui Matt. – Ela sabe que mentiu para mim. Sabe o que aconteceu com Eric e está apavorada.

– Mas por que se afastou das amigas?

Ele se reclina no banco.

– Isso eu não sei. – Seu olhar fica mais distante. – Você disse que Yates mencionou alguém que fica ligando para ela o tempo todo. Mas não sou eu. Parei depois que Henderson me avisou. Então, quem poderia ser?

– Alguém de quem ela está se escondendo. Alguém que não é você.

Nós dois ficamos ali sentados, pensando. Pego meu caderno.

– Estamos deixando escapar alguma coisa. Vamos voltar aos sonhos. Você diz que vê a arma caindo, então sente a dor. Isso não quer dizer que... Eric largou a arma e ela disparou sozinha, não é?

Matt pega seu refrigerante, dá dois goles e não olha para mim. E eu vejo nos olhos dele. A dúvida.

– Não. Eu... Eu pensei sobre isso, mas tive o sonho novamente. Quando ele caiu, ficou de bruços. Ninguém consegue atirar na cabeça assim. E de qualquer forma, ele foi baleado à queima-roupa. Eu li nos relatórios da polícia. Isso não combina com a arma caindo e disparando.

– E se Eric estivesse segurando a arma perto da cabeça e ela disparou por algum motivo?

– Ela não disparou simplesmente – rebate Matt. – Não vamos perder tempo com essa teoria.

– Na verdade, não acho perda de tempo – digo com cautela. – Você precisa de respostas. Acho que Eric está tentando dá-las a você. A nós dois. Se foi um acidente...

Ele balança a cabeça, discordando.

– Você já teve sonhos que deram essa impressão?

– Não – digo com sinceridade.

– Então por que acha isso?

Eu penso na pergunta dele.

– Eu não acho, mas tudo é possível.

Ele fecha os olhos.

– Desculpe, não quis parecer... – Ele olha para mim. – Eu gostaria de poder acreditar. Então poderia me livrar de toda essa... raiva. Ou... talvez eu ainda continuasse com raiva da vida.

Eu sinto o sofrimento dele.

– Eu me lembro de ter ficado com raiva quando minha avó morreu.

Ele me olha e depois de um segundo diz:

– Mas está melhorando. Eu não sinto mais como se estivesse me afogando nesse sentimento. Só sinto raiva de vez em quando. Eu me pego pensando em outras coisas. – Ele abre um sorriso triste. – Em você, por exemplo.

– Isso é bom – digo. – Também penso em você.

Só ficamos ali, olhando um para o outro, emocionados. Voltamos a conversar depois que a garçonete leva nosso pedido.

– Você sabe o que é estranho? – digo depois de ler outro trecho das anotações dele. – Nós dois ouvimos tiros vindo de fora, em sonhos diferentes. O detetive disse se mais de um tiro foi disparado da arma?

Matt se inclina para trás.

– Não. Ele disse que apenas uma bala foi disparada. Estou presumindo que só faltava uma bala no revólver.

– Outra pessoa poderia ter disparado? Eles procuraram outros cartuchos na região? – No momento em que faço a pergunta, percebo como muitas dessas perguntas deve machucar Matt.

Meu peito está oprimido, e quero fazer alguma coisa, qualquer coisa, para acabar com o sofrimento dele.

– Eu não me lembro de eles dizendo que procuraram. Mas encontraram o corpo de Eric fora da floresta. De acordo com os nossos dois sonhos, ele continuou correndo por um tempo. Então... se alguém disparou contra ele, essas balas podem ter vindo de qualquer lugar ao longo da trilha. Ou de dentro dela. – Ele aponta para o meu caderno. – Você escreveu que ele estava correndo na floresta.

Eu faço minha próxima pergunta com toda a cautela.

– Existe algum motivo para não irmos lá? Nesse parque à beira da estrada? Ou você... não quer ir? Eu entendo se...

– Não – diz ele. – Por um tempo fui lá todos os dias.

– Eu só fui uma vez – confesso. – E não saí do carro. Foi no dia em que vi Cassie. Fiquei assustada. Mas acho que me sentiria segura se você estivesse lá.

Ele toca a minha mão.

– Podemos fazer isso este final de semana.

A garçonete chega com a pizza. Matt se reclina no banco.

– Desculpe, hoje está corrido. – A garçonete se aproxima para colocar a pizza sobre a mesa, mas o pé dela se choca contra o pé da mesa e ela perde o equilíbrio. A pizza voa em direção a Matt e cai, com o recheio para baixo, sobre a camiseta dele.

– Entre – diz Matt ao subir os degraus para a casa dele. – Minha mãe não está. Só vou demorar um segundo para trocar de camiseta.

Eu o sigo para dentro, curiosa para ver onde ele mora. Estava imaginando que veria todos os troféus que ele ganhou nos diferentes esportes que praticou ao longo dos anos.

Logo antes de entrar, imagino a atmosfera deprimente da casa, depois da morte de duas pessoas que viviam ali e eram amadas. Mas, quando entro, dou uma volta completa na sala e só vejo cores vibrantes. Amarelo, verde e até alguns tons de vermelho.

– Uau!

– O que foi? – Matt pergunta.

– É ousado. Gosto disso.

– Sim. Mas não ando prestando muita atenção nisso ultimamente. Depois que meu pai morreu, minha tia disse à minha mãe que ela precisava pintar a casa com cores alegres para o clima não ficar muito triste.

– Funcionou? – pergunto.

– Não – diz ele. – Ela só começou a melhorar uns meses atrás. Graças à minha tia também.

– O que ela fez? – pergunto.

– Ela passou um sermão na minha mãe. Basicamente, disse que ela tinha que melhorar... por minha causa. – O tom dele é de tristeza.

Eu o abraço.

– Sua tia estava certa.

– Sim. – Ele descansa a mão na minha cintura. – Estou feliz que ela esteja melhorando. Até me disse que vai voltar a trabalhar.

– Que tipo de trabalho ela faz?

– Trabalha no ramo imobiliário.

Eu olho ao redor da sala.

– E onde estão seus troféus?

– Meus troféus? – Ele faz uma cara engraçada.

– É. Toda semana eu lia na *newsletter* da escola que você tinha ganhado um troféu.

Ele sorri.

– Eu me lembro de ler o artigo sobre você fundando o clube do livro. Eu queria realmente participar, mas as reuniões eram no mesmo horário de uma das minhas aulas.

– Sério? – Solto uma risada.

– É verdade. Não é engraçado que, durante todos estes anos, estávamos de olho um no outro?

– É. – Estou sorrindo de novo.

– Ok, venha ver meus troféus. – Ele pega a minha mão. Atravessa um corredor e entra num quarto. No quarto dele. Sei porque tem o cheiro dele. Picante, masculino e quente. Uma parede inteira está repleta de estantes cheias de troféus.

– Caramba! – Começo a ler as inscrições nas plaquinhas. Matt anda atrás de mim e coloca as mãos na minha cintura.

– Você precisa ver os de Eric. Ele tem muito mais do que eu. Ah! – ele se afasta de mim. – Não quero sujar a sua roupa com gordura de pizza.

Continuo lendo as plaquinhas.

– Boliche? – Eu me viro para ele. – Você... – Minhas palavras se dissolvem na boca. Ele está tirando a camiseta. Os músculos se contraem quando ele a retira pelo pescoço. Está de lado, por isso não vê... o meu olhar.

Minha boca ainda está aberta, as palavras presas na garganta, mas nem me lembro quais eram. Tudo o que eu consigo fazer é admirá-lo. Admirar Matt. Matt sem camisa. Matt perfeito.

Seus braços são tão musculosos e rígidos.

Seu peito, esculpido.

Sua pele, dourada.

Quando ele tira a camiseta pela cabeça, os músculos dos bícepes se contraem. Minhas palmas formigam com a vontade de sentir aqueles músculos rígidos sob as minhas mãos.

Fico sem fôlego. Sei que é falta de educação ficar encarando outra pessoa.

Mas, se é assim, sou muito mal-educada.

Ele tem até uma trilha de pelos que – pelo que descobri nos romances água com açúcar – começa abaixo do umbigo e continua dentro do jeans, até... as partes íntimas.

Ele está distraído, atirando a camiseta num cesto de roupa suja. Vai se virar a qualquer momento e me pegar no flagra.

Eu me viro e olho para os troféus.

– Minha mãe adorava jogar boliche. Tínhamos 12 anos quando ela nos inscreveu numa liga.

– Ah... – só consigo dizer.

Seus passos se aproximam e sinto seus braços me enlaçando por trás. Seus braços nus. Ah, Deus, ele não vestiu uma camiseta ainda...

Seu peito nu pressiona minhas costas. Juro que posso sentir o aroma da pele dele.

– Você já jogou boliche? – ele pergunta.

– Não... muitos anos atrás. Minha... avó jogava. – Tenho certeza de que minhas palavras soam sem sentido ou incoerentes, porque minha atenção está toda concentrada nele. No corpo dele praticamente nu.

Uma de suas mãos sai da minha cintura e afasta meu cabelo. Seus lábios pressionam suavemente a curva do meu pescoço. Doces arrepios fluem pelo meu corpo.

Eu queria... Eu quero... Por que não? Eu me viro para ele.

Cheia de ousadia, ergo a mão e coloco no peito dele. Ele é tão quente... Fico na ponta dos pés e meus lábios encontram os dele. Não espero que ele aprofunde o beijo, eu mesma faço isso, explorando sua boca com a língua, cheia de desejo.

Ele me puxa para mais perto. Não sei como aconteceu, mas de repente estamos na cama. Lado a lado.

Ainda nos beijando.

Eu ainda tocando o peito dele.

Ele me afasta um pouco com um ar preocupado.

– Melhor a gente... parar.

Eu não quero parar. Não quero falar. Quero mais disso.

Quase morri sem conhecer isso. Eu quero isso agora.

29

Avanço para outro beijo. Movimento o corpo para ficar ainda mais perto. Minha perna desliza entre as dele. Eu o ouço gemer, e sua mão direita se esgueira sob a minha blusa, tocando minhas costas. De cima a baixo. Depois ele desliza o braço para a frente e cobre meu seio com a mão. Sinto seu toque através do tecido fino do sutiã rendado.

Então me lembro. As cicatrizes. Congelo.

Ele se retrai. Sinto sua respiração ofegante contra minha bochecha. Eu me forço a ficar de olhos abertos. Os olhos dele estão bem abertos, cheios de desejo e um pedido de desculpas.

– Desculpe... – murmura. – Eu não quis... Não trouxe você aqui para isso. Juro.

– Eu sei. – Afasto as pernas de entre as dele.

– Fui eu que comecei. Eu é que devo pedir desculpas.

Ele tira alguns fios de cabelo da minha bochecha.

– Quero muito, mas não vou te apressar. Não estou só atrás de sexo.

– Eu sei. – Devo parecer desapontada.

– Não que eu não queira. Eu quero. Realmente quero. E se você estiver pronta...

– Só preciso de um tempo – digo. – Mas não muito – acrescento.

– Graças a Deus! – exclama ele, em seguida me olha encabulado.
Eu solto uma risada
Ele se encolhe.
– Eu não quis dizer...
– Tudo bem. Eu sinto a mesma coisa. – Aquele sorriso, que parece vir do fundo da alma, aparece nos lábios dele novamente.

O desconforto desaparece dos olhos dele. Ele roça a mão sobre o meu abdômen e a encaixa na curva da cintura. Tem o cuidado de não tocar meus seios dessa vez, mas está perto o suficiente para me fazer ansiar pelo toque.

– Você é linda.
– Você se olhou no espelho ultimamente?

Ele me olha com um ar sério.

– Não me acho um cara lindo.

Eu sorrio.

– Ok, digamos então: "muito gato".

Os olhos se iluminam com um toque de humor.

– Você acha que sou muito gato?

De repente me encho de ousadia.

– Por que acha que eu literalmente me joguei em cima de você? Foi só porque tirou a camiseta. – Dou um tapinha no peito dele.

Apoiado no cotovelo, ele cai de costas na cama, solta uma risada e vira a cabeça para mim.

– Você se jogou em cima de mim?
– Praticamente.

Ele me beija outra vez. É um beijo carinhoso, sensual, mas ele o interrompe antes que fique ardente demais.

– Só para informá-la, sempre que quiser se jogar em cima de mim, fique à vontade.

– Feito! – Descanso a cabeça em seu ombro nu.

A mão dele acaricia as minhas costas. De cima. Para baixo. Adoro o jeito como ele me toca.

– Obrigada – digo com total sinceridade.
– Pelo quê? – Os lábios dele roçam a minha têmpora.

Levanto os olhos e encontro os dele.

— Por não me pressionar. Você não é como os outros caras.

— Não acho que você seja como as outras garotas também. E não quero estragar tudo.

— Também não quero.

Meu olhar de repente capta algo na mesinha de cabeceira.

Pisco, sem saber se vi direito.

— É um... romance água com açúcar?

As bochechas dele ficam rosadas.

— Eu... Não é um dos autores que você disse que leu?

— Sim. Você leu esse livro?

— Fui procurar um livro para ler na estante aqui de casa e encontrei este. Fiquei curioso.

— Você leu?

Ele sorri.

— Receio dizer que sim...

— E achou bom, não achou?

— Sim, gostei. Foi... muito interessante em algumas partes.

Solto uma risada.

— Ah, aposto que não tem mais do que seis páginas de cenas de sexo e o livro tem mais de trezentas páginas.

Ele solta uma risadinha.

— Tem nove páginas e meia de sexo. E foram memoráveis.

— Bem, é o que se espera – deixo escapar.

Ele começa a rir de novo e rola por cima de mim, sustentando a maior parte do seu peso nos cotovelos.

— Quando terminei de ler, tudo em que eu conseguia pensar era... Eu quero isso. A provocação, o flerte, o... sexo. Eu quero isso com você. – Ele me beija.

Sinto o peso dele, seu corpo contra o meu, em todos os lugares certos. Quero o mesmo que ele quer. Mas, quando penso em ficar nua, sinto que não estou pronta.

Ele termina o beijo e rola na cama, saindo de cima de mim.

— Acho que é melhor... sairmos da cama.

Nós dois nos levantamos. Eu o vejo ir até o armário e pegar uma camiseta. Vejo quando ele a desliza pelo corpo. Não é tão sexy quanto vê-lo tirando a camiseta, mas ainda assim fico hipnotizada.

Num sábado de manhã, o alarme é o som mais indesejado do mundo. Dou um tapa no relógio, para desligar o alarme. Meço a minha temperatura, tiro a pressão. Tudo normal. Fico deitada ali e deixo a sensação de preguiça me puxar de volta para a cama. Penso nos beijos de Matt. Penso em fazer amor. Penso em nós dois indo para a faculdade juntos. Construindo uma carreira.

Eu cochilo. Tanta preguiça... Tenho que tomar meus comprimidos. Tento me levantar, mas meu corpo não deixa. Estou cansada. Não. Mais do que cansada. Estou debilitada.

E então eu me lembro. Eu me lembro de me sentir assim 24 horas por dia, antes de ganhar o coração artificial. Quando meu coração estava... morrendo. Quando eu estava morrendo.

Eu me forço a me sentar. Será que estou bem? Será que é só um sonho?

Fico sentada ali, inspirando, expirando. Faço um *checkup* mental. O entorpecimento do sono me deixa. Talvez eu estivesse apenas meio adormecida. Eu me levanto. Volto a me sentar. Levanto as mãos no ar. Deixo-as assim. Para mostrar que consigo. Porque houve uma época em que eu só conseguia sustentá-las por cinco segundos.

Começo a contar.

Um.

Dois.

Três.

Chego a dez. Nem preciso fazer esforço. As lágrimas escorrem pelas minhas bochechas. Estou bem. Então, novamente, não me sinto bem. Estou com medo.

Tenho medo de morrer. Coloco a mão na boca para conter um grito.

Não quero voltar. Já não estive lá? Forçando-me a aceitar a morte? Agora é demais pedir que eu possa aceitar viver? Que eu posso contar com isso? Planejar a minha vida.

Então me dou conta. Sei o que provocou isso.

Tenho medo de acreditar que agora posso pensar nos anos que tenho pela frente. Suponho que viver com uma data de validade estampada na bunda pode ferrar você um pouco.

Mas viver com medo não é viver. Tenho que parar com isso.

Eu me sento outra vez. Converso comigo mesma, para me animar. Estou viva.

Por fim, eu me levanto. Estou cansada, mas não debilitada. Esta é a minha primeira semana de volta à escola e fiquei fora até meia-noite; depois fiquei acordada pensando em como foi bom beijar Matt. Como me senti ao tocá-lo e ao sentir as mãos dele me tocando.

Então me lembro do sonho que me acordou de novo. Franzo a testa quando percebo que não escrevi nada a respeito. Fecho os olhos e vejo uma cena de relance. Uma arma caindo e, logo depois, uma explosão. Não sei se a polícia pode dizer se a bala veio de baixo ou se Eric ainda tinha pólvora nas mãos.

Então me ocorre. Merda. Estou tendo o mesmo sonho que Matt?

Desabo novamente na cama, pego meu caderno, tentando me lembrar, mas sei que são nove e cinco da manhã e minha mãe provavelmente já está tamborilando os dedos na mesa, me esperando, impaciente.

Volto a me levantar e vou para a cozinha. Mamãe e papai estão à mesa.

Mamãe parece preocupada.

Vejo as palavras nos olhos dela. *Você está atrasada.*

Eles permanecem calados, mas ainda assim posso ouvi-los. Ela precisa parar de se preocupar. Eu também.

Pego um copo no armário, vou até a geladeira e despejo leite nele. Pego meus comprimidos, me sento numa cadeira ao lado deles e os tomo.

Lembro-me, na noite anterior, de deixar Matt e ir correndo até o banheiro do cinema, tomar os comprimidos; por isso ele não viu. Preciso explicar algumas coisas a ele.

Mamãe e papai estão me olhando. Algo mais está no ar.

– O que foi? – pergunto.

– Você se divertiu? – pergunta minha mãe.

Então eu sinto. Sinto o elefante na sala. *Ah, merda.*

Isso não é um elefante qualquer, é um elefante de bolinhas cor-de-rosa, vestindo um tutu roxo.

– Não transamos! – já esclareço.

– Não perguntamos nada. – Papai cora. Suas bochechas ficam cor-de-rosa, depois vermelhas.

Mamãe sorri.

– Sim, mas estão pensando nisso. Eu vejo isso no rosto de vocês. Não podem negar.

– Não acho que você esteja pronta – papai murmura. – Você é só uma colegial, mocinha.

Minha boca se abre e as palavras saem. Palavras que eu não planejei dizer:

– Bem, não me parece que vocês dois sejam virgens. Se fossem, eu não estaria aqui. E não acho que eu seja obrigada a ouvir seu colchão de molas rangendo. – Faço uma careta e estremeço com o pensamento. – Quando ouço, ligo o iPod e coloco os fones de ouvido rapidinho.

Santa Mãe do Céu! Acabei de dizer isso? Agora estou corando.

Mamãe solta uma risada. Papai parece horrorizado. Eu me levanto, pego uma barra de cereais e vou para o meu quarto.

Eu mal saí da cozinha e percebo que estou sorrindo. Talvez por ver meu pai envergonhado. Talvez porque *eu* esteja envergonhada. Ou talvez porque esteja sinceramente pensando em fazer sexo. Não apenas sexo. Sexo com Matt.

O mais estranho é que essa conversa faz com que eu me sinta... real. E isso faz com que eu me sinta normal. Uma garota normal fazendo coisas normais. Como brigar com os pais por transar com o namorado. Gosto de ser normal.

E ser normal significa ter um futuro. Preciso começar a planejar um.

Quatro horas depois da conversa sobre sexo com meus pais, a campainha toca. Corro para abrir a porta. Mamãe e papai estão na sala de jantar, que oferece uma visão completa da sala de estar e da entrada da frente. Matt lança um aceno rápido para os meus pais. Eles acenam de volta. Mamãe sorri. Papai lança um olhar fulminante para Matt. Estou quase preocupada com a possibilidade de meu pai deixar escapar algo embaraçoso.

Eu morro se ele fizer isso.

– Onde está Lady? – pergunto a Matt, esperando dissipar um pouco da tensão.

– Eu... deixei ela em casa... Não queria correr o risco de que acontecesse outro acidente na sua casa. – Sutilmente, ele transfere o peso de uma perna para outra. Está nervoso, mas tentando disfarçar. Estou tão nervosa quanto ele.

Lanço à mamãe um olhar suplicante para conter papai. Ela dá uma cotovelada nele.

– Hã... Vou pegar meu casaco e vamos caminhar – digo de repente.

Matt parece surpreso. Tínhamos planejado estudar primeiro, mas seu aceno rápido com a cabeça me dá a certeza de que ele está tão ansioso para dar o fora dali quanto eu.

Em menos de um minuto estamos fora da casa.

Enquanto vamos para o carro dele, Matt não me toca. Nem fala comigo.

Entramos no carro. Estou tentando descobrir o que dizer.

Ele acelera e já estamos a um quarteirão da minha casa quando ele se aproxima da guia e estaciona. Então ele se inclina sobre o console e me beija. Não é um beijo curto.

Quando termina, mantém a testa colada na minha e abre os olhos.

– Senti sua falta. Mal dormi a noite passada. Cada vez que rolava na cama, podia sentir seu cheiro no meu travesseiro.

Eu sorrio.

– Não lamento ter te mantido acordado, mas lamento pelo... meu pai.

– Ele não gosta de mim, né?

– Na verdade, ele gosta. Está apenas sendo superprotetor. Não deixe que ele... te assuste. – No momento em que digo as palavras, percebo quanto estou falando sério. Não posso perder Matt. Não sei bem quando ele se tornou uma parte tão essencial na minha vida ou da vida da Nova Leah, mas isso aconteceu.

– Nunca. – Essa simples palavra contém uma promessa. Ele arranca com o carro.

Estou me sentindo tão leve, tão feliz por estar com ele, que esqueço aonde estamos indo. Quando chegamos ao parque à beira da estrada, o brilho de alegria dentro de mim se apaga.

Há uma cruz branca no acostamento, que alguém fincou ali em memória de Eric. Ela está caída. Parece esquecida... Assim como meus pulmões. Sorvo uma golfada necessária de ar. Nós saímos do carro e eu me pergunto exatamente onde encontraram Eric.

Matt não fala – nem uma palavra. Sei o que ele está sentindo. Uma tristeza sobrenatural e devastadora.

Passamos pela mesa de piquenique, em direção à trilha. Fui eu que sugeri que fôssemos até ali? Será que é tarde demais para retirar a sugestão?

É tão estranho. É como entrar numa bolha de *déjà-vu*. Ou entrar num mundo alternativo.

Conheço esse bosque. Os aromas. Os sons. Ouvi e memorizei a maneira como o vento sopra através das árvores. Até quando estou de pé, completamente imóvel, posso sentir a sola dos meus pés batendo no chão. Já corri por essas trilhas. O medo aumentando dentro de mim não é novo. Não está só dentro de mim. Está aqui. Vive e se mantém aqui como pegadas invisíveis.

Minhas pegadas. Mas só nos meus sonhos. Quando eu não estava em mim, quando o coração batendo no meu peito não era meu. Mas de Eric.

Um calafrio sobe pela minha espinha. Meus pulmões prendem a última lufada de ar, como se temendo que não haja outra. Então sei que é como Eric se sentiu. Ele sabia que estava morrendo.

Matt começa a andar e pego a mão dele.

Ele para e olha para mim.

–Tudo bem? Se não quiser fazer isso, podemos ir embora.

Não vou deixar o medo me vencer.

– Estou bem. É só assustador. Sinto como... se já tivesse estado aqui. Mas nunca estive.

– Eu sei. – Há dor na voz dele. – Mas podemos ir embora.

– Não – digo com confiança.

Ele deposita um beijo carinhoso nos meus lábios.

Quando se afasta, eu forço um sorriso.

– Estou bem. – É apenas uma mentirinha inofensiva.

Andamos de mãos dadas pela trilha pelos dez minutos seguintes, nós dois olhando para os lados. Ambos quietos.

Digo a mim mesma que não estou sozinha. Matt está aqui.

Assim como Eric. Eu o sinto. Outro calafrio percorre a minha pele.

A brisa me arrepia. Paro quando vejo uma densa área de árvores.

A sensação de que eu já estive ali, bem ali, é mais forte.

30

Matt me analisa, como se estivesse preocupado com a possibilidade de eu surtar.

Talvez exista uma leve chance de isso acontecer...

Eu me encolho dentro do casaco. A temperatura está abaixo dos dez graus. Não está apenas frio. O tempo está úmido. Gelado. Choveu mais cedo e o cheiro da terra úmida é pungente.

Enquanto o vento de inverno sopra, a palma de Matt é de um calor reconfortante contra a minha.

Eu olho para baixo, para os meus pés se arrastando sobre as folhas mortas que cobrem o chão. Penso nos livros de suspense policial em que a polícia encontra cartuchos de bala.

– Da próxima vez, é melhor trazermos detectores de metal – eu digo.

– Será que encontramos para alugar?

Ele se afasta; sua mão deixa a minha. Eu sinto a perda.

– Nós temos dois. – Estou olhando para o chão. – Eu costumava ir à praia de Galveston caçar tesouros.

– Já encontrou algum tesouro?

– Um colar. – Eu arrasto o pé para trás e para a frente, mexendo nas folhas molhadas. – Um medalhão, de ouro. Guardo na minha caixa de joias sobre a cômoda.

— Por que não usa? — Ele está empurrando as folhas com o pé também.

Olho para ele.

— Porque não é meu. E... parece triste.

— Triste?

— Estava vazio. Sem fotografias.

— Talvez a antiga dona simplesmente não quisesse colocar nenhuma foto nele.

— Talvez. — Então eu digo o que realmente penso. — Mas acho que ela se afogou. Ninguém sentiu a falta dela. Sua vida era vazia como o medalhão. Eu costumava pensar muito nela. — Especialmente quando eu estava morrendo. E dizia a mim mesma que tinha sorte. Pelo menos eu tinha pais que me amavam.

Ele roça o ombro contra o meu.

— Olha só! Você deveria ser escritora. Podia dar a ela um final feliz.

Eu sorrio, desejando não ter sido tão melodramática. Quando eu estava morrendo, tinha um problema real. Não achava que estivesse deprimida. Era como se o fato de pensar no sofrimento das outras pessoas me impedisse de pensar no meu.

Matt continua a olhar para mim.

— Talvez seja melhor a gente voltar mais tarde com os detectores de metal.

Fecho um pouco mais o casaco.

— Tem razão. — Pegamos o caminho de volta e ele segura a minha mão. — Na próxima semana, você quer ir à faculdade para fazer uma visita? — Minha voz é baixa.

— Sim. — Ele parece surpreso. — Por que você pensou nisso agora?

— Não quero que minha vida seja como a que eu imaginei para a antiga dona do medalhão. Eu quero viver. — E quero alguém especial na minha vida. Alguém cuja foto eu queira colocar num medalhão. Eu gostaria que essa pessoa fosse Matt.

Saímos da floresta e vejo a cruz caída. Minha mente flutua de volta para Eric. Matt solta a minha mão.

Ele se afasta de mim. Pega a cruz gasta pelo tempo e a finca de novo no solo macio.

Luto contra o ardor nos meus olhos. Eu me recuso a chorar porque sei que isso só vai fazê-lo sofrer mais. Mas, caramba, eu quero ajudá-lo – diminuir o sofrimento dele. Se eu tivesse escolha, devolveria o coração de Eric. Juro.

Ele começa a voltar para o carro. Eu o sigo. Ele desliga o alarme para destravar as portas. Em vez de entrar no carro, eu me viro e o abraço.

– Sinto tanto... – Minhas palavras são abafadas por seu ombro.

Nós não nos beijamos. Só ficamos ali um pouco mais. Matt encostado no carro e eu encostada nele. Nossos braços em torno um do outro.

Nossos cabelos, agitados pela brisa. Alguns carros passam, apenas um lembrete de que o mundo continua existindo ao nosso redor. Mas, para mim, nada neste mundo é importante. Só nós dois existimos.

Parece tudo tão certo. Eu poderia ficar assim para sempre. Não está tão frio quando estou nos braços dele. Não sou alguém que pouco tempo atrás estava morrendo. Sou alguém que está vivo.

O calor dele é meu e o meu é dele. Juntos somos mais fortes.

Ele se afasta do abraço.

– Obrigado.

Eu não pergunto o motivo do agradecimento. Sei que ele sente o mesmo. A conexão. A maneira como estamos juntos. Somos melhores juntos.

– Eu liguei para o detetive Henderson – diz Matt.

– E o que ele disse?

– Não estava.

– Vamos resolver isso – eu digo. E rezo para estar certa.

Na segunda-feira, Matt ainda não tinha recebido nenhuma ligação do detetive Henderson, então ele ligou para o escritório novamente. A sra. Johnson informou que o detetive estava de férias e só ia voltar na semana seguinte. Matt fica frustrado – ele até se pergunta se ela não está mentindo –, mas, sem outra opção, ele se conforma em esperar.

Graças a Leah, concentrando-se nela, ele consegue atravessar os próximos dias.

Na quarta, eles vão ao parque com o detector de metal e não encontram nada. A frustração de Matt se inflama novamente.

Quinta-feira depois da escola, sentindo-se sufocado, ele vai de carro até a casa de Ted, onde sabe que seus amigos estão treinando arremessos. Depois de cumprimentar a todos, eles lançam a bola e esperam que Matt participe do jogo.

Ele fica ali, olhando para eles e faz o que foi até lá fazer.

– Algum de vocês viu Eric naquela última semana? Ele disse alguma coisa, qualquer coisa, sobre Cassie e por que terminaram?

As expressões de expectativa dos amigos se desfazem. A maioria deles não olha Matt nos olhos. Ele sabe que esse assunto os deixa desconfortáveis. Mas eles eram amigos de Eric também, caramba! Por que não podem ajudar?

Por que não podem ao menos falar de Eric? É como se ele nunca tivesse existido!

Matt não se move. Ele fica ali parado, olhando para eles, a bola de basquete apertada entre as mãos. Eles finalmente começam a falar. Apenas para alegar que não sabem de nada. Ted é o único que fica calado.

E como Ted era o mais próximo dele e de Eric, dói ainda mais.

– Você falou com ele? – Matt pergunta.

Ted ainda não olha para ele.

– Fale comigo, droga! – explode Matt.

Ted levanta o olhar.

– Você já nos perguntou isso.

– Achei que talvez pudessem ter se lembrado de alguma coisa.

Ted passa a mão pelo cabelo.

– Está doendo, cara. Dói pensar nele. E está doendo em você também. Não é hora de você...

– ... esquecer?! – grita Matt. – É tão fácil para todos vocês, não é? Que bosta de amigos vocês são?

Matt sabe que não está sendo justo. Ele sabe disso quando vai embora.

Sabe disso, na sexta-feira, quando encontra Ted no corredor e oferece um rápido "desculpe".

Matt começa a se afastar e Ted fala:

– Não me esqueci. Acho que estamos todos apenas tentando superar.

– Eu sei – diz Matt, em seguida, ele vai encontrar Leah. A única pessoa que ele sabe – pelo menos por um instante – que pode ajudá-lo a passar por isso.

Ele a encontra logo antes de entrar na aula.

– Oi. – Ela olha para ele através dos cílios escuros, seus lábios curvados num arco. Ele quer beijá-la agora. Não apenas um selinho roubado, mas um beijo que termine com os dois sem fôlego.

Ele se detém. Vão estudar na casa dela depois da escola e, com a mãe dela agora trabalhando, ele pode beijá-la quanto quiser.

– Nada do detetive Henderson ainda? – ela pergunta.

– Não, mas vou embora depois da primeira aula para falar com ele.

– Vai cabular aula? – O tom supreso dela é sinal de que nunca fez isso antes.

– Não vou cabular – diz ele. – Escrevi um bilhete dizendo que tenho dentista e falsifiquei a assinatura da minha mãe.

Ela para de andar.

– Que coragem!

– Que nada. – Ele sorri diante da inocência dela. – Que tal nós dois cabularmos aula um dia. Passar um dia todo a sós, fazendo... tanto faz. Indo ao cinema. À livraria. – *Se agarrando...*

Ela arregala os olhos.

– Nunca cabulei aula na vida. – A insegurança é evidente na voz dela.

– Estamos no último ano. Já devíamos ter feito isso. É um rito de passagem.

Eles correm até os armários para pegar o caderno dele. Logo antes de entrarem na sala de aula, ela para e olha para ele.

– Tudo bem – diz ela.

Ele fica confuso.

– Tudo bem o quê?

– Vamos cabular aula. Em breve.

Mordendo o lábio como ela faz quando está nervosa, ele tem a impressão de que a está pressionando.

– Nós não temos que...

– Não. – Ela parece tão séria e assustada. – A Antiga Leah não faria isso. Mas a Nova Leah... É como você disse: é um rito de passagem. Eu não quero mais correr o risco de morrer sem ter feito isso.

As palavras dela mexem com os nervos dele, trazendo a dor à superfície.

– Não faça isso!

– Não faça o quê? – ela pergunta, franzindo a testa.

– Não aja como se fosse morrer. Não é a primeira vez – diz ele. – Isso me assusta demais.

Ela enterra os dentes no lábio inferior. Ficam na porta da sala olhando um para o outro. Ele de repente percebe que está sendo um idiota.

– Desculpe – ele sussurra.

O sinal toca e os alunos começam a se dispersar. Matt finalmente entra na sala e Leah faz o mesmo.

Na hora seguinte, em vez de prestar atenção ao professor, ele está pensando em Leah. Sobre como parte dele está com medo de amá-la tanto assim. Ele já perdeu pessoas demais.

Chega.

De.

Mortes.

No segundo em que o sinal toca, ele a puxa para fora da sala de aula e a faz entrar no laboratório, que ele sabe que vai estar vazio.

Ele a puxa para si.

– Sinto muito. Fico com medo às vezes.

– Não. Me desculpe você. – Ela coloca dois dedos nos lábios dele. – Eu vivi um dia de cada vez por tempo demais, às vezes, é só... Isso me assombra.

– Mas você está bem agora. Olha só, você está completamente normal.

Ela fica na ponta dos pés e o beija. O tipo de beijo que ele estava querendo lhe dar um pouco mais cedo.

Quando Matt deixa a escola para ir falar com o detetive, o sol brilhante já desfez a neblina cinzenta e o céu está azul-cobalto. Está frio ainda, mas o clima sombrio e úmido se foi.

Ele pensa em Leah, no quanto ele depende dela e imagina o que ele poderia fazer para deixá-la feliz. Para compensar tudo de ruim que ela passou. Para lhe agradecer por acreditar nele quando ninguém mais acreditou.

De repente, ele quer dar a ela um presente.

Algo para fazê-la perceber quanto ela significa para ele.

Ele está dirigindo, pensando em ideias de presente, quando vê uma joalheria. Ele entra. A loja está vazia, exceto pela senhora em pé atrás do balcão.

– Posso ajudá-lo? – ela pergunta.

– Só estou olhando. – Ele percebe que Leah não é de usar joias, na verdade. Talvez seja uma má ideia, mas então ele vê... um medalhão?

De ouro. Em forma de coração.

– Você gostaria de ver essa peça? – A funcionária tira o medalhão da vitrine, abre o pingente de coração e entrega a ele. Matt vê o preço.

É mais do que ele esperava, mas depois que vender os carros... Ele sorri para a mulher.

– Volto depois.

Com fome, ele para numa lanchonete e pede um lanche para viagem.

Está tentando manobrar para fora do estacionamento ao mesmo tempo que desembrulha um sanduíche, então ele a vê... Ela está passando pela rua. Cassie.

Ele quase pisa no acelerador para segui-la, mas percebe que persegui-la de carro a assustaria.

Ele engata a ré e volta para o estacionamento. Não encontra nenhuma vaga. Ele vê Cassie no meio do quarteirão, quase virando uma esquina. Droga!

Jogando o lanche no banco do passageiro, ele estaciona na calçada e corre para alcançá-la.

Infelizmente, o farol abriu e os carros estão passando rápido. Ele espera... Os carros continuam passando. Por fim, ele vê uma pequena oportunidade. Atravessa a rua correndo.

Quando chega à esquina, ela não está mais visível em lugar nenhum.
– Droga!

Ele dispara pela calçada, olhando pelas vitrines das lojas e rezando para encontrá-la. Rezando para conseguir falar com ela. Rezando para que ela tenha algo importante a dizer e possa lhe dar mais munição para levar a Henderson.

– Merda! – ele murmura quando não a vê em lugar nenhum. Ele ouve um cachorro latindo e vê uma mulher andando com um poodle, saindo de um pequeno parque, um quarteirão abaixo.

Ele corre pela rua; a respiração irregular, o peito apertado. Para um segundo na entrada do parque e força o ar a entrar nos pulmões.

Árvores e arbustos compõem a paisagem e criam pequenos esconderijos. Ele desce por uma lateral do parque, a frustração crescendo a cada segundo em que não consegue encontrá-la.

Então ele a localiza. Cassie está sentada num banco do parque, mexendo no celular.

Respirando fundo, ainda sem saber o que pretende dizer, Matt caminha em direção a ela.

31

Cassie não desvia os olhos do celular quando ele se senta ao lado dela. Quando finalmente o vê, ela se assusta.

– Vá embora! – ela grita.

– Precisamos conversar. – Ele fala no tom mais calmo possível.

Lágrimas enchem os olhos dela.

–Você sabe quanto é difícil para mim olhar para você?

– Sim, eu sei! – ele diz. – Eu vejo Eric toda vez que me olho no espelho.

Ela respira fundo com tristeza. Então salta do banco e começa a correr.

– Cassie, por favor... – Ele corre atrás dela.

Matt a alcança e fica na frente dela.

– Droga, Cassie! Apenas responda minhas perguntas e eu vou embora.

– Não consigo nem olhar para você! Dói – ela diz num tom lacrimoso.

– Por quê? – ele pergunta. – O que você fez? Por que mentiu dizendo que Eric não foi à sua casa aquela noite?

– Eu não menti!

– Uma ova que não mentiu!

Ela tenta se esquivar, mas ele a bloqueia novamente.

– Converse comigo! Me conte...

– Deixa ela em paz! – A voz explode atrás dele.

Matt olha para trás. O cara tem cabelo castanho e uma tatuagem espreitando do colarinho.

– Seu filho da puta! – Matt grita.

O sujeito desfere um soco. Seu punho vai de encontro ao olho esquerdo de Matt.

Um clarão brilha em sua visão. A dor explode dentro e em volta do seu olho esquerdo e Matt cai.

– Pare, Jayden! – grita Cassie.

A confirmação de que estava certo sobre a identidade do rapaz provoca outra explosão no peito de Matt. Ele dispara e ataca antes que o cara o veja. Seu punho bate na boca de Jayden. Ele não cai, mas se desequilibra.

Matt mantém os punhos na frente do corpo, protegendo a maior parte do rosto, e prepara-se para desferir outro soco. Ele percebe que seu punho direito está coberto de sangue. Assim como a boca de Jayden. O imbecil tem dentes afiados.

Jayden arrisca outro soco. Matt se esquiva.

– Parem! – Cassie salta entre eles. – Vocês dois, parem!

– Ele matou Eric! – Matt está fervendo de raiva.

– Não! – Ela balança a cabeça, discordando. – Ele não fez isso.

– Você voltou a namorar Eric e esse cara ficou com raiva...

– Não, não era com ele que Eric estava furioso!

Matt olha para Cassie.

– Então com quem era?

– Estou aqui para falar com o detetive Henderson! – Matt treme, parado em frente ao balcão do Departamento de Homicídios.

A recepcionista olha para ele e arregala os olhos. Matt não teve tempo de olhar no espelho retrovisor para ver quanto sua aparência está ruim. Mas sabe que um de seus olhos está inchado.

– O que aconteceu?

– Eu corri e dei de cara com uma parede. – Ele tenta não franzir a testa, mas está com dor e muita raiva.

– Um minutinho. – Ela salta da cadeira e vai até os fundos da sala.

Três minutos depois, ela volta com o detetive Henderson.

Ele vai até o balcão, olha para o rosto de Matt e suspira.

– Vamos lá nos fundos.

Matt o segue. O detetive Henderson leva Matt ao seu escritório e diz:

– Eu já volto.

Em menos de um minuto ele retorna com um saco de ervilhas congeladas e o entrega para Matt.

– Está tudo bem – diz Matt.

– Coloque no olho. – Suas palavras são uma ordem. Matt obedece.

O detetive desaba na cadeira.

– O que foi que você fez?

– Deixei uma mensagem para você. Você não retornou a minha ligação.

– Sim, eu estava de férias. E achava que você estaria na escola esta manhã. Não que eu tenha que explicar isso para um garoto que não é nada além de uma dor de cabeça para mim.

– Desculpe – Matt murmura ao mesmo tempo que seu celular toca. Ele o tira do bolso, olha para o número, não o reconhece e baixa o volume. Ainda sente a vibração do aparelho, mas a ignora.

Matt olha para Henderson.

– Eu tenho provas.

O detetive Henderson franze a testa.

– Você também tem vigiado a casa de Cassie Chambers. Ligado para ela a noite inteira. Levei uma bronca do policial Yates esta manhã.

Matt franze a testa.

– Não estava vigiando a casa dela. Estava de olho na casa do vizinho. E não liguei para ela. Nem uma vez. Pode verificar o meu telefone. Ele estende o celular para o policial.

O detetive balança a cabeça.

– Não queira me enganar.

Matt fica um pouco mais ereto.

– Eu não estou tentando. Fui lá para encontrar Jayden Soprano.

— Quem é esse cara?

— O cretino que assassinou Eric. — O telefone de Matt começa a vibrar novamente. Ele ignora.

O detetive passa a mão pelo rosto.

— Eu já disse: preciso de provas sólidas. Não posso...

— São sólidas. Cassie e Jayden estavam saindo. Por isso ela terminou com Eric pela primeira vez. Tenho certeza de que ele ficou chateado porque ela voltou com Eric. Ciúme não é um dos principais motivos para um assassinato?

— Isso não...

— Ele é um ex-presidiário. Fugiu de casa na mesma época que Eric foi baleado. Cassie está namorando Jayden. Ele mora num apartamento na Pine Street agora. Não sei o endereço, mas ele anda por aí numa moto Honda vermelha.

Eric não sabe direito que parte da informação faz Henderson mudar de ideia, mas a dúvida desaparece dos olhos do detetive.

— Como sabe tudo isso?

— Porque estive fazendo seu trabalho. — Matt imediatamente percebe que não deveria ter dito isso. Ele precisa da ajuda do detetive e não é afrontando-o que vai conseguir o apoio dele. — Desculpe. Eu só... — Matt suspira. — Marissa Leigh, ela era a melhor amiga de Cassie. Você falou com ela. Conversei com ela novamente e ela me contou sobre Jayden. Então Leah bateu na porta de Soprano. A madrasta conversou um tempão com ela, contou que ele já esteve na cadeia uma vez. Depois falei com alguns amigos de Eric, de uma outra escola. Eles viram Eric no dia anterior à morte dele. Me disseram que Eric contou que Cassie estava saindo com outra pessoa.

O telefone de Matt começa a vibrar novamente. Achando que talvez seja importante, ele pega o celular para ver o número. Não o reconhece. Mas se lembra do anúncio dos carros.

— Se quiser atender... — diz Henderson.

— Não. É apenas... Coloquei dois carros à venda.

Henderson corre o dedo indicador direito pelo queixo.

— Como sabe que Cassie está namorando esse sujeito agora?

– Leah a viu na garupa da motocicleta dele e... eu acabei de ver os dois juntos.

– Leah McKenzie? – ele pergunta.

Ele percebe que nunca mencionou o sobrenome de Leah ao detetive.

– Como conhece Leah?

– O policial Yates. – Henderson franze a testa.

– Ela não estava assediando Cassie. Apenas querendo obter informações de Jayden.

A mandíbula de Henderson enrijece.

– E esse olho roxo? – ele pergunta, fazendo cara feia. – Se disser que correu de encontro a uma parede, saio por aquela porta agora!

– Jayden. Ele me atacou primeiro.

O detetive solta um gemido.

– Você acha que ele matou seu irmão, seu gêmeo idêntico, e vai confrontá-lo? Você é tão burro assim?

Matt sente o estômago contrair.

– Não fui procurá-lo. Vi Cassie na rua, a caminho daqui. Eu a segui. Apenas para conversar. Jayden apareceu.

– Esse cara, Jayden, disse alguma coisa? Confessou alguma coisa?

– Não, ele... ele viu Cassie discutindo comigo e começou a brigar.

– Ela disse alguma coisa?

Matt hesita.

– Ela disse que Jayden não matou Eric. Disse que não era com Jayden que Eric estava furioso. Eu perguntei, cheguei até a implorar para ela me dizer com quem ele estava furioso. Mas ela se recusou a falar. Não disse nada. Está apenas protegendo Jayden.

Depois de ouvir, Henderson faz Matt anotar tudo por escrito.

– Então você vai reabrir o caso? – Matt pergunta, cheio de esperança.

– Eu vou investigar se você me prometer uma coisa.

– Tudo o que quiser.

O detetive Henderson hesita.

– Prometa que, se eu não encontrar nada dessa vez, você vai deixar isso pra lá. Combinado?

Matt assente com a cabeça, embora seja uma promessa que ele não tem certeza de que pode cumprir.

– Vou verificar se esse Jayden realmente tem um registro na polícia. Se ele tiver, talvez eu vá falar com ele.

– Obrigado – diz Matt empolgado. Seu telefone vibra novamente. O detetive olha para o celular.

– Você conhece a área do nosso estacionamento reservada para compra e venda de carros, não conhece?

– O quê? – pergunta Matt sem entender.

– Para você vender seus carros. São duas vagas monitoradas por câmeras no estacionamento ao lado da delegacia. Não dê nenhuma informação sobre onde você mora ou qualquer outra coisa, apenas diga para encontrá-lo aqui. Quando as pessoas sabem que estão sendo vigiadas por câmeras, ficam menos propensas a tentar dar algum golpe.

– Preciso avisar se eu vier?

– Não. Apenas marque o encontro com a pessoa interessada ali. O espaço está demarcado. Há uma placa avisando que o local é vigiado por câmeras. Faça isso durante o dia.

Matt acena com a cabeça.

– Quanto tempo tenho que esperar para você me dizer alguma coisa sobre o caso?

O detetive franze a testa novamente.

– Assim que eu encontrar alguma coisa, aviso. Tenho que cuidar de outros casos, então não posso largar tudo. Mas você tem a minha palavra de que vou investigar.

Matt acredita no detetive e percebe que está sorrindo. Ele se levanta e estende para o homem a mão machucada.

O detetive hesita.

– Mais uma condição.

– O quê?

– Você e aquela garota, Leah, não devem nem chegar perto de Cassie ou desse sujeito, Jayden. Nem deles, nem da casa deles, nem do bairro deles. Eu já vou ouvir o suficiente por causa dessa briga. Yates está pressionando para obter uma ordem de restrição contra você. E depois do que aconteceu hoje, pode conseguir. Ele é superprotetor com Cassie. E eu não o culpo. A garota passou por maus bocados também. Então, estou falando sério. Entendido?

– Entendido.

Eles apertam as mãos. Não muito forte, porque a mão de Matt ainda está latejando. Mas ele está sorrindo quando sai da sala do detetive.

Estou na fila do almoço, ainda em dúvida se vou me juntar ao clube do livro, na sala de aula, ou se apenas fico ali sentada, sozinha. Nenhuma das opções me deixa muito empolgada. Tudo o que quero é que o dia passe logo para que eu possa ver Matt. A sós.

Tive um dia ruim. Pego o celular que resgatei do idiota do professor Perez depois da aula. Ele confiscou meu celular porque me viu olhando para o visor. E me acusou de mandar mensagens de texto. Eu disse a ele que só estava verificando a hora de tomar meus remédios. E tinha certeza de que o relógio dele estava dez minutos atrasado, e estava mesmo. Não que ele se importasse.

Pedi que ele olhasse o meu celular para confirmar que não tinha mandado nenhuma mensagem, mas ele não olhou nem acreditou em mim. É uma droga ter o hábito de seguir as regras e ser acusada de não segui-las. Mas, se vou ser punida de qualquer jeito, não deveria quebrar as regras simplesmente?

Agora, como os celulares são permitidos no refeitório, estou verificando minhas mensagens de texto. Matt ainda não me mandou nenhuma mensagem sobre o detetive Henderson. Fico preocupada, achando que isso talvez seja uma má notícia. O barulho do refeitório ecoa ao meu redor, me deixando mais ansiosa. O cheiro de torta de atum enche minhas narinas.

Ouço as palavras "transplante de coração" atrás de mim. Um nó do tamanho de um sapo-boi está bloqueando a minha garganta. Quero ficar sozinha, então saio do refeitório. Acho que ouço meu nome. Pensando que Matt pode ter voltado, olho para trás.

Não é Matt. É Ted. O amigo de Matt. Ele está abrindo caminho em meio aos estudantes para chegar até mim.

Engulo as minhas emoções.

– Oi – diz ele, quando está ao meu lado. – Podemos conversar?
Sobre o quê?
– Tá, tudo bem.

Eu o sigo até um canto sossegado do lado de fora da biblioteca. Ele encosta contra uma parede, parecendo nervoso. Meu coração começa a martelar no peito.

– Algo errado?

– Mais ou menos – diz ele.

Imagino o pior.

– Matt está bem?

A emoção oprime o meu peito. Parece que é Eric de novo.

– Sim. Olha, na semana passada, Matt tentou falar comigo e com os nossos amigos. Sobre Eric.

Eu me lembro de Matt me dizendo que tinha falado com eles. Ele não me disse como foi, mas posso deduzir que não adiantou muita coisa.

Ted continua.

– Matt se recusa a acreditar que Eric se matou. Já faz meses, e ele ainda está tentando provar que o irmão foi assassinado. Estou preocupado. Eu esperava, quando ele começou a namorar com você, que ele esquecesse isso. Não foi o que aconteceu. Ele continuou investigando por conta própria.

Tento distinguir as emoções que são minhas das que podem ser de Eric.

Inspiro e expiro devagar.

– Eu estava pensando... que talvez você pudesse falar com ele. Convencê-lo a esquecer tudo isso.

Eu mordo o lábio.

– O problema é que não tenho certeza se Matt está errado. – Eu começo a contar sobre Jayden, mas não progrido muito.

Ted franze a testa.

– A polícia provou que foi suicídio.

– Mas... a polícia erra às vezes.

– Não dessa vez! – Ele me olha nos olhos. – Pensei que você fosse mais sensata.

Ele está zangado. Não sei como reagir.

– Eu sou sensata. Matt só quer...

– Eu sei. – A emoção distorce a voz de Ted.

– O que você sabe? – Sinto que ele tem alguma informação que não está compartilhando.

Ele balança a cabeça, depois deixa escapar:

– Vá se ferrar!

– Se você sabe algo que Matt não sabe, ele... ele precisa saber. – Os olhos de Ted estão úmidos de lágrimas. – Ele me odiaria. Eu já me odeio. Eu deveria ter feito alguma coisa.

Meu peito incha de emoção.

– O que aconteceu?

– Eu... Eu vi Eric aquele dia. Ele estava abastecendo no posto de gasolina. Eu parei e pedi para ele ir comigo nadar. Ele estava furioso. Perguntei qual era o problema e... – Ted inspira fundo outra vez. – Eric disse... Ele disse que preferia morrer do que... do que não fazer nada.

Ted bate com o punho na parede.

– Eu não entendi o que ele estava falando. Perguntei, mas ele não me disse.

Ted esfrega a mão nos olhos.

– Eric disse que preferia morrer. Eu deveria ter feito algo para detê-lo. – Os olhos de Ted estão cheios de lágrimas. – Não achei que ele estivesse dizendo que iria se matar! Não achei, mas deveria ter deduzido.

32

Saio da escola e caminho na direção do meu carro. O céu está azul, o sol está brilhando. O dia está mais bonito do que o meu estado de espírito. Não consigo pensar em outra coisa que não seja a confissão de Ted. Eu me desvio freneticamente dos estudantes correndo para seus carros, tentando sair primeiro. *A vida não é uma corrida, é uma jornada*, quero dizer a eles.

Meu telefone apita, avisando da chegada de uma mensagem de texto. É de Matt. *Passo na sua casa às 3h15.*

Eu escrevo de volta, *O que aconteceu?*

A resposta dele: *Fui à delegacia.*

Isso significa que o detetive está reabrindo o caso? E sabendo o que sei agora, essa é uma boa notícia? Ted dando mais provas de que Eric fez o que disse que iria fazer? Ah, droga, eu não sei. Estou tão confusa... E com medo. Com medo de que tenhamos interpretado mal os nossos sonhos. Com medo de ter contribuído para aumentar o sofrimento de Matt em vez de ajudá-lo.

Eu não tenho certeza do que vou dizer a Matt. Ted pediu para eu não contar. Ele quer dizer pessoalmente.

Eu não prometi nada. Não sei o que é certo ou errado.

Enquanto dirijo para casa, continuo ouvindo trechos da conversa com Ted. *Eric disse que preferia morrer do que... do que não fazer nada.*

Eu não entendo o que ele quis dizer com "não fazer nada". Que diabos Eric estava enfrentando? É como se houvesse uma peça faltando para desvendarmos um enigma.

Eu paro na minha garagem. A casa parece solitária. Engraçado como sei quando mamãe não está em casa.

Saio do carro e destranco a porta da frente. Sinto falta dela chamando por mim, sinto falta dos biscoitos que ela fazia. Ela perguntando como foi o meu dia.

Eu não diria a mamãe quanto o dia foi ruim, mas é bom quando alguém nos pergunta. Não que eu queira que ela pare de trabalhar. É a última coisa que eu quero. Ela merece viver a vida dela.

Nada além dos zumbidos da casa preenche o ambiente.

Pego uma Coca gelada e vou para o meu quarto. Deixo a mochila na cômoda e tento relaxar.

O relógio cor-de-rosa na minha mesinha de cabeceira mostra a hora. Matt vai chegar em vinte minutos. O que vou fazer? Conto a ele ou não conto?

Abro a lata da minha bebida e me deito na cama. Seguro a lata fria perto do ouvido, ouvindo o líquido efervescente ali dentro.

Digo a ele? Não digo a ele?

E o que ele vai dizer?

Meu celular toca. É mamãe, checando se está tudo bem. Conversamos por cerca de quatro minutos. Ela já está amando seu trabalho. Me ocorre novamente tudo do que ela abriu mão para cuidar de mim. Nunca mais quero fazer isso novamente – roubar a vida de outra pessoas enquanto estou perdendo a minha.

Desligamos e olho para o teto, lembrando-me do meu comentário sobre "cabular aula" que deixou Matt em pânico. Como ele se sentiria se soubesse que, se eu acidentalmente me esquecer de tomar um comprimido, meu corpo vai começar a atacar o coração de Eric? Que eu morreria? O coração de Eric morreria?

É justo eu estar namorando Matt? Estar mentindo para ele?

Não estou mentindo. Só não estou contando tudo. Mas vou contar.

Só não vou contar ainda, porque ainda estamos muito no início do namoro. Vou deixá-lo ver que posso viver normalmente antes de dizer que não posso viver tão normalmente assim.

Consulto o relógio. Eu me forço a levantar da cama, trocar de blusa, pentear o cabelo e já estou escovando os dentes quando ouço a campainha.

Enxaguo a boca e corro para a porta. Apesar da dúvida sobre contar ou não contar a ele, eu quero vê-lo. Tocá-lo. Sentir o perfume dele.

– Oi. – Forço um sorriso quando abro a porta. Então eu o vejo.

O olho de Matt está quase fechado, por causa do inchaço. Eu me assusto.

– O que aconteceu?

– É só um olho roxo. – Ele entra. Fecha a porta.

– Você sofreu um acidente? – Eu estendo a mão para tocá-lo, mas tenho medo de machucá-lo.

Enquanto estou examinando o olho dele, ele se aproxima para um beijo. Eu o detenho.

– Não. Me diga o que aconteceu. – Eu toco a bochecha dele.

– Não fique brava – ele implora.

Assim que ele fala isso eu deduzo.

– Você foi confrontar Jayden? – E eu fico muito brava. – Você prometeu...

– Fui confrontar Cassie, não ele. Quando estava indo para a delegacia de polícia, eu a vi na rua. Então a segui. Eu a encontrei num parque. Ela surtou, ficou gritando comigo quando Jayden apareceu e veio pra cima de mim e... – Ele estende as mãos. – E isso aconteceu.

Minha mente dá voltas.

– Vou pegar gelo. – Dou um passo para trás.

Ele me segura.

– Eu já pus gelo.

Eu vejo sua mão inchada e solto um gemido.

– Não está doendo?

– Menos do que antes. E menos ainda agora que estou com você. Você fez milagres. – Ele envolve um braço em volta da minha cintura.

— O detetive Henderson vai investigar. Ele me fez registrar tudo por escrito. Disse que me ligaria quando descobrisse alguma coisa.

A esperança ilumina os olhos dele. Será que conto sobre o que Ted disse? Corro o risco de tirar a esperança dele? Não foi como se Eric tivesse dito que realmente ia se matar. Quantas vezes eu disse que me mataria e não fiz nada para que isso acontecesse? É uma figura de linguagem.

— O que Cassie disse? – pergunto.

Ele suspira.

— Basicamente o que você disse. Ela não suporta me ver. E jura que Eric não foi à casa dela aquela noite. Mas Eric me disse que...

— Como você pode saber se ele falou a verdade? Sei que você acha que Eric não guardava segredos de você. Mas ele nunca te contou sobre Jayden. Talvez ele não tenha de fato ido à casa de Cassie aquela noite.

Matt franze a testa.

— Você acha que Eric ia se encontrar com Jayden? Que ele não contou a Cassie? – Matt solta a minha cintura. – Ele pode ter ido ameaçá-lo com a arma e depois... Pode ter acontecido o que aconteceu. – A dúvida ressoa na voz dele.

Ele passa a mão no cabelo.

— Por que ele não me contou? Não compreendo.

— Talvez ele estivesse envergonhado, achado que isso o faria parecer uma pessoa ruim.

— Mas ele contou a John e Cory! – A dor dá mais intensidade às suas palavras.

— Sua opinião importava mais do que a deles – eu digo, querendo confortá-lo de alguma forma.

Ele fica quieto novamente.

— Ela também me disse que não era com Jayden que Eric estava furioso.

— Com quem ele estava furioso? – pergunto.

— Ela não disse. Ficou calada e sei que estava apenas protegendo Jayden.

Eu olho para ele. Até concordo que Cassie não está dizendo tudo o que sabe. Mas também não acredito que esteja mentindo sobre tudo.

Ele passa os braços à minha volta novamente.

– Você não pode nunca mais voltar à casa de Cassie ou Jayden. O policial Yates disse a Henderson que acha que somos nós que estamos perseguindo Cassie.

– Eu?

– Sim, e a última coisa que eu quero é te arranjar problemas. Portanto, fique longe de lá.

Eu concordo.

Ele olha para o teto como se estivesse pensando em algo que o está incomodando.

– O que há de errado? – pergunto.

– É que... Eu só queria que Cassie falasse comigo. Se ela não está por trás disso e está sofrendo de fato, eu acho... Eu gostaria de ajudá-la. E se Jayden fizer algo contra ela?

Nós ficamos ali, encostados um no outro, minha cabeça no peito dele, a bochecha dele no meu cabelo. É tão bom estar ali. Ficar ali. Esquecer tudo menos a sensação que ele provoca em mim.

Mas algumas coisas têm que ser ditas. Eu me forço a falar.

– Eu tenho medo que a gente nunca consiga todas as respostas. Você vai ficar bem com isso?

– Nunca vou parar de investigar. – O corpo dele fica tenso. – Eu preciso de respostas.

E se a resposta não for a que Matt gostaria? E se os sonhos são só uma maneira de Eric nos mostrar quanto ficou assustado e como se sentiu desamparado? Só para nos fazer entender por que ele se matou?

Estou tão confusa agora... Não sei no que acreditar.

Eu me coloco no lugar de Matt e percebo que, de qualquer maneira, eu preciso saber. Talvez até a resposta errada ofereça a Matt um desfecho para o caso. Mas nenhum desfecho será indolor. Eu quero protegê-lo.

– Cedo ou tarde temos que deixar as coisas ruins para trás. – Ouço o meu próprio conselho, e sei que eu mesma ainda não tenho sabedoria para segui-lo. Percebo que, não importa quanto nossos problemas sejam diferentes, estamos enfrentando a mesma coisa. A morte.

Mas não é só isso.

Também se trata da vida. Aprender a viver. Aprender a contar com o amanhã e com o próximo ano. Sabendo que nós dois ainda estamos vivos e tentando descobrir o que fazer.

– Senti sua falta hoje – ele diz depois de uma longa pausa.

– Eu também. – Levanto o queixo e descanso a cabeça no peito dele.

Ele olha para mim, com o olho inchado e tudo, e se inclina para um beijo. Eu reconheço o tipo de beijo que é. Aquele que nos leva à tentação. Eu recuo.

– Precisamos estudar primeiro.

Ele sorri.

– Por que eu sabia que você ia dizer isso?

Eu pego a mão dele e o levo para a sala de jantar para estudarmos, mas lembro que minha mochila está no meu quarto. Continuo andando até o final do corredor, a mão dele na minha.

Solto a mão dele para pegar meus livros. Quando olho para trás, ele está encostado no batente da porta. E está me olhando, com os olhos curiosos. Eu me lembro que, quando entrei no quarto dele, gostei de conhecer seu espaço. Tudo no quarto refletia algo dele.

Não posso dizer o mesmo sobre o meu quarto.

– Vá em frente e diga o que está pensando.

É óbvio que ele está tentando não rir. Dá um passo e entra no quarto.

– É tudo rosa.

Ele anda devagar pelo quarto e depois olha para cima.

– Acho que nunca tinha visto um ventilador de teto de bolinhas cor-de-rosa.

Eu solto uma risada.

– Quando eu estava no hospital, minha mãe redecorou o meu quarto. Ela gosta de rosa.

– Tudo bem se você também gosta.

– Não. O que importa é que ela fez tudo com amor. Eu não gosto. Mas não tive coragem de dizer a ela. Não até recentemente, pelo menos.

– Então redecore tudo. Eu ajudo você a pintar.

Eu sorrio.

– Cuidado, posso aceitar a sua oferta.

– Eu espero que aceite mesmo. – Ele caminha até a minha cômoda e olha para a *selfie* emoldurada de Brandy e eu. – Há quanto tempo vocês são amigas?

– Desde que ela se mudou para cá na terceira série.

– Ela realmente gosta de você.

Eu penso sobre ele e Ted novamente.

– Eu também gosto dela.

Ele aponta para a caixa de joias.

– É aqui que você guarda o medalhão?

Fico surpresa de novo por ele se lembrar de tantas coisas que digo.

– Você quer ver?

– Quero.

Abro a caixa; a pequena bailarina aparece e começa a dançar ao som de uma lenta canção de amor. Eu tiro o colar dali. Ele é frio ao meu toque. É antigo, mas não muito. O medalhão de coração gravado com arabescos está aberto. Eu sinto a mesma tristeza que senti no dia em que o encontrei.

– Fiz uma limpeza nele. Estava sujo. – Entrego o objeto a ele. – O fecho está quebrado.

Ele analisa o medalhão.

– Talvez tivesse uma foto, só caiu. Talvez não seja uma história triste.

Será que ele se lembra de tudo que conto a ele?

– Eu o quebrei quando abri. Mas poderia estar meio podre, não sei. – É estranho como associamos emoções às coisas. O medalhão me deixa triste. Os livros me deixam feliz. Chocolate quente me faz sentir falta da minha avó.

Matt está olhando meu reflexo no espelho da penteadeira, e eu juro que ele pode ver tudo. Minhas emoções tumultuadas, meus medos, meu amor por ele. Então percebo. Eu amo Matt Kenner. É cedo demais para dizer isso, mas sei que é verdade.

– Talvez a garota que o perdeu tenha tido um final feliz. Ela só perdeu o colar.

– Pode ser – digo, mas a resposta sai forçada.

– Vamos ficar bem, você sabe – diz ele. – Você me deixa bem.

– E você, a mesma coisa. – Eu fico na ponta dos pés e pressiono meus lábios contra os dele. E agora sou eu que aprofundo o beijo. Ah, dane-se, podemos estudar mais tarde.

Eu o beijo e vou andando ao mesmo tempo, empurrando-o para trás até ele bater na minha cama. Então dou um leve empurrão nele. Ele cai e eu solto uma risada. E caio com ele. Depois abro um sorriso.

– Algum problema com a minha cama cor-de-rosa?

– Não, se você não tiver.

Nós nos beijamos.

Nós nos tocamos.

Mergulhamos na tentação.

Mas, como antes, continuamos vestidos.

Mesmo assim é incrível.

Chegamos àquele ponto – até mais rápido do que antes –, quando temos que parar ou corremos o risco de não querer mais parar. Matt termina o beijo.

Ainda assim, nunca foi tão tentador continuar. Eu levanto a cabeça e beijo sua boca novamente. Corro a mão sob a camisa dele e aliso seu peito. Nossas pernas são um emaranhado, pressionando todos os tipos de lugares maravilhosos. Continuo a brincar com a sorte. Não querendo que aquele momento acabe.

Matt recua novamente.

– É melhor a gente...

– ... parar – termino a frase por ele. – Desculpe.

– Não peça desculpas. – Ficamos deitados ali, só nossas mãos se tocando e fitando o ventilador de bolinhas cor-de-rosa sobre a cabeça. Ele se apoia num cotovelo.

Olho para o rosto dele.

– Ai, não... Machuquei seu olho?

– Não. – Ele passa um dedo carinhoso pelos meus lábios. – Isso... A decisão é sua.

Sei do que ele está falando. Eu assinto. Parte de mim quer dizer agora. Agora mesmo.

– Eu tenho... proteção – ele diz. – Para quando você estiver pronta.

– Ok. – Nem morta vou dizer a ele que também tenho. Porque minha mãe comprou para mim. Ou que estou tomando anticoncepcional. Mas estou feliz que estejamos tocando no assunto. Eu olho para ele. *Ah, e eu tenho uma cicatriz e vou estar usando uma regata sexy quando tudo acontecer. Espero que você não se importe.*

As palavras estão na ponta da língua. Mas não consigo dizê-las.

– E podemos ir a algum lugar... – ele continua. – Num hotel legal...

– Isso seria ótimo. – Falar sobre sexo de um jeito tão pragmático deixa meus nervos à flor da pele. Faz tudo ficar tão real.

E, de repente, a curiosidade bate. Ele já fez sexo antes? Eu queria perguntar, mas posso não gostar da resposta. Depois outras perguntas malucas começam a pipocar na minha cabeça. Ele dorme sem roupa? Lê antes de dormir? Já falou enquanto dorme?

Deixando de lado minhas perguntas não respondidas, pego minha mochila. Nós nos acomodamos à mesa da sala de jantar e estudamos. Minha curiosidade desaparece e fica apenas a... excitação. Com ele. Conosco. Com a descoberta de cada pequeno detalhe de quem ele é, de todos os seus hábitos.

Isso é viver, eu acho. A sensação de eletricidade que sinto no meu corpo. A necessidade obsessiva de saber tudo sobre ele. A emoção de conhecer o amor e expressá-lo. Isso é o que eu teria perdido sem o coração de Eric.

Matt chega em casa, libera Lady do cercadinho e a deixa sufocá-lo de tantas lambidas. Então ele a leva para fora. Enquanto ela faz as suas necessidades, ele faz as dele: manda uma mensagem para a mãe contando uma baita mentira.

Joguei bola. Foi divertido, mas levei uma cotovelada no olho. Fiquei com o olho roxo.

Ele sabe que, se ela chegar em casa e simplesmente ver seu olho, vai ter um ataque. Se for avisada, mesmo assim vai surtar, mas um pouco menos. E ela não vai questionar muito a história dele.

Ela escreve de volta.

Ah, Deus. Coloque gelo nesse olho. Chego em casa em duas horas. Te amo.

Já coloquei. Te amo também.

Ele faz uma pausa e, em seguida, escreve, *Você se divertiu?* Ela encontrou a irmã a meio caminho de Dallas e foram fazer compras.

Sim. Comprei roupas para trabalhar.

A cada dia ele percebe que ela está melhor. Está com uma aparência melhor também. Cuidando melhor de si mesma. Ele sabe que ela ainda está sofrendo. Sabe que a saudade nunca vai passar, mas ela está vivendo novamente. Assim como ele, agora que Leah está em sua vida.

Matt e Lady vão para o quarto dele. Sua mente repassa toda a cena com Cassie e Jayden, sua conversa com Henderson, mas ele deixa rapidamente essas lembranças para trás e se concentra no tempo que passou com Leah. A sensação do corpo dela sob o dele. Ele sobre o dela. Ao lado dela. A companhia dela é como uma droga viciante.

Ele se lembra do medalhão que viu na joalheria. Não era exatamente como o que ela encontrou na praia. Mas ele não queria que fosse exatamente igual. Só parecido o suficiente para que a mensagem ficasse clara. Ela teria seu final feliz. O medalhão dela não ficaria vazio.

Ele pega o celular para ver se uma das fotos que Leah tirou deles no banco do parque, na semana anterior, ficaria boa no medalhão. Saltando da cama, ele transfere as imagens para o computador e as imprime. São quase perfeitas.

A campainha toca. Lady começa seus latidos estridentes. Quando ele se vira para ir para a sala, vê o carro de Ted pela janela. Matt fica surpreso em vê-lo.

As coisas ainda estão meio tensas entre eles.

Quando ele abre a porta, Ted está ali, com os ombros afundados e as mãos enterradas nos bolsos do jeans.

— E aí? — Matt abre a porta para ele entrar.

— Caramba! O que aconteceu com o seu olho?

— Uma briga... — Matt hesita em dizer mais.

— Com quem?

— Com o namorado de Cassie Chambers. Descobri que ela estava saindo com esse cara quando Eric e ela estavam namorando.

– Que merda... – diz Ted. – Pensei que ela estava apaixonada por Eric.

– Eu sei. – Matt vai para a cozinha e se senta numa cadeira.

As mãos de Ted voltam para os bolsos. Seus ombros afundam um pouco mais. – Eu... preciso te dizer uma coisa. – Ele tira as mãos dos bolsos e se senta, parecendo ainda mais nervoso.

– O que foi? – Matt pergunta.

Estou correndo. Uma árvore, uma árvore enorme, surge à frente. Um carvalho. Ao lado há dois pinheiros. Gêmeos. Idênticos em tamanho. Idênticos na forma. Não que isso importe. Nada importa a não ser correr.

Estou sem fôlego. Não consigo sorver ar suficiente. Sinto uma dor do lado. Minhas pernas estão com cãibra. Eu preciso diminuir a velocidade. Mas não posso. Vou morrer. De repente ouço o disparo de uma arma. Tudo começa a se mover em câmera lenta. Vejo a bala cravar em alguma coisa na minha frente. A casca de um dos pinheiros na minha frente está lascada. Vejo onde a bala se enterrou profundamente no pinheiro. Mas ainda não consigo parar de correr.

Mais rápido. Eu tenho que ir mais rápido.

Outro som me envolve. Não o disparo de um tiro. É... É...

O som do meu despertador faz com que o sonho se pareça menos com a realidade. Mas me sinto ainda correndo. Eu suspiro e finalmente me vejo livre do sonho. Fico ali deitada no meu quarto cor-de-rosa, respirando fundo sem me mover. Tento me lembrar dos detalhes.

Esse sonho foi diferente.

Durante as últimas duas semanas, tive o mesmo sonho.

Nada mudou.

Agora é diferente.

Por quê? Isso significa alguma coisa?

Eu me sento, minha cabeça está latejando. Aperto a mão contra a têmpora. Pisco com força. Espero até que desapareça. Ela sempre acaba indo embora. Mas não desta vez. Então me ocorre. Essa dor não é de Eric. É minha.

Pego a caneta e faço as anotações. A bala. Os pinheiros gêmeos.

Um calafrio percorre a minha espinha. Eu tremo. Não é um calafrio de medo, mas um calafrio de febre.

Não! Não! Não! Meu coração dispara. Pego o termômetro e seguro-o sob a língua. A dor de cabeça pulsa com cada batida do meu coração. Eu começo a contar, esperando o termômetro bipar. Esperando que ele prove que estou errada. Vinte e três, vinte e quatro... Finalmente, o minúsculo sinal sonoro enche o silêncio. Tiro o termômetro da boca. Olho para ele. O medo faz minha barriga gelar. Meu Deus! Estou com febre. Mais de trinta e oito graus.

Não sei de cor todos os sinais de rejeição, mas sei que a febre está nessa lista.

– Já levantou, querida? – ouço a voz da minha mãe. – Estou quase pronta.

Merda.

– Já – digo e me deito novamente na cama, fingindo que ainda não acordei direito.

Ela espreita pela porta do meu quarto.

– Vejo você esta tarde. Te amo.

– Te amo. – Eu aceno. Assim que a porta se fecha, lágrimas enchem meus olhos. Não faz uma semana que ela parou de me perguntar sobre a temperatura ou a pressão arterial. Não faz uma semana que ela parou de sentir medo.

Eu não posso dizer a ela. Eu não posso.

Não quero vê-la esfregando as mãos no jeans outra vez. Voltando a se preparar para ver sua filha única morrer.

Papai vem se despedir. Eu respondo com um "amo você". E de fato amo. Deus, eu amo tanto os dois que não quero entristecê-los mais!

Assim que ouço a porta fechar, pego o aparelho de pressão e encaixo no braço.

Mesmo quando o pânico me deixa gelada, sei que posso estar exagerando. Respiro fundo e me forço a lembrar que pode haver muitas razões para a febre. Razões que não querem dizer que eu esteja rejeitando o coração.

Razões que não querem dizer que estou morrendo.

33

— Parabéns! – exclama a dra. Hughes. – Você pegou seu primeiro resfriado pós-transplante.

– Um resfriado? – Nunca fiquei tão feliz com um diagnóstico. Mas, sim, a caminho dali notei que a minha garganta doía, mas o pânico já tinha se instalado e enchia meu peito a ponto de não me deixar pensar direito.

A médica se aproxima. Eu não tinha nem ligado para o consultório dela. Tinha ligado para Brandy.

Estávamos esperando na porta da médica quando a moça da recepção abriu-a pela manhã.

– Só um resfriado – repito. Meu telefone toca. Eu ignoro. A dra. Hughes tem uma regra de nunca se atender o celular durante uma consulta. Além disso, eu sei que é Matt. Mandei uma mensagem para ele e disse que estava com dor de cabeça e não ia à escola.

– Seu livro de transplantes tem uma lista dos remédios para resfriado que você pode tomar, mas eu escrevi aqui. Por causa do seu sistema imunológico, o resfriado pode durar mais do que antes. Você precisa descansar, tomar muita água e ser muito paparicada. Não vá para a escola enquanto estiver com febre.

Ela inclina a cabeça para o lado e cruza os braços. Eu conheço esse olhar.

– A sua mãe não sabe que você está aqui, sabe?

Endireito os ombros, tentando não parecer culpada. Menti para a recepcionista, mas mentir para a minha médica favorita é mais difícil.

– Ela acabou de começar no emprego esta semana. Eu não queria...

Eu a ouço respirar fundo.

– Ela vai ficar furiosa com você por não dizer a ela. E vai ficar furiosa comigo se eu não ligar para ela.

Tento ser convincente.

– Mas eu menti para você. Você não sabia de nada. A culpa é minha.

Ela suspira.

– Além disso, prefiro enfrentar a bronca da minha mãe do que vê-la desistir do emprego ou coisa assim. Porque ela faria isso. Você a conhece. – Meu pânico fica ainda maior. – Ela desistiu de tudo para cuidar de mim. Eu me recuso a fazer isso com ela novamente.

A dra. Hughes me olha com cara feia. Isso me magoa. Ela quase nunca me dá bronca.

– Ela ama você.

– E eu a amo também. É por isso que fiz isso. – A médica continua com uma expressão séria. – Vou contar a ela. Mas agora posso dizer que é só um resfriado e você já me examinou.

Ela se senta na cadeira.

– Como estão as coisas, além do resfriado? Está se sentindo bem? A escola não está exigindo muito de você?

– Está tudo ótimo.

– Planos para a faculdade?

– Sim.

Ela pega meu prontuário e clica a caneta. Clique. Clique. Clique.

– E os sonhos?

Penso em mentir, mas já fiz isso hoje.

– Ainda tenho. E me lembro vagamente de ter tido um, hoje de manhã.

– E você ainda acredita que eles sejam mais do que sonhos comuns?

– Sim. – Eu gostaria de poder mentir. Sei o que ela quer ouvir.

Ela assente. Eu não consigo decifrar a expressão dela. Não tenho certeza se é decepção ou descrença.

– Há grupos de apoio que você pode procurar. Alguns que podem até pensar como você.

Quase parece que ela acredita em mim.

– Estou bem assim.

Então percebo que não tenho mais medo de Eric. Talvez seja porque amo o irmão dele. Talvez seja porque tenho mais medo de Jayden Soprano.

Quando saio, Brandy está na sala de espera, roendo as unhas. Ela faz isso quando está nervosa. Eu não achava que me levar ao médico a preocuparia. Sou uma péssima amiga.

Vou até onde ela está. Brandy olha para mim, olhos arregalados, bochechas pálidas.

É um olhar que não tenho visto em seu rosto há muito tempo. É o olhar que ela fazia quando eu estava morrendo. Odeio o que fiz com todo mundo. Mas pelo menos desta vez não é nada. *Desta vez.*

– Estou resfriada.

– Você quase me matou de susto por causa de um resfriado? – ela diz num tom agudo.

Então se levanta e me abraça. A sala de espera lotada nos encara.

– Você vai pegar meu resfriado – sussurro.

– Não ligo – diz ela. – Eu te amo – ela deixa escapar.

– Também te amo – digo, com os olhos marejados.

Quando nos afastamos uma da outra, vejo que todo mundo está olhando. Mas todos estão sorrindo também.

No caminho de volta, mando uma mensagem para Matt, confirmando que estou resfriada, mas me sentindo bem.

Brandy insiste em brincar de babá. Ela me leva para casa, corre até a loja e compra o remédio para resfriado que a dra. Hughes sugeriu e duas latas de canja com macarrão de estrelinhas.

Odeio canja com macarrão de estrelinhas. Mas, quando ela serve, eu tomo pelo menos metade porque ela teve o trabalho de comprar. Tiro a roupa até ficar só de calcinha e com a minha camiseta extragrande e extravelha com a inscrição "Leitora Compulsiva" estampada na frente.

Nós duas nos deitamos na cama. Eu ainda estou um pouco abalada com toda a história da febre e do resfriado. Mas isso melhora quando eu a ouço falar sobre garotos, sexo e formatura. Ela está com medo que deixemos de ser amigas quando ela for para Austin. Ela está com medo que Brian encontre outra pessoa quando ele for para a faculdade no Alabama.

Eu não posso responder por Brian, mas garanto que ainda vamos ser amigas quando nosso cabelo estiver grisalho e nossos peitos chegarem no umbigo. E isso realmente acontece. Eu sei. Vi minha avó sem roupa uma vez. Não é nada bonito.

A uma hora da tarde, a campainha toca e Brandy vai ver quem é. Quando ela retorna, não está sozinha. Matt para aos pés da cama.

– Está se sentindo muito mal?

– É só um resfriado – insisto.

Brandy para atrás dele.

– Ok, quem vai me dizer o que aconteceu com o olho dele?

– Eu corri de encontro a uma parede. – Matt continua olhando para mim como se estivesse preocupado.

– Ooook. – Brandy diz com descrença, mas não pergunta mais nada. – Ele trouxe canja com macarrão de estrelinha. Eu te disse que todo mundo come isso quando está resfriado.

Brandy fica mais um pouco e depois vai para casa. Eu tento convencer Matt a ir também, para que eu possa pensar no que vou contar à minha mãe.

Ele se recusa.

Matt se deita na cama comigo e conversamos sobre coisas triviais. As últimas melhores férias dele, seu filme favorito, as melhores cenas de Harry Potter.

Então percebo o brilho de dor em seus olhos. Ele teve outro sonho? Ou...?

– O que há de errado? – pergunto. – Você teve notícias de Henderson?

– Não. – Ele faz uma pausa. – Ted foi à minha casa ontem à noite. Ele me contou sobre Eric. Também me disse que contou a você.

Eu me sinto desleal por não ter contando antes.

– Ele me implorou para não te contar. Disse que ele é quem deveria fazer isso.

– Eu sei. Tudo bem. Eu... O que Eric disse foi apenas modo de dizer. Ele não ia se matar. Ele não faria isso.

Mordo o lábio. Ele queria que eu o tranquilizasse, e eu queria fazer isso, acredito nele, quase cem por cento. Mas tem uma parte de mim que tem receio de que Ted esteja certo, não tanto sobre Eric, mas sobre mim, tentando fazer Matt seguir em frente. Estou ajudando Matt ou só aumentando o sofrimento dele? Se eu o encorajasse a parar, deixar as coisas como estão, ele faria isso?

– Henderson vai investigar isso a fundo. – Esse é todo o incentivo que eu posso dar agora.

Nós voltamos a conversar sobre coisas sem importância. O remédio para resfriado deve ter me deixado sonolenta, porque depois disso só me lembro de uma voz alta e profunda me arrancando do sono.

Eu abro os olhos.

– O que significa isso? – Papai está parado na porta do meu quarto. Matt está deitado ao meu lado. Ele está levantando a cabeça do meu travesseiro, olhando para meu pai. Devo ter chutado as cobertas e minha camiseta rosa subiu, porque minha calcinha branca está à mostra, para quem quiser ver.

Pego o cobertor para me cobrir.

Papai aponta um dedo para Matt.

– Saia!

Matt se levanta.

– Eu... Eu...

– Não é o que você está pensando, pai! – deixo escapar.

– O que estou pensando é que ele estava na sua cama. Estou imaginando isso?

– Eu estou doente. Fui ao médico. Ele me trouxe sopa. – Eu mostro a tigela de sopa pela metade. O fato de Brandy ter trazido a lata não importa.

A raiva do meu pai desaparece mais rapidamente do que sorvete no verão.

— O que você tem? — Seu medo, a dor familiar, transparece em seus olhos. E me atinge bem no peito, me lembrando quanto eu os preocupei.

— É só um resfriado. Só um resfriado. Fui ao consultório da dra. Hughes. Ela fez um exame de sangue e tudo mais. — Eu espirro no momento oportuno.

— Por que sua mãe não me ligou? — Papai não está mais gritando com Matt, que agora está tão longe da minha cama quanto possível, parecendo ansioso para dar o fora, mas impedido de fazer isso porque papai está bloqueando a porta.

O olhar do papai se desvia para Matt. Meu namorado está desconfortável.

— Estávamos apenas conversando, senhor. Ela dormiu. E eu também.

Papai acena com a cabeça, mas seu olhar vai para as minhas cobertas e eu posso ler a mente dele. *Da próxima vez que você tiver um resfriado e estiver apenas conversando na cama com um cara que te trouxe canja, deve estar completamente vestida.*

Já se passou uma semana e meia. É sexta à noite, para ser mais exata, e ouço a campainha, sabendo que é a pizza que mamãe pediu. Eu me sento, nervosa ao pensar na conversa sobre o jantar que pretendo ter.

Respirando fundo, eu me levanto, olho o meu reflexo no espelho da penteadeira e arrumo o cabelo com os dedos. Precisei usar toda a minha energia para dar um chega pra lá naquele resfriado. Na verdade, acho que ele é que levou a melhor. Mas não me matou. Mas aumentou o meu medo de morrer.

A dra. Hughes estava certa quando disse que ele poderia durar mais do que o normal. Ela também estava certa sobre a mamãe ficar furiosa por eu não ter ligado para ela antes de ir ao médico. Quando ela chegou em casa aquela noite, fez exatamente o que eu estava com medo que ela fizesse: me passou um sermão, começou a esfregar as palmas das mãos nos quadris e ameaçou deixar o emprego.

Eu fiz exatamente o que eu não deveria ter feito. Algo que nunca fiz antes. Explodi. Não foi bonito.

Era como se aquela pressão no meu peito precisasse de uma válvula de escape, e a única maneira que eu tinha de me livrar dela era extravasar. Eu disse que ela tinha que parar de me tratar como se eu estivesse morrendo. Não importava que eu mesma estivesse tentando fazer o mesmo. Disse que papai tinha de aceitar que eu não tinha mais 13 anos e acabaria ficando nua na frente de um cara.

Felizmente, papai, sempre diplomático, embora chateado, fez o papel de árbitro enquanto eu e mamãe estávamos surtando.

Nós acabamos chegando ao acordo de que papai trabalharia em casa enquanto eu me recuperava do resfriado. Mamãe não precisava perder o emprego logo agora que tinha voltado a trabalhar. Eu me desculpei por não ligar para eles quando percebi que estava com febre, embora não estivesse realmente arrependida, e por ameaçar ir embora de casa. Talvez isso tivesse sido um pouco dramático. Não pedi desculpas por estar na cama com Matt.

Não estávamos fazendo nada errado.

Eu ainda culpo a maior parte da minha explosão com meus pais ao fato de estar resfriada. O que era uma chatice. Não que a semana tenha sido um desperdício total. Li quatro livros. Cheguei à marca dos noventa. Isso mesmo!

Brandy veio me visitar todos os dias. E Matt também. No entanto, a parte do acordo em que papai trabalharia em casa significava que as visitas de Matt eram estressantes. Não que Matt reclamasse. E não que papai tenha sido rude; foi apenas curto e grosso. Quando pedi desculpas a Matt, ele disse que não ligava. Nada ia impedi-lo de me ver.

Nós não namoramos, só estudamos. E conversamos. Muito. Acho que sei quase tudo que há para saber sobre Matt Kenner. O desenho animado favorito dele era Pokémon. Sua banda favorita é The Chainsmokers. Ele me contou histórias dele com o irmão.

Percebi que, quando falava de Eric, Matt não apertava mais a mandíbula como fazia antes. Acho que isso é um bom sinal.

Mamãe me chama para jantar. Eu me sento à mesa. Em vez de mergulhar na conversa necessária, mergulho na pizza. E finjo que não estou com os nervos à flor da pele. Finjo que não estou prestes a mentir para os meus pais. Não que eu não tivesse mentido antes. Não sou nenhuma santinha. Já menti para eles várias vezes.

Só não foi uma mentira premeditada. E eu venho premeditando essa a uma eternidade...

– Você realmente gosta de abacaxi na pizza? – pergunta minha mãe.

– Gosto. Não sei por que, mas estou com desejo de comer doce com salgado. – Não que eu esteja sentindo o gosto de alguma coisa agora. – É bom. – Para provar isso, dou outra mordida. Eu estou mastigando. E pensando.

Ah, droga. Tenho certeza de que vou estragar tudo.

Na verdade, estou pensando em dizer a verdade a eles. Dizer a eles que amanhã Matt e eu vamos passar a noite num hotel. Contar aos meus pais – bem, pelo menos para a minha mãe – deveria ser fácil. Ela me levou à ginecologista para que ela me prescrevesse um anticoncepcional. Me comprou camisinhas. Me comprou a pílula.

Ainda assim, a última coisa que quero fazer é contar a ela. Porque tudo em que vou pensar amanhã é nela pensando em mim fazendo sexo. Por isso... não dá pra não mentir.

– Ah! – digo mastigando a pizza como se falar com a boca cheia tornasse a mentira mais fácil. – Amanhã vou dormir na casa de Brandy.

Pareci culpada? Merda, merda! Pareci culpada!

– Você não vai sair com Matt? – mamãe pergunta, com a sua expressão de mãe preocupada.

– Ela não precisa sair com Matt – diz o meu pai, parecendo satisfeito. Se ele soubesse...

– Provavelmente vamos todos juntos ao cinema – disparo outra mentira e começo a perseguir um cogumelo solitário no meu prato. Quando consigo pegá-lo, espeto-o com o garfo.

– Parece divertido – diz minha mãe. – Seu pai e eu vamos jantar nos Benson.

Eu engulo o cogumelo, depois persigo outro e o pego com o garfo. Então empurro meu prato para longe.

– Preciso ajudar com a louça?

– Não, você lavou os pratos da última vez – diz ela. – É a vez do seu pai.

Papai sorri.

– Ela pode lavar se quiser.

– Não quero tirar essa alegria de você. – Eu forço um sorriso.

Agora com a mentira completa, posso ir para o meu quarto e começar a ter o meu ataque de pânico programado, por planejar passar a noite com Matt.

34

— Vou pescar com Ted este final de semana, em Galveston. — Matt senta-se com a mãe para conversar, sexta à noite, quando ela retorna do grupo de apoio para pessoas em luto. Mentir sempre lhe parece difícil, mesmo quando ele não pretende fazer nada errado.

Mas, pensando bem, não é apenas a mentira que o está deixando nervoso. É o final de semana. Por mais empolgado que ele esteja, por mais excitado que esteja, ele está nervoso. Matt quer que a noite de sábado seja perfeita.

— Isso é bom. Você não tem feito isso há um bom tempo.

Isso é verdade. Ele engole em seco. Sabe que a mãe não se referiu ao que ele está pensando, mas ainda assim a frase mexe com ele. Se o ditado "a prática é amiga da perfeição" for verdadeiro, ele está em apuros. Faz dezoito meses que ele não faz sexo. E não tem certeza nem mesmo de que fez tudo certo antes. Jamie nem sempre parecia gostar tanto quanto ele.

E ele realmente quer ter certeza de que Leah vai gostar.

A mãe se levanta e abre a geladeira.

— Quer um sanduíche?

– Não, comi um hambúrguer. – Ele vira a lata de refrigerante em suas mãos. A condensação deixa as palmas das mãos úmidas. Ou será que são seus nervos?

Tentando afastar esses pensamentos, Matt olha para ela.

– Você não saiu para jantar?

– Sim, algumas pessoas do grupo de apoio se reuniram para jantar. Mas eu geralmente estou muito comovida depois da reunião e nunca como muito.

Matt a observa tirar da geladeira o vidro de maionese e o rosbife.

– Mas está ajudando, certo?

– Sim. Estou melhor do que antes. – Ela pega uma faca e começa a espalhar maionese no pão. Ela volta a olhar para ele.

– Às vezes me sinto culpada porque estou melhor.

– Sei como é – diz Matt. Ele também anda passando por isso. Uma parte dele se sente feliz quando perambula por aí pensando em Leah; mas existe a outra parte. – Eu percebo que estou feliz e depois me sinto mal por isso.

O fato de não ter tido sonhos ultimamente é bom, porque ele está dormindo melhor. Mas ainda havia aqueles momentos estranhos, como quando pega o menu de *milkshakes*, na lanchonete que Eric e ele frequentavam.

O detetive Henderson ligou para ele ontem com boas notícias. Confirmou que Jayden tem um registro policial. Eles não estão reabrindo oficialmente o caso ainda, mas ligaram para obter um depoimento de Jayden. Foi quando Henderson descobriu que Jayden estava com o pai na Flórida. Matt foi um pouco insolente e garantiu para o detetive que Jayden não voltaria. Henderson assegurou a Matt que ele já tinha ligado e falado com o pai de Jayder.

Paciência.

– O terapeuta diz que é normal. Temos que continuar – diz a mãe dele. – Ele prometeu que vai ficar cada vez mais fácil.

Matt concorda e decide ser sincero.

– Mãe, fui ver o detetive Henderson outra vez.

Ele espera ser repreendido, ouvi-la dizer que ele tem que aceitar as coisas como são. Em vez disso, ela coloca um pedaço de rosbife no pão e ele se pergunta se ela ouviu o que ele disse. Matt começa a repetir quando a mãe olha para ele.

– Eu sei. O detetive Henderson me contou.

Ele engole a surpresa. Ela também sabia a verdade sobre o olho roxo, que só agora estava começando a desaparecer?

– Por que... por que você não me contou?

– Estava tentando discernir como me sinto sobre isso. – Ela traz o sanduíche para a mesa e se senta. Seus olhos verdes estão com uma expressão indecifrável.

– E como você se sente? – *Ele realmente quer saber?*

– Com medo – diz ela.

– Com medo por quê? – pergunta ele.

– Com medo de acreditar. Quero tanto acreditar que o Eric não...

– Ele não fez isso, mãe. Eu sei.

– Espero que seja verdade. – Ela respira fundo. – Mas, então, quando penso que alguém fez isso com ele, fico furiosa. E percebo que não posso deixar que esse sentimento me consuma também.

– Eu sei – diz ele. Então ele se lembra do que Ted contou a respeito de Eric, aquela noite. Foi a primeira vez que Matt realmente sentiu uma dúvida. Mas, quando ele tentou imaginar Eric puxando o gatilho, sabendo como isso afetaria a mãe e o irmão, Matt afastou a dúvida para longe. Ele sabe que Jayden Soprano matou o irmão.

Quando olha para a mãe, ela o está observando novamente. Ela se inclina e coloca a mão na dele.

– Não importa o que aconteça, vamos ter que continuar vivendo.

– Estou fazendo isso. – Ele toma um gole de refrigerante.

Ela se remexe na cadeira.

– Eu sei. Vejo você sorrindo mais. E não posso deixar de me perguntar se não é por causa da esquiva e misteriosa Lori.

– Pode ser – diz ele, mas lá no fundo ele sabe que esse é o mais ridículo eufemismo que já saiu da sua boca este ano. "Lori" é a maior razão por que ele está se sentindo tão bem.

– Quero conhecê-la – diz a mãe.

– Tudo bem. – Isso é uma preocupação para outro dia. Como será que sua mãe vai reagir quando descobrir que Leah está com o coração de Eric?

Sábado vou de carro até a casa de Brandy e estaciono na entrada para carros. Os pais dela estão fora este fim de semana, o que torna este momento perfeito. Exceto pelo fato de que Brian está hospedado lá.

Não gosto da ideia de incomodar a privacidade dos dois. Mas Brandy insistiu que eu aparecesse ao meio-dia para que pudéssemos conversar, antes que Matt chegasse para me buscar. Ele não me disse exatamente aonde estamos indo, exceto que será em Galveston.

Estou uma pilha de nervos. Mais por causa da minha cicatriz do que pelo sexo em si, provavelmente. Continuo vendo Brandy se assustar ao ver a linha vermelha no meu peito e imagino como Matt vai reagir. Espero que não se assuste.

Agarro o volante e respiro profundamente para acalmar os nervos.

– Não vai entrar?

Tomo um susto e pulo no assento, depois vejo Brandy – ainda vestindo seu pijama velho –, em pé, na janela do meu carro. Eu me pergunto se é isso que ela usa quando dorme com Brian. Eu estou levando uma calça de pijama, mas também tenho um short mais sexy e justo que combina com a regata de cetim rosa que planejo vestir na hora de ir para a cama... e continuar com ela.

– Sim. – Saio do carro e já pego minha mochila para não ter que voltar para buscá-la quando Matt chegar.

– Você está bem? – Brandy pergunta.

A garota me lê como um detector de mentiras.

– Tudo bem. – Percebo que o carro de Brian não está estacionado ali.

– Onde está Brian?

Ela sorri.

– Pedi que saísse para conversarmos. Eu sabia que você estaria nervosa.

– Quem dera você não estivesse certa...
Ela pousa a mão no meu ombro.
– Vai ser demais, pode acreditar.
Nós nos esparramos no sofá para conversar e esperar Matt. Brandy começa me dando dicas sobre o que os caras gostam na cama. O papo logo fica realmente estranho. E passa a ficar engraçado mais rápido ainda.

Acabamos rindo tanto que esqueço que estou nervosa. Mas volto a me lembrar no segundo em que a campainha toca e deduzo que provavelmente é Matt.

Brandy me dá um abraço de melhor amiga. O tipo de abraço que só se recebe de amigos de verdade.
– Não se preocupe.
Pego minha mochila e vou até a porta encontrar Matt. O beijo dele é mais do que apenas um rápido olá. Isso basta para eu saber quanto quero estar com ele. Eu o amo. Sei disso sem sombra de dúvida. Quando o beijo carinhoso e quase sensual termina, ele percebe que estou com a minha mochila e a tira do meu ombro.
– Está pronta?
– Sim. – Despedimo-nos rapidamente de Brandy e vamos para o carro dele.

Quando nos acomodamos no banco, ele olha para mim.
– Deixei meu celular em casa. Você se importa se passarmos lá para pegar?
– Não.
No caminho rápido até a casa dele, conversamos sobre Lady, que certamente vai sentir falta dele, e sobre a prova de matemática que fizemos ontem.

Quando ele para na frente de casa, diz:
– Entre. Minha mãe não está.
Tenho um sentimento estranho quando ele diz "minha mãe não está". Ocorre-me que ele não me apresentou à mãe dele. Não que eu esteja preocupada. É só... esquisito.
– Tudo bem, vou aproveitar para ir ao banheiro antes de pegarmos a estrada.

Eu o sigo para dentro. Lady corre na minha direção, todo o seu corpo se contorcendo de alegria. Matt vai até a cozinha e faz um gesto me indicando o banheiro.

– Achei que meu telefone estivesse na mesa da cozinha. Provavelmente esqueci no bolso da outra calça. – Ele sai à procura do telefone.

Vou para o banheiro. Lady fica do lado de fora da porta choramingando.

Um minuto depois, saio do banheiro. É quando ouça a porta da frente se abrindo e se fechando. Congelo. Uma mulher entra na cozinha. Nossos olhos se encontram.

– Oi – eu digo. Ela é loira e tem olhos verdes, bonitos. Não se parece nem um pouco com Matt, mas de alguma forma sei que é a mãe dele.

– Matt está... procurando o celular.

Ela sorri.

– Sou a mãe de Matt. Você deve ser a misteriosa Lori.

Não.

– Hã...

Ela deixa a bolsa sobre a mesa e se aproxima. Acho que vai me abraçar, mas no último minuto parece que desiste e abaixa os braços.

– Matt fala de você. Você... tem feito bem a ele. Eu te agradeço por isso.

Eu assinto.

– Ele tem feito bem para mim também.

Passos soam quando Matt entra.

– Encontrei... – Seu olhar se fixa na mãe e depois em mim. Ele arregala os olhos como se estivesse em pânico.

– Oi, querido. Acabei de me apresentar a Lori.

Matt acena com a cabeça, seu olhar se desvia para mim.

– Tá.

– Gostaria de beber alguma coisa? – A mãe dele oferece. – Tenho chá, Coca-Cola...

– Não – Matt fala. – Estávamos... tenho que deixá-la em casa e ir para a casa de Ted.

A mãe parece desapontada.

– Bem, a gente conversa outro dia. Logo. – Ela lança um olhar maternal para Matt e se vira para mim.

– Lori, peça para ele te trazer aqui outras vezes.

Mal tenho tempo para me despedir, pois Matt pega minha mão e me leva para fora.

– Desculpe – diz Matt, antes mesmo de entrar no carro.

– Pelo quê? – pergunto.

– Você não estava preparada.

Hã?

– Para que eu teria que estar preparada? Ela parece simpática. – Entramos no carro.

– Ela é. Ela só... Por um tempo, foi meio imprevisível.

– Ela parece bem agora. – Eu sorrio. – Embora tenha confundido meu nome. – Eu olho para ele. – Você costumava sair com uma garota chamada Lori?

– Não. – Ele sai da rampa e parece tenso.

Não me ocorreu que Matt pudesse ficar nervoso com isso, por estarmos juntos. Eu meio que gosto que ele se sinta assim.

São quatro horas quando Matt estaciona no hotel. Ele precisa contar a Leah a verdade. Por que ele está preocupado com o fato de a mãe conhecê-la, mas... parece estranho, ou errado.

Enquanto vai pegar as chaves do quarto, Leah espera do lado de fora. Ele está com a carteira de motorista falsa que Eric fez para eles. Matt nunca tinha usado, mas agora está feliz que o irmão tenha arranjado uma, pois só maiores de 18 anos podem reservar um quarto de hotel e ainda faltam alguns meses para ele completar 18.

Matt dá boa-tarde para a funcionária e pega a carteira de motorista para provar que tem 21 anos, rezando para que não haja nenhum problema. Todo o final de semana vai estar arruinado se não conseguirmos nos hospedar.

A mulher sorri, dá as boas-vindas a ele, entrega o cartão do estacionamento e as chaves do quarto.

Ele corre de volta até Leah. Entra no carro e sorri para ela. Ela sorri de volta. Dá para perceber que ela está nervosa. E ele espera que consiga deixá-la mais calma. E que consiga se acalmar também.

– Pensei em levar nossa bagagem para o quarto, depois ir à praia. Trouxe um cobertor para não passarmos frio.

– Parece ótimo.

Ela olha do outro lado da rua, que dá para a praia.

– Acho que o clima não podia estar melhor.

– Tive uma conversinha com São Pedro – diz ele, brincando.

Dez minutos depois, eles estão sentados no cobertor, ouvindo o barulho das ondas se quebrando na areia. O vento está soprando, um pouco frio, mas não a ponto de deixá-los desconfortáveis. Eles estão de jaqueta, mas o sol, baixo no céu agora, ainda esquenta um pouco.

Leah está fitando as ondas e ele a observa. O cabelo castanho esvoaça com o vento. Ela parece tão despreocupada. Tão bonita. Ele pega o celular e tira uma foto dela.

Leah olha para ele e ele tira outra.

– Meu cabelo está uma bagunça.

Ela pega um punhado de cabelos e joga para trás.

Ele tira outra foto e acrescenta:

– Não, está lindo.

Ela se aconchega a ele e olha para o oceano.

Então Matt tem um daqueles momentos de que ele e a mãe falaram na noite passada. Em que ele se sente feliz e privilegiado, mas em seguida é assaltado por uma onda de culpa porque Eric não pode ter o mesmo.

Então ele se lembra de quantas vezes Eric lhe disse: *Ei, papai não ia gostar de nos ver andando deprimidos por aí. Temos que continuar vivendo.*

Eric também não ia gostar de vê-lo deprimido.

Quando Leah olha para ele, ela está sorrindo de novo.

– Esta paisagem é linda! – diz ela. – Obrigada. Fazia muito tempo que eu não vinha à praia. Tinha esquecido quanto adoro. O som é... como música. A maresia. Até a areia.

Ela corre os dedos pela areia. Ele se inclina, afasta o cabelo dela dos olhos e a beija.

– Eu gostaria que fosse uma praia do Havaí ou alguma outra praia famosa. Você merece algo exótico. Uma paisagem perfeita.

– Isso é perfeito! – Ela volta a olhar para as ondas. – Devíamos ter trazido os detectores de metal. Quem sabe a gente não encontrava um tesouro.

– Eu já encontrei um – diz ele. – Você.

Leah olha para ele e, desta vez, ela o beija. Um beijo doce, mas sexy, lembrando-o do que os aguarda mais tarde.

Quando o beijo termina, eles se reclinam sobre o cobertor. Ele envolve a cintura de Leah com os braços, as costas dela pressionadas contra ele, e os dois ficam contemplando a água e as ondas.

O cabelo dela ocasionalmente voa sobre o rosto dele. Ele não se importa.

Eles conversam sobre tudo e sobre nada, especificamente. Filmes que se passam na praia. Livros em que os personagens moram na praia. As praias que conhecem.

No céu, pelicanos e gaivotas passam voando. Algumas aves aquáticas andam pela areia, esquivando-se das marolas, que sobem e descem.

Ele beija a parte de trás do pescoço dela.

– Você tem um gostinho salgado.

– Desculpe – diz ela.

– Eu gosto. – Ele beija o pescoço dela novamente.

Ela ri como se sentisse cócegas. É o som mais doce do mundo. Ele fecha os olhos e enterra o rosto no cabelo dela, que agora tem cheiro de fruta e maresia. A emoção enche seu peito.

Felicidade e... amor. Ele ama Leah McKenzie. Nunca teve tanta certeza de algo. Mas tem receio de que seja muito cedo para declarar isso. Então decide manter esse sentimento para si por enquanto.

Eles ficam ali, aconchegados nos braços um do outro, cercados pela areia, pelo mar e por um sentimento mágico de que nada na vida pode dar errado. Não que Matt acredite nisso – muito na vida dele já deu errado –, mas este momento é perfeito e ele quer celebrar isso.

De vez em quando alguém passa por eles, mas isso não desfaz a sensação de que não existe mais ninguém no mundo além deles.

O tempo passa, mas eles não se mexem. O sol começa a se pôr e tudo é banhado por uma luz dourada. Eles assistem enquanto o céu ganha matizes rosa e púrpura, em seguida começa a ficar azul-escuro.

O tempo esfria, e eles apenas se aproximam mais, até o dia se transformar em noite.

Ela vira o corpo e olha para ele, tocando sua bochecha. A emoção preenche os olhos dela.

– Estou muito feliz por não ter perdido tudo isso. Eu poderia ter... partido e não me lembrado mais de como é a praia, o cheiro de maresia ou o barulho do mar... Eu poderia ter morrido sem saber como é estar aqui com você.

As palavras o emocionam e, ao mesmo tempo, o assustam.

– Você não vai morrer. Recebeu o melhor coração do mundo.
– Então ele a beija.

Depois de ficarmos todo sentimentais na praia, Matt e eu vamos para o restaurante ao lado do hotel. Procuro aproveitar cada momento, dizendo a mim mesma que até o nervosismo é um rito de passagem, assim como cabular aula.

Percebo todas as outras coisas que deveriam estar na minha lista de coisas para fazer antes de morrer: me apaixonar, ficar deitada na praia, contemplar o oceano por horas, cabular aula e fazer amor com a pessoa que deixou o meu mundo muito mais bonito.

Matt deixou o meu mundo mais bonito. Eu o amo, mas quero que ele diga isso primeiro.

Pedimos camarão frito no óleo de coco, batatas fritas e legumes cozidos no vapor. Pedimos só um prato, porque nenhum de nós dois está com muita fome. Mas, quando o camarão chega, está quente, crocante e um pouco doce. Eu como mais do que eu pensava que comeria.

Voltamos para o hotel de mãos dadas. Subimos até o oitavo andar de mãos dadas. Entramos no quarto, que é grande e decorado com uma mobília cara, de mãos dadas.

Já tínhamos entrado no quarto para deixar a bagagem, mas é como se estivesse entrando ali pela primeira vez.

As duas mochilas estão aos pés da cama. Uma cama enorme. Ofereço-me para pagar metade da diária, mas Matt se ofende.

– Não precisa...

Ele me cala com um beijo. Quando se afasta, diz que vai tomar um banho para tirar a areia dos ouvidos. Pega uma roupa e vai para o banheiro. O clique da porta se fechando ecoa no quarto. Não consigo evitar e o imagino tirando a roupa.

Pego minha *necessaire*, o short sexy e a regata e espero que ele termine para que eu possa entrar no chuveiro. Sentada na beira da cama, uma cama alta, meus pés balançam a alguns centímetros do tapete. Me sinto pequena.

Ouço o barulho da ducha.

Na minha cabeça, eu o vejo novamente. A água escorrendo pelo corpo.

Mesmo nervosa como estou, sinto uma espécie de eletricidade com a expectativa.

Tento não pensar na minha. Em seguida penso nela. Entro em pânico e ensaio o que vou dizer a ele quando tentar tirar a minha blusa.

Ele desliga o chuveiro. Respiro fundo algumas vezes. Ele sai; uma nuvem de vapor escapa do banheiro atrás dele. Ele está vestindo apenas uma cueca boxer azul-marinho. Mais nada. Ainda há algumas gotas de água escorrendo pelo tronco. Seu cabelo parece mais escuro, seu peito mais largo. Ele parece mais velho. De repente me sinto jovem demais. Ou talvez não tão jovem, só inexperiente.

Escorrego pela cama até pisar no chão.

– É minha vez.

Ele fica na minha frente e me beija. Está quente e cheira a sabonete de hotel. Eu o beijo agora. Então me afasto.

– Eu preciso...

– Tudo bem. – Ele se afasta. Entro no banheiro cheio de vapor e com o mesmo aroma que Matt. Fecho a porta e começo a virar a tranca, mas paro. Não porque tenha receio de que ele possa ouvir a tranca e achar que aquilo signifique alguma coisa. Isso não significa nada. Exceto que estou com medo. Com medo de que ele me veja nua.

Sinto o sangue correndo pelas minhas veias. Tiro a roupa, entro no chuveiro e deixo a água quente bater nos meus ombros. Por fim, sabendo que está na hora, eu saio. Me seco com a toalha branca macia e visto a regata cor-de-rosa e o short em tons pastéis de azul e rosa.

Escovo os dentes enquanto canto em voz baixa "Feliz aniversário" para calcular o tempo da escovação; depois penteio o cabelo e só então me olho no espelho enevoado.

Eu posso fazer isso. Não, eu quero fazer isso.

35

Virando-me para a porta, lembro-me de como Matt saiu confiante do chuveiro e tento fazer o mesmo.

Ele está sentado na cama, encostado na cabeceira. Há uma música suave tocando, vindo do celular dele. Sinto os olhos dele sobre mim. Ele nunca me viu com tão pouca roupa. E estou ciente de todos os centímetros de pele nua que ele está observando. Estou ciente do contorno dos meus seios sob a regata, sem o sutiã. Estou ciente do short justo nas minhas coxas.

Vou para a cama e me sento ao lado dele. Nossos braços se tocam. Ele baixa a cabeça e seus lábios roçam o meu ombro nu.

– Você está tão... quente.

Eu sei o que ele quer dizer, mas digo para provocar:

– A água estava muito quente.

Ele ri.

Então deixo escapar:

– Nunca fiz isso antes. Posso não fazer direito.

Ele tira um fio de cabelo molhado da minha bochecha.

– Estou meio nervoso também. Mas acho que vamos nos entender.

Ele me beija. E em poucos minutos estamos estendidos na cama. Estou de costas, ele está apoiado no cotovelo. Sua perna nua está encostada na minha perna nua. Estou deliciada com a sensação da pele dele contra a minha. Quão bom é sentir a palma da mão dele sobre o meu abdome nu. Não há um centímetro do corpo dele que não tenha músculos.

Ele me beija; sua mão escorrega pelo meu antebraço e vai parar na minha cintura.

– Me diga se... não gostar de alguma coisa.

– Até agora, estou gostando... – E saboreando cada arrepio, cada toque.

Ele sobe a mão, pega na barra da minha regata e começa a levantá-la. Eu seguro a mão dele, puxo-a para meus lábios e beijo sua palma. Ele olha para mim.

– Eu... Eu prefiro ficar com a regata...

Seus olhos castanhos, cheios de ardor, me fitam através dos cílios escuros. Ele se apoia no cotovelo e me estuda enquanto fico ali, deitada de costas.

Sinto um gelo no meu estômago, mas não é uma sensação muito boa...

– Eu... tenho uma cicatriz. Engulo em seco. – Vai desaparecer com o tempo. Mas agora está... Não está muito bonita. – Mordo o lábio.

Ele coloca um dedo sobre os meus lábios, o toque tão suave que mal posso senti-lo.

– Não me importo com a cicatriz. Eu me importo com você.

O dedo dele desliza pelo meu queixo, segue pelo meu pescoço e para sobre a regata, exatamente onde começa a cicatriz.

– Mas se isso deixa você mais à vontade, tudo bem.

Faço que sim com a cabeça.

Ele continua falando.

– Mas eu tenho uma cicatriz feia na perna de um dia em que estava andando de skate e caí em cima de uma garrafa quebrada. Será que é melhor eu calçar a minha meia?

Sei o que ele está tentando fazer, mas...

– É diferente.

— Não é. — Ele se senta e apoia as costas na cabeceira da cama. Então dobra o joelho e mostra para mim.

A cicatriz tem cerca de vinte centímetros de comprimento e é em zigue-zague. E é muito mais feia do que a do meu peito. Ele pega minha mão e a passa sobre a pele marcada.

— É só uma cicatriz. — Ele abre um meio sorriso. — Eric sempre teve inveja dela. Dizia que essa cicatriz era demais. Fazia com que eu parecesse um cara durão.

Ele faz uma pausa e começa a falar de novo.

— Você sabia que, em algumas culturas, as cicatrizes são vistas como uma prova de coragem? — ele hesita. — Não vejo a minha assim. Mas e a sua? Ela, sim, é uma prova de coragem. Nunca conheci ninguém que tenha passado pelo que você passou e acho que foi preciso muita coragem. O dia em que fui à sua casa pela primeira vez, você parecia tão... vibrante.

— Não fui corajosa — digo. — Só não tive outra escolha.

— Sempre temos outra escolha.

Não sei se foram as palavras dele, o jeito carinhoso como está me olhando ou algo dentro de mim que diz que, para isso dar certo, para que seja perfeito, não posso dar para trás. Não posso me esconder.

Isso, estar aqui com ele, não tem a ver simplesmente com o ato de me despir. Tem a ver com me libertar dos meus medos, das minhas fragilidades. Tem a ver com confiança.

Eu me sento na cama, seguro a barra da regata e a puxo pela cabeça. Me sinto corajosa e tímida ao mesmo tempo. Mas também vibrante. Como se fosse a primeira vez que estou vivendo de verdade, ao vivo e a cores. Talvez isso seja amadurecer.

Ou talvez eu esteja deixando a Antiga Leah para trás e assumindo de vez a Nova Leah.

Matt respira fundo, mas de um jeito bom.

— Você é surpreendente!

E não tem nada na voz, nos olhos ou na expressão dele que me diga que está mentindo.

Matt me faz deitar outra vez no colchão e aperta os lábios contra o alto da cicatriz. Lentamente seu beijo vai descendo.

Não sinto mais a cicatriz. Apenas o suave toque dos seus lábios na minha pele. Pela primeira vez desde que me disseram que meu coração estava morrendo, não me sinto como se fosse defeituosa.

Eu me sinto perfeita. Me sinto linda. Me sinto normal.

Segunda de manhã na escola, estou esperando Matt em frente ao meu armário.

Ele me deixou na casa de Brandy por volta das três, ontem. Nós nos falamos por telefone por cerca de três horas na noite passada. Três horas incríveis.

Estou com os olhos na multidão, procurando o rosto dele. Esperando para sentir aquela alegria súbita.

Acho que finalmente encontrei o lado negativo de fazer sexo com Matt. Estar com um garoto dessa maneira faz com que eu queira estar com ele o tempo todo. Senti tanta falta dele ontem à noite e hoje de manhã que meus ossos doíam.

Eu o vejo, por fim, caminhando na minha direção, e o sorriso dele é tão largo quanto o meu. Há um brilho em seus olhos que não sei se já vi antes. Eu me pergunto se todo mundo pode perceber que fizemos sexo só olhando para nós. Ele passa o braço à minha volta e me beija. Não é um beijo muito longo, mas não é tão breve também.

– Bom dia! – diz ele.

– O dia só não é tão bom quanto foi ontem – digo.

– Fale-me sobre isso.

De mãos dadas, as palmas se tocando, andamos até o armário dele para pegar seu livro de ciências. Ouço o celular dele tocando.

Ele pega o aparelho rapidamente e encontra um vão entre os armários para atender à chamada. Eu fico ao lado dele e de repente percebo que dia é hoje. Segunda-feira. O dia em que o detetive Henderson vai falar com Jayden Soprano.

– Alô! – Matt responde, escuta e depois franze a testa. – Não, não vendi ainda. Mas já disse que não vou baixar tanto o preço. – Ele faz uma pausa. – Certo. Mas, se não está disposto a pagar o que estou pedindo, por favor não me faça perder tempo.

Eu sei que é sobre os carros que ele está vendendo. Quando eu estava resfriada, Matt mostrou seus carros a cerca de oito pessoas na zona vigiada por câmeras da delegacia de polícia. Todas tentaram fazer com que ele baixasse o preço. Ele se recusou a vendê-los. Eu me pergunto se o dinheiro é de fato a principal razão. Ou é o fato de que os carros pertenciam ao pai e ao irmão.

– Ok. – Matt aperta minha mão. – Ligue para mim quando decidir.

Olho para ele quando desliga o celular.

– E aí?

– É o cara de Houston. Ele quer ver o carro do meu irmão novamente. Já é a terceira vez. Só para ter certeza de que não está pagando muito. O carro rodou menos de dois mil quilômetros.

– Você não tem que ligar para o detetive Henderson hoje? Ou é ele que vai ligar para você?

– Ele disse que me ligaria. Mas se eu não tiver notícias dele até as quatro da tarde, vou ligar.

Eu me aproximo dele e o abraço.

– Estou bem – diz ele, sentindo a minha preocupação.

– Certo – eu digo, mas sei que ele não está. Não vê a hora de falar com o detetive Henderson. Esperando um desfecho para o caso e justiça para Eric.

Como a mãe de Matt está trabalhando, depois da aula vamos para a casa dele tirar Lady do cercadinho e estudar. Nós três acabamos na cama de Matt. Uma hora depois, mal começamos a estudar quando a campainha toca.

Matt salta da cama e veste a camisa. Eu me certifico de que minhas roupas estão no lugar e o sigo até a porta, para que ninguém me veja no quarto dele.

Sento-me no sofá com nossos livros e Matt abre a porta.

— Descobriu alguma coisa? — Matt diz. Levanto os olhos e vejo um homem na porta.

Percebo que é o detetive Henderson.

— Posso entrar? — ele pergunta.

— Sim. — Matt abre a porta. — Eu já ia ligar pra você.

O detetive olha para mim.

— Eu sou Leah — digo.

— Prazer em conhecê-la. — Ele entra e se senta numa das poltronas. Então volta a olhar para Matt, como se sugerisse que ele fizesse o mesmo.

É quando deduzo que ele não tem boas notícias. Eu sinto isso. É como se uma nuvem escura pairasse sobre ele.

Meu estômago se contrai e eu coloco os livros na mesinha de centro.

Matt se senta ao meu lado. Posso ver pelo jeito dele que suspeita do mesmo que eu.

— O que você descobriu? — pergunta ele.

O detetive suspira.

— Jayden Soprano não tem culpa de nada, Matt.

— Só porque ele disse isso! Você acredita nele? O que esperava, que ele confessasse? — Matt dispara. Sua postura é um grito de dor. Meu peito dói.

— Não. — O tom do detetive é calmo, direto, mas ainda cauteloso. — Ele não estava na cidade. Jason e a madrasta tiveram uma briga feia e ele foi para Nova York, ficar com a mãe. Falei com a mãe dele; ela confirmou tudo. Ele até levou uma multa por excesso de velocidade no dia em que Eric foi baleado.

Matt fica parado, olhando para o detetive, com os punhos cerrados. A postura rígida. Ele parece abatido, abandonado, sozinho.

Mas não está. Eu estou aqui. Vou ficar ao lado dele. Tento lhe dar a mão, mas ele não a pega.

— Eric não se matou! — ele diz ao detetive.

O detetive Henderson se levanta.

— Lamento ter te dado falsas esperanças. Eu realmente pensava...

— Não são falsas esperanças! – grita Matt.

— Matt, sei que acredita nisso. E, vai saber, talvez ele não tenha mesmo se matado, mas não há nenhuma prova de que não fez isso. E isso está te consumindo. Você prometeu que iria deixar isso tudo para trás.

Quando o detetive sai, Matt está arrasado. Tento convencê-lo a dar uma volta com Lady, mas ele não quer.

Quando tento abraçá-lo, ele se afasta e diz que quer ficar sozinho. Começo a argumentar, mas me lembro dos momentos em que eu estava doente no hospital e pedia aos meus pais que saíssem do quarto. Na maioria das vezes, eles não atendiam ao meu pedido. E eu precisava ficar sozinha.

Então aperto a mão dele e vou embora.

Mas não deixo de lamentar por ele. Ligo para Matt à noite, mas ele não atende. Alguns minutos depois, recebo uma mensagem: *Só preciso de um tempo.*

— Você está bem? – A mãe dele pergunta.

Matt ergue os olhos e vê a mãe parada na porta do quarto de Eric.

Depois que Leah foi embora, ele se forçou a entrar no quarto do irmão. Nem sabia muito bem por quê. Precisa estar o mais perto possível de Eric. E não há um ponto do quarto de Eric em que Matt não possa vê-lo. Sentado em sua escrivaninha, fazendo a lição de casa; deitado na cama jogando Gameboy ou brincando de jogar para cima a bola de futebol e pegá-la de volta.

A mãe entra e se senta ao lado dele na cama.

— Você chegou cedo – diz ele.

— O detetive Henderson me ligou.

— Eu não posso aceitar, mãe.

Ela coloca um braço em volta dele. Matt ouve seus próprios soluços antes de perceber que está chorando. Ela o abraça com mais força.

Ele se recompõe e se senta.

— Eric sabia o que isso faria conosco.

— Filho, eu não quero acreditar também. Juro que não, mas...
— Ela respira fundo. – Logo depois que seu pai morreu, eu fiquei assim

também. Fiquei tão deprimida, Matt... Tão deprimida que perdi a noção de quem eu era. Esqueci que eu tinha vocês dois para cuidar.

– Mas você não se matou. – Ela o abraça novamente, e ele a ouve respirar fundo.

– Eu pensei nisso. E sinto muito por isso.

Matt olha para ela. Ela fala de novo.

– Peço a Deus que você nunca fique deprimido assim, mas, como eu já fiquei, compreendo por que Eric pode ter feito o que fez.

Hoje é sexta-feira. Os últimos dias foram normais. Nós nos encontramos todos os dias depois da aula e fomos para a casa dele ou para a minha. Percebo que Matt está tentando aceitar as coisas, mas ainda está sofrendo. Posso sentir isso quando o toco, quando ele me toca. Quando olho nos olhos dele. O que ele está sentindo é tão intenso e profundo que não posso fazer nada para ajudá-lo.

Matt e eu temos um encontro hoje à noite. Mas ele tem outro compromisso com uma pessoa interessada em comprar o carro do irmão e provavelmente não vai chegar antes das oito. Sei que até mesmo vender o carro vai ser difícil para ele.

Quando estou voltando de carro para casa, meu estômago ronca, minha boca fica cheia d'água e me lembro que mal toquei na comida na hora do almoço. De repente sei o que estou com vontade de comer. Passo direto pela entrada do meu bairro e vou para o Desai Diner, comer frango na manteiga.

Eu me sento numa mesa nos fundos e o mesmo garçom, Ojar, vem me atender. Tenho quase certeza de que ele é o dono.

– O de sempre? – pergunta ele.

– Sim, obrigada.

Pego um livro na bolsa e leio enquanto espero minha refeição. A comida chega, eu como sem parar de ler, absorta na história de uma garota cujo namorado descobre que tem câncer. É triste, mas não consigo parar de ler. Não sei bem se é realmente um livro bom.

Talvez o assunto – gente morrendo – seja tão familiar para mim que prenda a minha atenção.

Depois de alguns capítulos, a emoção inunda o meu peito. Ela é tão forte que eu paro de ler. Talvez eu não esteja pronta para ler sobre isso.

Fico sentada ali, brincando com um pedaço do frango no prato, mas não como mais nada. Bebo minha água, deixo o dinheiro para pagar a conta e vou embora. Estou quase na porta quando percebo que a emoção não era por causa do livro.

Sentada sozinha, do outro lado do restaurante, está Cassie. Considerando que não tenho sentido emoções estranhas nem sonhado há quase três semanas, achei que não iria mais sentir Eric. Então não posso deixar de me perguntar se foi Eric quem me trouxe aqui agora.

Vejo quando Ojar leva a comida para Cassie e volta para trás do balcão. Ela está olhando para o prato e não me vê – o que é bom, porque provavelmente ainda pensa que Matt e eu a estamos perseguindo. Começo a me afastar, mas tudo dentro de mim diz que algo está errado.

Não, não tudo. Meu coração diz que algo está errado. Eric diz que algo está errado.

Ah, dane-se... Quanto tempo vai levar até eu receber a primeira advertência oficial por perseguição? Vou até a mesa de Cassie.

Ela olha para mim. Eu começo a me apresentar, mas então ela arregala os olhos.

– Ah, maravilha. Agora você está me seguindo também.

– Não. Eu estava aqui antes de você. Mas já que nos encontramos...

– Então dá o fora, ok? E fique longe de Jayden. Ele me disse o que você fez.

Engulo em seco. Meu bom senso diz que eu deveria ir embora, e tento fazer isso. Eu me viro, mas não consigo me mexer.

Algo dentro de mim não me deixa ir.

Eu me viro e me sento na cadeira em frente a ela.

– O que você quer? – Cassie pergunta.

– Eric amava você. Ele ainda ama – eu digo, porque acho que ele quer que eu diga.

Não era isso que ela esperava ouvir. A surpresa faz com que se recline contra o encosto da cadeira.

– É por isso que dói tanto. – Ela olha em volta. – Só agora consegui voltar a este restaurante. Vínhamos aqui o tempo todo. Era o restaurante favorito dele.

– Eu sei.

Ela pousa o garfo no prato. Vejo que pediu frango na manteiga.

– Você pediu o prato favorito de Eric – constato.

Ela me olha.

– Você é a garota que ele namorou quando rompemos?

– Não. – *Eu sou a garota que está com o coração dele.* – Estou namorando Matt, mas... Sinto como se conhecesse Eric, porque Matt está sempre falando dele.

– Eles eram muito próximos. Às vezes eu ficava com ciúme do relacionamento que tinham. Ele me amava, mas amava mais Matt. – Ela pega o guardanapo. Seus olhos estão cheios de lágrimas.

Eu vejo o sofrimento dela. Sinto sua dor. Cassie não fez nada para ferir Eric. Mas, assim como Matt, de repente acho que ela sabe alguma coisa. Hesito.

– Você disse a Matt que não era com Jayden que Eric estava furioso. Com quem era então?

Ela olha para mim e depois baixa os olhos, recusando-se a responder.

Eu não desisto. Sinto isso mais do que nunca. Cassie detém a chave para desvendar o que aconteceu a Eric.

– Você realmente acredita que Eric puxou o gatilho?

Seus ombros se contraem. Ela passa a mão no rosto, enxugando as lágrimas que escorrem pelo rosto.

– A polícia disse que foi ele. E a arma era do pai dele.

– Mas você acredita nisso? Matt não acredita e, como você disse, eles eram muito próximos. Alguém tão próximo a Eric não saberia se ele estivesse desesperado a ponto de tirar a própria vida? Você não saberia? Não acha que haveria alguns sinais? Você não percebeu esses sinais?

Ela olha para o lado e começa a balançar a cabeça.

– Ele estava chateado e...

– Com o quê? – Quando ela não responde, eu continuo. – Matt diz que Eric não se mataria. Ele não estava deprimido. Não estava passando por nenhuma crise – não que Matt soubesse, pelo menos. O que estava acontecendo que nós não sabemos?

Ela olha para o prato. Refletindo. Pensando. Parece até que está rezando. Não sei o que ela está fazendo, mas minha intuição diz para não interrompê-la.

Ela finalmente olha para mim, mas parece distante, perdida em lembranças de algo desagradável. Lágrimas se acumulam em seus olhos novamente.

– Eu não quero acreditar.

– Acreditar em quê?

Ela enxuga as lágrimas.

– Se você e Matt estão certos, então a culpa é minha.

Seguro a respiração.

– Culpa de quê?

Ela olha para o prato.

– Eu contei a ele. Nunca deveria ter contado.

– Contou o quê?

– Não tenho provas. Mas isso é algo que a gente sabe. Sabe lá no fundo. Mas ainda assim eu não deveria ter... Eric estava tentando consertar as coisas.

– Consertar o quê? – Ela não me ouve.

Fecha os olhos e solta um longo suspiro carregado de dor e arrependimento.

– Matt está certo. Eric não faria aquilo. Ele não deixaria Matt ou a mãe. Ou eu. Ele se preocupava muito conosco. – A voz dela falha. – Isso significa que de fato a culpa é minha. Teria sido minha culpa de qualquer maneira, mas isso é pior.

– O quê? – Eu me inclino, querendo que ela olhe para mim, que me veja. Que responda às minhas perguntas. Para que suas divagações façam sentido.

Ela não responde.

– Eu tenho que ir. – Ela se levanta, pega as chaves na mesa e sai correndo.

– Espere! – grito, mas ela já passou pela porta. Sem pagar a refeição. Sem sequer pegar a bolsa. O garçom olha como se estivesse preocupado. Tiro dinheiro da minha carteira e deixo em cima da mesa. Depois pego nossas bolsas e corro atrás dela. Cassie está indo embora. Aceno com os braços, segurando a bolsa dela, mas é tarde demais. Ela já arrancou com o carro.

36

Volto para casa com a bolsa de Cassie. Que maravilha. Será que vão me acusar de roubá-la? Minha mente dá voltas, acelerada. Meu peito está oprimido. Será que conto a Matt? Ou será que Cassie perdeu o juízo? Será que posso acreditar em alguma coisa que ela disse?

Pego a saída para o meu bairro, mas não consigo ir para casa. Preciso descobrir uma coisa.

Dou a volta e vou para o centro da cidade. Entro no estacionamento da delegacia de polícia.

Tenho que pedir informações para encontrar o policial certo. Por fim, sou encaminhada para o segundo prédio. Vou até a uma atendente no balcão.

– O detetive Henderson está?

A recepcionista olha para mim.

– Qual o seu nome?

– Leah McKenzie. É sobre o caso Kenner.

A mulher hesita e olha para mim.

– É coisa rápida.

Ela pega o telefone.

— Detetive, uma garota chamada Leah McKenzie está aqui e quer falar com o senhor. — Ela faz uma pausa. — Sim. — Ergue os olhos. — Tudo bem.

Acho que ele não vai me atender. Ela se levanta.

— Venha comigo.

Ela acena para que eu entre numa sala. O detetive Henderson está sentado atrás de uma escrivaninha.

Ele olha para mim assim como eu costumava olhar para as enfermeiras quando entravam no meu quarto de hospital às quatro da manhã, com uma bandejinha de metal cheia de injeções.

— Sente-se. — Posso perceber que ele está tentando controlar o tom de voz, mas ainda assim percebo sua irritação. Ele não quer falar comigo.

Relaxo na cadeira, levanto o queixo e me lembro de que os impostos dos meus pais é que pagam o salário dele. Pelo menos é isso o que meu pai diz.

— O senhor falou com Cassie Chambers?

Ele franze a testa.

— Várias vezes.

— Bem, acabei de falar com ela agora.

Ele balança a cabeça.

— Pensei que eu tinha deixado bem claro. Vocês dois precisam deixá-la em paz.

— Eu estava num restaurante. Ela chegou. Eu não estava seguindo Cassie.

Ele se reclina na cadeira e suspira. Ainda está balançando a cabeça.

— Ela disse algo para Matt que não contou ao senhor. Disse que não era com Jayden que Eric estava furioso. Ela não explicou o que quis dizer com isso, mas hoje, quando perguntei, ela admitiu que não acredita que Eric tenha se matado. Ela sabe de alguma coisa. E sei que está prestes a confessar. Se pudesse falar com ela...

Ele passa a mão na boca.

— Leah, lamento muito. Falei com ela na quarta-feira. O padrasto a trouxe aqui. Ela jura que não sabe de nada. Jura que não viu Eric aquela noite. Eu não posso continuar investigando um caso encerrado. – Ele coloca a mão na pilha de pastas de papel pardo ao seu lado, como que para enfatizar. – Eu gostaria de poder ajudar. Você não tem ideia do quanto eu queria provar que Matt está certo. Mas não posso. Tenho outros casos.

De repente, sinto o que Matt vem sentindo esse tempo todo. A resposta está aí e, se a polícia simplesmente fizesse o trabalho dela, iria encontrá-la.

Sei com todo o meu coração – não, sei com o coração de Eric – que ele não se matou, mas ninguém quer me ouvir. Ninguém vai fazer droga nenhuma para provar isso.

Eu me levanto de um salto, frustrada e com os joelhos trêmulos.
– Estou com a bolsa de Cassie.
– Você o quê? Por que está com a bolsa dela?
– Ela deixou no restaurante.
– Ótimo! Vão acusar você de roubá-la.
– Eu não roubei a bolsa! – grito da porta.
Ele chama meu nome, mas eu ignoro.

Ainda estou fumegando de raiva quando chego em casa. Entro no meu quarto, jogo a mochila e as duas bolsas na cama e fico parada no meio do cômodo.

– O que aconteceu, Eric? Apenas me diga, agora! Ajude o Matt. Ele precisa superar isso. Ajude seu irmão!

Desabo na cama. Vejo meu caderno. O caderno em que anotei os sonhos.

Eu o pego e começo a ler. Não há nada ali. Nada que me ajude. Então vou à última página. Escrevi algo ali com uma caligrafia quase ilegível. É o último sonho que tive.

Lembro-me de que foi no dia em que acordei com febre. Começo a ler. Não há muitos detalhes, mas então leio: *um grande carvalho, dois pinheiros idênticos*.

E então me lembro de ver a bala cravada no pinheiro. Fico parada um instante. Merda, merda, merda! Talvez Eric *tenha* me dito alguma coisa.

Pego a bolsa e as chaves. Corro para a garagem e encontro o detector de metais. Se essa bala ainda estiver lá, vou encontrá-la.

Matt, no volante do Subaru de Eric, entra no estacionamento da delegacia de polícia e dirige-se à vaga do canto, usada para a venda de carros. Droga, ele não quer vender o carro, mas a mãe está certa. Eric aprovaria a venda se fosse para pagar a restauração do Mustang. Matt também quer comprar o medalhão para Leah.

Ele estaciona no local designado. Pensa que vai ver Leah esta noite. Ultimamente, ele anda tão mal-humorado que está surpreso que ela ainda queira sair com ele. Ele precisa superar isso. Lembra-se da promessa que fez ao detetive Henderson. E vai manter essa promessa. Vai deixar tudo pra lá. Só não sabe como. Ele pode parar de procurar respostas, mas não tem certeza se o seu coração sabe como desistir de tentar provar que Eric não se matou.

Matt passa a mão no rosto. Um nó se forma em sua garganta.

Então ele reprime as lágrimas e olha em volta, procurando pela picape preta que o sr. Barker disse que estaria dirigindo.

Neste instante, um carro da polícia para logo atrás do Subaru de Eric, fazendo os pneus guincharem no asfalto.

Matt observa, pensando que alguma coisa está prestes a acontecer, quando um policial – não, não um policial qualquer, mas o troncudo policial Yates, fumegando de raiva – salta do carro. Ele se aproxima do carro de Eric pelo lado do motorista.

– Mãos para cima, onde eu possa vê-las! – exige o oficial Yates.

Matt levanta as mãos. Olha por cima do ombro e vê que o homem está empunhando uma arma. *Caramba!*

– Agora, saia do carro! Com as mãos para cima.

Matt cumpre todas as ordens, porque, Deus o livre, o que ele menos quer é levar um tiro.

No momento em que sai do carro, Yates o joga contra o capô.

– Agora você está me seguindo? Tenho que admitir, você tem coragem, moleque!

– Eu não estava...

O policial agarra o braço de Matt e o puxa com força para trás. Matt reprime um gemido.

– Vim aqui encontrar um cara que quer comprar este carro – diz Matt com a mandíbula cerrada.

– Não minta pra mim! – grita Yates.

– Não estou mentindo!

Outro carro da polícia estaciona.

– Algum problema, Yates?

Matt olha para os dois policiais saindo da viatura.

– Só um garoto que acha divertido seguir policiais.

– Eu não estava seguindo você. Já disse: estou vendendo este carro! – Matt olha para os dois policiais já de pé ao lado do outro carro. Ele fala para eles, porque não acha que Yates vá ouvi-lo. – O detetive Henderson me disse que eu podia usar este estacionamento para me encontrar com quem estivesse interessado no meu carro. Perguntem a ele! Liguem pra ele!

– Esse garoto cheira a maconha... – Yates puxa o braço de Matt com mais força ainda.

– Não tenho maconha nenhuma! – Mas que merda é essa... O que está acontecendo? Por que esse cara...

Uma picape preta estaciona.

– É ele! – grita Matt, olhando para os policiais, atrás dele. – É o sr. Baker. Anunciei este carro nos classificados. Pergunte a ele.

Yates pressiona Matt com mais força contra o capô. Vozes soam atrás dele.

– O garoto está falando a verdade, Yates – diz um dos policiais. Matt suspira de alívio, rezando para que tudo acabe bem.

– O que está acontecendo? – Outra voz soa atrás dele. Uma voz que Matt reconhece.

Ele tenta olhar para trás e ver o detetive Henderson. Yates empurra Matt contra o capô outra vez.

– Eu ia encontrar um cara que quer comprar meu carro e ele está me acusando de segui-lo!

– Solte o garoto! – grita Henderson. – Ele está falando a verdade.

Yates solta Matt. Ele se vira para trás e reprime a imensa vontade de agredir Yates com um soco.

O oficial Yates olha para o detetive com uma cara feia.

– Esse moleque anda perseguindo a filha da minha namorada. Você ouviu ela dizendo que ele agrediu o amigo dela no parque.

– Não! – Henderson se aproxima e fica entre Matt e Yates. – Ouvi muito bem ela dizer que Jayden é que foi pra cima dele primeiro.

– Porque esse merdinha estava no pé dela.

– Ela também disse que ele não fez mal nenhum a ela. Que Jayden exagerou.

– Ele me seguiu até dentro da delegacia! – disse Yates. – Está me perseguindo agora.

– Isso é mentira! Eu cheguei aqui primeiro! – grita Matt.

O oficial Yates dá um passo na direção de Henderson, como se para intimidá-lo.

– Por que você está defendendo esse moleque?

– Não estou... Estou só dizendo que você não tem motivo para acusá-lo.

– Isso não vai ficar assim – diz o oficial Yates, enquanto se afasta em direção à sua viatura. O sr. Baker também vai embora, assim como a chance de Matt de vender o carro de Eric.

Matt se vira para Henderson.

– Eu não estava seguindo Yates.

– Sei disso. – O detetive fica parado ali, observando a viatura de Yates se afastar.

– Aquele cara é um babaca! – A fúria de Matt aumenta quando ele se lembra do policial empurrando-o contra o capô do carro.

– Sei disso também... Agora.

Matt olha para Henderson.

– Não posso acreditar que ele é policial.

O detetive Henderson solta um suspiro.

– Existem policiais de todo tipo. – Ele parece frustrado.

– Eu estava sentado no carro e ele veio aqui e apontou a arma para mim. – Matt vê a placa atrás do Subaru de Eric onde está escrito que a área é monitorada por câmeras da polícia. – Assista o vídeo. Você vai ver!

O detetive solta outro suspiro.

– Só um segundo. – Ele vai até onde estão os outros policiais.

– Posso ir embora agora? – Matt grita para ele, sem ver a hora de se afastar dali.

– Só um minuto! – Com uma expressão preocupada, Henderson acena para que ele espere ali.

Matt cruza os braços. A raiva faz sua pele formigar como se tivesse saúvas andando por ali. Enquanto os três policiais conversam, ele chuta o pneu do Subaru só pra se sentir melhor.

Por fim, Henderson retorna.

– Venha, vamos até o meu escritório para você esfriar um pouco a cabeça.

– Só quero dar o fora daqui.

– Não. Você quer vir comigo. Vamos deixar Yates ir embora primeiro.

Paro na frente do parque à beira da estrada. Ainda estou ouvindo Cassie dizer: "*Matt tem razão. Eric não faria aquilo. Ele não deixaria Matt ou a mãe. Nem a mim*". No segundo em que meu pé toca a trilha de cascalho, sou saudada por sensações sinistras que parecem dizer: *Olá, você já esteve aqui; você morreu aqui.*

Meu coração martela no peito. Eric está fazendo isso ou sou eu que estou com medo? Olho a floresta. O frio acinzentado se infiltra através do meu casaco. A maioria das árvores não tem folhas, tudo está marrom, tudo parece... morto. Percebo que não é Eric. Eu é que tenho medo deste lugar. É a morte. Ela paira sobre este lugar.

Esse monstro chegou tão perto de mim que sinto o cheiro do seu hálito hediondo.

Embora eu tenha vencido essa batalha, isso roubou quase dois anos da minha vida. Eu às vezes acho que roubou até parte da minha alma e sei que roubou alguns anos dos meus pais também.

Mas vou me sentir uma pessoa abominável se deixar que ela leve ainda mais. E se puder evitar que leve um pouco mais de Matt, é isso que vou fazer. Pego o detector de metal no banco de trás. Não faço ideia de onde estão o carvalho ou os pinheiros idênticos, mas estou numa missão e não vou embora antes de encontrá-los.

Hesito quando passo pela mesa de piquenique. Era mais fácil ficar aqui quando Matt estava ao meu lado. Paro, penso em mandar uma mensagem de texto para ele, mas depois mudo de ideia.

Quando encontrar a bala, mando uma mensagem. Levanto o queixo, respiro fundo e caminho até a floresta onde Eric morreu. Não, onde Eric foi assassinado.

É como Matt disse. Sei disso agora mais do que nunca. Eric não se suicidou.

Matt espera mal-humorado no escritório do detetive Henderson, enquanto o detetive faz perguntas sobre o carro de Eric, agindo como se realmente estivesse interessado em comprá-lo. Mas está coisa nenhuma.

Matt, no entanto, responde com educação. Porque o detetive Henderson acabou de salvá-lo de só Deus sabe o quê. Para Matt, aquele cretino do Yates podia até ter plantado maconha no Subaru.

– Então ainda está na garantia? – pergunta o detetive Henderson.

– Sim.

O detetive faz uma longa pausa.

– Eric já conhecia Cassie quando Yates começou a sair com a mãe dela?

– Não sei. Por quê?

– Por nada. – Ele passa a mão no rosto. – Qual a potência do motor desse carro?

Os pensamentos de Matt ficam confusos com a mudança de assunto. Então seu celular apita, com a chegada de uma nova mensagem. Ele pega o aparelho. É de Leah.

Me encontre no parque à beira da estrada. Agora.

O que ela está fazendo ali?

Ele sabe o quanto ela odeia aquele lugar.

Matt ergue os olhos, interrompendo o que Henderson está falando... Droga, ele não sabe sobre o que o detetive está falando porque não estava prestando atenção.

– Posso ir agora?

Antes que Henderson possa responder, ouvem um barulho no corredor.

– Eu disse que ele está ocupado! – uma voz ecoa.

Matt reconhece a voz da recepcionista. Tanto ele quanto o detetive olham para a porta. Matt não sabe direito quem fica mais surpreso quando Cassie Chambers aparece na porta.

O cabelo loiro está despenteado. Os olhos dela estão vermelhos e cheios de lágrimas. Ela olha para Matt.

– Você tem razão.

37

— Eric não se matou! – Cassie enxuga as lágrimas e fita Matt nos olhos. – Eu sinto muito.
Matt perde o fôlego. Será que ele está sonhando?
Mais lágrimas enchem os olhos dela.
— O namorado da minha mãe. Joe Yates. Ele... – Ela respira fundo. – Tenho certeza de que ele me drogou e me estuprou. Eu tinha bebido. Minha mãe estava fora da cidade. Eu cheguei e acho que ele estava bêbado também. Me ofereceu uma cerveja. Eu não devia ter aceitado, mas aceitei. Quando acordei, estava nua e tinha lembranças vagas dele... em cima de mim. Eu o confrontei. Ele disse que eu estava bêbada e que aquilo nunca tinha acontecido.
— Minha nossa... – murmura o detetive Henderson.
— Ele virou a minha vida do avesso. Rompi o namoro com Eric. Quando voltamos, contei a ele. Eric queria confrontar Yates. Eu disse que não, que não tínhamos nenhuma prova, disse pra ele esquecer. Mas aquilo deixou Eric mais revoltado do que eu. Eu... – Sua voz fraqueja. – Rompi nosso namoro de novo, porque ele não queria deixar aquilo para lá.

– Você contou a mais alguém? Alguém além de Eric? – o detetive Henderson pergunta.

Ela balança a cabeça, dizendo que não.

– Nem à sua mãe?

– Eu tentei. Fui até ela e não consegui dizer que achava que ele tinha me estuprado, porque ela ficou uma fera. Disse que eu estava tentando fazê-la terminar com ele como eu tinha feito com seu último namorado. E eu *tinha* mesmo tentado fazer isso, porque o cara estava usando a minha mãe. Ela disse que finalmente tinha encontrado alguém que amava e que não ia deixar eu acabar com a vida dela. Eu sabia que ela não acreditaria em mim.

Ela enxuga as lágrimas.

– Eu fiz um vídeo. Contando tudo à minha mãe. Ia mandar pra ela, mas nunca tive coragem.

A cadeira do detetive Henderson range quando ele se inclina para a frente.

– Você ainda tem esse vídeo no seu computador?

– Sim, por quê?

Henderson inspira.

– É a prova de que você não inventou tudo isso. Os computadores registram a hora da gravação.

A cabeça de Matt está dando voltas.

– Por que você não contou tudo isso antes?

– Acreditei no que a polícia disse. Eric estava tão chateado que eu achei que... – Ela olha para Matt. – Mas você ficava dizendo que ele não seria capaz de fazer aquilo. E depois eu o vi todas aquelas vezes. Por que ele iria até lá?

– Ei, calminha aí. – Henderson se inclina para a frente. – Viu quem, onde?

– Yates, ele vai ao parque à beira da estrada onde Eric foi baleado. Quando Jayden me leva para casa, o carro de Yates está lá. Quase todo dia. Eu não sei por que ele vai lá.

– Eu sei – diz Matt. – Ele está procurando uma bala. Ele se lembra.
– Merda! – Matt se levanta da cadeira num salto. – Leah está lá agora!

Eu seguro o detector de metal bem no alto, contra a árvore, pela décima vez. Só para ouvir o bipe, só para confirmar que ela realmente está ali.

O bipe soa e depois o som é absorvido pelas árvores. Eu ainda assim sorrio. É como no sonho. O carvalho, os pinheiros idênticos. E eu encontrei. Ou será que foi Eric que encontrou? Para mim tanto faz. Eu só quero ajudar Matt. E Eric.

Devo isso a eles. Matt perdeu o irmão. Eric perdeu a vida. E eu ganhei uma sobrevida. Mesmo assim, algo ainda parece errado em tudo isso. Talvez essa bala no tronco corrija isso.

Afasto esse pensamento, mas outra preocupação me assalta. Como vamos trazer o detetive Henderson até aqui? Ele vai acreditar em nós? Eu me lembro da frustração na voz dele hoje. Não por minha causa, mas porque se sentia incapaz de ajudar.

Eu sei como é isso. Antes do transplante, quando eu sabia que estava morrendo e podia ver o que aquilo estava fazendo com os meus pais, eu me sentia impotente. Se eu fingia ter coragem, isso parecia deixá-los arrasados. Se demonstrasse medo, eles também ficavam arrasados. Por fim, aceitei. Iria deixá-los arrasados de qualquer maneira.

Levanto o detector de metal novamente, mas meus braços estão cansados. Onde será que Matt está? Solto o detector e puxo o capuz com mais força para me proteger do frio.

Então pego o celular para ter certeza de que minha mensagem foi enviada. O sinal nesta estrada não é muito bom. No momento, acho que nem tenho sinal nenhum, mas parece que a minha mensagem foi enviada.

Está ficando mais frio. Mais escuro. No carro estaria quente. Mas eu não posso correr o risco de ir embora e esquecer como chegar aqui outra vez. O carvalho não fica na trilha.

Noto um imenso pinheiro com uma protuberância, como uma cicatriz no tronco, visível da trilha. É um marco. Vire na árvore com uma cicatriz. Eu vou me lembrar disso.

Dou um passo e paro. Tento imaginar para onde Eric poderia ter corrido. Ele voltou para a trilha daqui ou será que foi ainda mais longe? De repente, sinto o que Eric poderia ter sentido. Ser seguido. Perseguido. Minha mente está me enganando porque juro que posso ouvir o som de pés golpeando a trilha. Uma corrida. Tento escapar da morte.

Eu sei o que é. E não só por causa dos sonhos. Mais calafrios espalham-se pela minha pele. Eu me pergunto se, no final, Eric se cansou e desistiu, como eu fiz quando aceitei a morte. Ou será que Matt está certo? Eric tinha mais garra do que eu?

Eu não estou na trilha quando vejo alguém andando na minha direção.

Os galhos mais baixos bloqueiam a maior parte da minha visão, mas vejo o suficiente para saber que não é Matt.

Depois de pensar em Eric correndo, tenho a ideia maluca de fazer o mesmo. Dou um passo para trás e um galho se quebra. A pessoa para. É quando vejo o uniforme.

– Você é Leah McKenzie? – ele pergunta.

Eu não respondo.

– Você está bem? – ele pergunta.

– Sim.

Ele me olha e acena com a cabeça. Então pega o celular.

– Eu a encontrei. Ela está bem.

Se estou bem?

– O que há de errado?

– Alguém estava preocupado com você.

– Quem?

– O Detetive Henderson, para começar. Ele está a caminho. Vamos voltar para a trilha.

– Eu não estou entendendo – eu digo. – Estou encrencada?

– Tudo o que sei é que o detetive queria que eu viesse até este lugar e visse se você estava aqui. Ele está a caminho.

E como ele sabia onde eu estava? Estou tentada a perguntar, mas o policial parece não saber muito mais do que eu. Enquanto andamos pela trilha, percebo como está escuro. Quando saímos da floresta, um carro corta a nossa frente.

O carro ainda não parou totalmente quando Matt salta do banco do passageiro. Ele me abraça.

– Por que não atendeu o celular?

– Eu não... recebi nenhuma chamada.

Ele se afasta, passa a mão pelo cabelo e solta um suspiro de alívio que parece ter reprimido por um longo tempo.

– Merda. O sinal aqui é uma droga. Eu deveria ter me lembrado.

O detetive Henderson sai do mesmo carro de que Matt saltou. Olho para Matt.

– Isso tudo é por quê? Por causa de Cassie? Ela esqueceu a bolsa dela. Peguei para devolver a ela.

– O quê? – pergunta ele. Matt parece confuso. – Você viu Cassie?

Eu assinto com a cabeça.

– É por isso então – diz ele.

– Como assim?

O sorriso de Matt atiça a minha curiosidade, porque vejo nele algo que não via há muito tempo.

– Cassie procurou Henderson. Ela acha que... Yates, o namorado da mãe dela, atirou em Eric.

Eu perco o fôlego.

– Mas ele é um policial.

Matt passa a mão pelo meu braço.

– Recebi a sua mensagem e fiquei preocupado, achando que ele...

– Estou bem. – Depois me lembro. Eu me aproximo de Matt e sussurro: – Eu a encontrei.

– Encontrou o quê?

– A prova.

Sábado de manhã, uma semana e um dia depois que tudo foi desvendado, meu alarme toca. Acordo no meu quarto rosa, olho para o meu ventilador de bolinhas cor-de-rosa girando sobre a minha cabeça. Brandy e eu fomos à loja de tintas e encontrei dois tons suaves de cinza que eu escolhi para pintar meu quarto. Nós até fomos comprar uma nova colcha e cortinas. Mas, agora, eu me deixo absorver pelo rosa. Por mais que eu queira mudar a cor, eu a vejo pelo que ela é. O amor da minha mãe. Ela fez isso para me deixar feliz.

Pego o termômetro, coloco na boca e fecho os olhos. Foi uma semana difícil. Por causa da mentira. A grande questão era explicar como encontramos a bala. Teríamos passado o detector de metal no tronco de todas as árvores?

Felizmente, Matt e eu pensamos juntos e inventamos uma mentira passável antes de sermos interrogados. Afinal, contar a eles sobre os sonhos não parecia uma boa ideia. E eu repeti a mesma coisa as quatro vezes em que me perguntaram:

– Apenas presumimos que Eric só teria trazido uma arma se a outra pessoa também tivesse uma. Então, saímos em busca da bala. E, sim, procuramos em quase todas as árvores.

De fato, foi uma semana difícil. Talvez não só por causa da mentira, mas porque estou de castigo – proibida de ver Matt. Meus pais estão... Digamos apenas que estão um pouco chateados.

Meu termômetro apita. Eu o tiro da boca. A temperatura está normal. Pego o aparelho de pressão. Na verdade, não preciso mais fazer essas verificações todos os dias. Eram necessárias só nos primeiros sete meses. Agora minha médica aconselha que eu as faça duas vezes por semana. Mas toda manhã eu verifico. Não sei por quê.

Ou talvez saiba.

Às vezes, ainda sinto aquele monstro que levou Eric – a morte. Não está respirando mais no meu pescoço como antes, mas não foi embora. Quando vejo que minha pressão e minha temperatura estão normais, isso ajuda a me convencer de que ele não está tão perto.

Rolo na cama. Sinto falta de Matt. Mas como sou menor de idade, o detetive Henderson teve que ligar para os meus pais, assim como para a mãe de Matt. Sim, minha mãe e meu pai ficaram sabendo de tudo. Que fui à casa da Cassie. Que liguei para Cassie quando estava procurando Jayden – que pensávamos que era o assassino – e que fui interrogada por um policial que agora é suspeito de ser o verdadeiro assassino.

Minha defesa? *Eu não fiz nada errado, então por que deveria ficar de castigo?*

O argumento deles? *Está certo sua filha de 17 anos, que acabou de fazer um transplante de coração, sair por aí tentando encontrar um assassino?*

Talvez eles tenham razão, embora eu não sinta que tivesse outra escolha.

A pior parte é que eles culparam Matt. Expliquei que fiz tudo sem o conhecimento dele. Não adiantou. Disseram que eu nunca me comportei assim antes e só podia ser por influência dele.

Essa parte realmente me irritou.

O aparelho de pressão bipa. Levanto a cabeça e vejo o resultado. Minha pressão está um pouco alta. Na verdade não tão alta. Nem tão baixa. Ficar sem Matt não é saudável para mim. Embora eu fale com ele todos os dias, na escola e por telefone. Só que isso não basta.

Ele veio pedir desculpas aos meus pais no último sábado, mas em vez de aceitar o pedido de desculpas de Matt, meu pai passou o maior sermão nele.

Estou orgulhosa do meu namorado; ele não perdeu a classe. Continuou chamando meu pai de "senhor" e se desculpando.

Eu não tive tanta classe assim. Mas, felizmente, só a perdi depois que Matt foi embora.

– Por que fez isso?! – interpelei o meu pai.

– Por que *eu* fiz isso? – ele rebateu. – Eu é que pergunto, mocinha. Por que, depois que fizemos mundos e fundos para mantê-la viva, você se coloca em perigo desse jeito?

Porque o cara por quem que estava tentando fazer justiça é o mesmo que devolveu a minha vida. É o coração dele que está me mantendo viva. Como eu podia não fazer isso por ele?

Cheguei muito perto de contar a verdade a eles. Mas, se fizesse isso, acabaria contando também sobre os sonhos. Isso provavelmente os faria me levar a um psiquiatra.

Então me recompus e fui para o meu quarto. Passei muito tempo no meu quarto esta semana. O bom é que completei uma das minhas listas de coisas para fazer antes de morrer. Terminei meu centésimo livro. O ruim é que esse tempo de solidão fez com que eu me preocupasse novamente. Será que a atração de Matt por mim não tinha mais a ver com a vontade que ele tinha de fazer justiça pelo irmão? O fato de não termos saído ultimamente não ajuda em nada...

E agora é sábado de manhã e estou prestes a perguntar se posso sair com Matt hoje à noite.

Olho para o meu relógio cor-de-rosa. São nove horas e três minutos. Estou atrasada. Me arrasto para fora da cama, enfio nos pés as pantufas de Dumbo e massageio as têmporas, onde sinto uma leve dor de cabeça.

Quando entro na cozinha, papai está segurando o jornal e mamãe está lendo uma notícia por cima do ombro dele, com uma xícara de café na mão.

Tenho a sensação de que é sobre o caso de Eric. Coisas que provavelmente eu sei, porque o detetive tem mantido Matt e a mãe a par do andamento do caso.

Estou prestes a começar a tomar meus comprimidos quando mamãe me vê.

– Leah. – Os olhos dela estão arregalados.

Meu pai fecha o jornal. Ele não faz isso com calma e capricho, como habitualmente. Quase o amassa, como se estivesse tentando esconder alguma coisa.

Eu fico ali, olhando para eles. Parece que não se trata apenas do caso.

– O que foi? – pergunto.

38

— Nada – diz minha mãe, muito rápido. Ela não sabe mentir. Meu pai olha para ela.

– Leah vai acabar ouvindo.

– Ouvindo o quê? – Eu me aproximo.

– Estão contando uma história sobre você – explica meu pai.

– Sobre mim? Tem a ver com a bala que foi encontrada?

Nenhum dos dois responde.

E então eu me lembro do artigo que a imprensa fez sobre o meu transplante. Odiei ter de responder a todas aquelas perguntas. Mas minha mãe me disse que era melhor eu responder, porque isso estimularia outras pessoas a doar seus órgãos, e a Antiga Leah não discutiu. Mesmo assim, imaginei todo mundo na escola lendo o artigo e descobrindo que eu estava à beira da morte.

– É um artigo sobre o transplante? – perguntei.

Minha mãe assente, mas é visível que ela está escondendo alguma coisa.

– O que mais?

Papai ergue os olhos.

– Você sabia que o irmão de Matt morreu no mesmo dia que você fez o transplante?

Prendo o fôlego.

– O que... estão dizendo?

Papai me olha preocupado.

– Que Eric era um doador. Entrevistaram um dos amigos dele. E disseram que você conseguiu um novo coração e... que ajudou a desvendar o caso dele.

– É um bom artigo – acrescenta minha mãe – sobre pessoas que doam seus órgãos. Eles não dizem que você fez o transplante no mesmo dia. Nós só...

Fico ali, balançando a cabeça. Minha mãe se aproxima.

– Querida, não suponha que Eric foi o doador. É impossível. Ele teria que ter o mesmo tipo sanguíneo que você. E você sabe quanto seu tipo é raro...

– Ninguém deveria saber! – Meu peito está cada vez mais apertado. Sufocado.

Imagino todo mundo lendo o artigo. Todo mundo descobrindo que estou com o coração de Eric. Penso nos amigos de Matt. Como vão olhar para mim? Vão achar que Matt está comigo só por causa disso? E eu estava começando a me sentir normal na escola! Agora volto a ser uma aberração. Uma aberração que se deu bem quando eles perderam o cara mais popular de todo o colégio, o melhor jogador do time, o amigo deles.

De repente não consigo respirar.

Agarro o encosto da cadeira.

– Leah, você está bem? – mamãe me segura.

Firmo os joelhos para não cair, digo que sim e a afasto. Consigo virar a cadeira e me sentar. Sozinha.

– Está tudo bem? – papai também pergunta.

Meus olhos se enchem de lágrimas. Eu faço que sim, para tranquilizá-lo, e respiro fundo, disfarçadamente, o que é quase impossível.

– Querida – diz papai –, seria quase impossível que você tivesse ficado com o coração de Eric.

Olho para ele. Sinto todo o meu corpo tremer por dentro. Mal consigo respirar.

Papai me olha nos olhos. Ele sempre consegue perceber o que estou sentindo.

– Merda.

Mamãe olha para ele.

– O que foi?

– Qual é o tipo sanguíneo de Matt? – pergunta papai.

– Por quê? – ela pergunta.

– Eles são gêmeos idênticos. – O olhar de papai encontra o meu novamente. Ele sabe. Sabe a verdade.

Solto o ar dos pulmões. Depois sorvo oxigênio outra vez, bombeando sangue para o meu cérebro. Meus membros. Posso me mover. Pego o jornal.

Ignorando meus pais, eu o abro. Há uma fotografia minha.

É de quando eu tinha o coração artificial. Estou usando a mochila.

Tenho círculos escuros sob os olhos. Foi tirada no dia em que saí do hospital. Parecia que eu estava morrendo.

Eu estava *de fato* morrendo.

O título é:

RECEPTORA DE TRANSPLANTE DE CORAÇÃO
AJUDA A DESVENDAR O ASSASSINATO DE SEU DOADOR

Lágrimas começam a escorrer pelo meu rosto. Eles vão saber. As pessoas não são idiotas. Vão ligar uma coisa com a outra. Vão descobrir. E não vão ser como Matt. Não vão compreender. Vão me culpar.

Eu me levanto e levo o jornal comigo para o meu quarto. Mamãe me chama da cozinha. Eu a ignoro.

Visto uma roupa, pego o jornal e a bolsa, e saio.

Mamãe tenta me impedir.

Olho para ela.

– Só preciso ficar sozinha. Por favor.

Mamãe diz que não. Papai pega a mão dela e faz um gesto com a cabeça, permitindo que eu vá.

Eu saio de casa.

Não sei para onde estou indo. Mas acabo no parque onde Matt e eu passeamos com Lady. Me sento no nosso banco e leio o artigo. Não é tão ruim quanto pensei. É mais sobre como se tornar um doador do que sobre mim ou Eric, mas eu sei que vai ser o suficiente. Suficiente para que algumas pessoas comecem a juntar as peças do quebra-cabeça.

Fiquei ali quase quinze minutos antes de pegar o celular e ligar para Matt. Eu me pergunto o que ele vai dizer sobre isso. Provavelmente a coisa certa. Ele sempre diz a coisa certa. Preciso ouvi-lo dizer que o artigo não significa nada. Que estou exagerando.

– Ei, linda! – ele atende ao telefone. – Seus pais deixaram você sair comigo hoje à noite?

– Hã... eu não perguntei. Matt...

– Espere, estou chegando a um cruzamento.

Faço uma pausa. Quando ele volta, eu pergunto:

– Onde você está?

– A ração acabou. Estou indo à clinica veterinária comprar mais.

– Estou no parque – digo.

– No nosso parque? – ele pergunta.

No nosso parque. Saber que ele o vê da mesma maneira que eu me deixa feliz.

– Sim.

– Acabei de passar por aí. Vou voltar. Fique onde está.

– Estou no banco – digo antes de desligar.

Em menos de cinco minutos, eu o vejo chegando. Ele olha para mim e logo pergunta:

– O que há de errado?

Só então eu percebo que não penteei o cabelo. Ou será que ele vê o tumulto em meus olhos?

– Você não leu?

Ele se senta, se inclina e me beija.

– Leu o quê?

Eu mostro o jornal para ele.

– Estão dizendo aqui que Eric era um doador.

Ele pega o jornal e o lê rapidamente. Então solta um gemido.

– Esse jornal é de hoje?

Faço que sim com a cabeça.

– Merda! – deixa escapar.

Eu mordo o lábio.

– Estou com medo que as pessoas comecem a ligar os fatos e passem a me odiar.

Ele passa a mão no cabelo.

– Quem contou que ele era um doador?

– Diz aí que foi um amigo – eu digo.

– Eu devia... – Ele se levanta. – Mamãe foi mostrar uma casa. Preciso ir antes que... – Ele se inclina para me dar um beijo de despedida.

– Ela vai me odiar, não vai? – pergunto.

– Não... Eu não... – ele solta o ar dos pulmões. – Ela não queria doar os órgãos dele. Eu... Ela está indo tão bem e não quero que... – Ele fecha os olhos por um segundo e depois volta a abri-los. – Eu ligo pra você. – Ele me beija novamente. – Vai ficar tudo bem. Você vai ver.

Mas eu não tenho tanta certeza. Não ao ver a expressão dele. Matt está com medo de que a mãe saiba. Provavelmente está com medo de que os amigos saibam também.

Quando Matt se afasta, eu me lembro de algo. Da mãe dele me chamando de Lori. Matt disse a ela que meu nome era Lori apenas por precaução... Para o caso de ela ter ouvido algo sobre uma garota chamada Leah que tinha feito um transplante de coração...

Eu puxo os joelhos até o peito e os abraço. Tudo é tão confuso...

E mesmo quando deixo meus problemas me consumirem e me sinto um pouco abandonada por Matt, percebo quanto estou sendo egoísta. Estou preocupada com o que as pessoas vão pensar de mim, mas estou viva. Eric não está. E agora ele finalmente tem uma chance de que se faça justiça. Abrir mão da minha privacidade não é um preço pequeno a se pagar?

Quando Matt chega em casa, o carro da mãe está na garagem. O jornal não está no gramado.

– Droga! – ele entra. Ela está na cozinha, sentada à mesa.

O jornal está aberto.

Ele não sabe quanto ela deduziu ao ler o artigo. Talvez nem tenha reconhecido Leah. Leah parece realmente doente na foto. Ele se senta ao lado dela, com a respiração presa.

Ela olha para ele, com os olhos cheios de lágrimas. O peito dele se aperta.

– Quando Leah fez o transplante de coração?

Ele não responde. A mãe já tinha percebido que "Lori" era na verdade "Leah".

– Ela fez... Você não acha que ela pode estar com o coração de Eric, acha? – pergunta a mãe.

Ele pode dizer que não sabe. Pode mentir. Mas talvez seja a hora de dizer a verdade.

– Sim, acho que sim.

Ela engole em seco. Ele vê a dor nos olhos dela.

– Como você sabe?

– Na tarde em que assinamos os papéis, eu a vi entrando com os pais no hospital. Eu a conhecia. Ela estuda na minha escola, e eu sabia que ela estava na lista de transplantes. Eu deduzi.

A mãe volta a olhar para o jornal.

– Eu sou uma pessoa tão horrível...

Isso não é o que ele esperava que a mãe dissesse.

– Não, você não é, não.

– Sou, sim. Eu não quero sentir isso. Mas, mesmo agora, quando olho para Leah – a voz dela vacila –, só consigo pensar que ela está viva e Eric não está.

Ele descansa a mão na dela.

– Isso não faz de você uma pessoa horrível.

Matt odeia admitir, mas acaba admitindo:

– Eu senti isso também na primeira vez que a vi, no hospital. É normal.

Ela enxuga as lágrimas.

– Você o sente? Quando está com ela, você sente Eric?

Ele pensa nos sonhos, na conexão que tem com Leah.

– Percebi algumas coisas. De repente ela começou a gostar de comida indiana. Mas... não sinto Eric quando estou com ela. No começo, pensei que sentiria. Eu só sinto a pessoa que ela é. Mas estou orgulhoso. Ela só está viva por causa de Eric. Foi ideia dele ser um doador, não minha.

Essa é a primeira vez que ele diz isso em voz alta.

– Só concordei em ser doador porque ele optou por isso. Até perguntei, "Mas você não acha que os médicos podem deixar você morrer só para vender os seus órgãos depois?". Eric riu e me acusou de ler histórias de terror demais.

A mãe cobre a boca por um segundo.

– Ele não tinha medo de nada. Vocês dois são como seu pai.

– *Eric* era como papai – discorda Matt. – Acho que sou mais parecido com você, mãe. – Mais emotivo, mais cauteloso.

– Acho que você tem mais do seu pai do que pensa. Você descobriu o que realmente aconteceu a Eric. Teve coragem de ir atrás da verdade, mesmo quando ninguém acreditava em você.

Ele não teria tido essa coragem se Leah não tivesse acreditado nele e o ajudado.

– Sabe, não sinto Eric quando estou com ela, mas, em vários sentidos, acho Leah e Eric parecidos. Dei aula para ela em casa uma vez, quando ainda tinha um coração artificial. Ela também não parecia ter medo. Acho que nem sabe quanto é corajosa. Mas ela é uma boa pessoa, mãe. Merece o coração de Eric.

– Tenho certeza de que merece, filho. Só preciso de um tempo para me acostumar.

Mamãe e papai estão esperando por mim quando entro pela porta da frente. Eu encontro os olhos deles, que estão cheios de perguntas.

Mamãe corre até mim.

– Você está bem?

– Sim. Eu só... Não quero que as pessoas saibam. Todos amavam tanto Eric... – Engulo o nó na minha garganta e novamente reprimo o sentimento de que é tudo culpa minha.

– Mas, querida – diz minha mãe –, como você pode ter certeza...?

Enquanto eu dirigia para casa, decidi não mencionar os sonhos. Ia parecer muito estranho.

– Eu vi o obituário dele antes de sair do hospital. Sabia que ele tinha morrido no dia em que fiz o transplante. E também sabia que Matt tem sangue AB, então Eric também tinha.

Papai se aproxima. Ele está com cara de quem sente o peso do mundo nas costas, a mesma expressão que carregava na maior parte do tempo, quando eu estava doente.

– Querida, se Matt disse algo desagradável...

– Não! Ele sabia. Nos viu chegando ao hospital aquele dia. Conversamos sobre isso antes mesmo de começarmos a namorar.

Papai respira fundo e solta o ar.

– Então, obviamente, isso não o incomoda. Se ele pode aceitar...

– Não é tão fácil, pai. Ele está preocupado com a mãe dele. Ela não queria que Eric fosse um doador. Ela perdeu o filho e já perdeu o marido.

Mamãe fica com lágrimas nos olhos.

– Mas não é culpa sua.

– Não, mas ela vai me odiar. Assim como os amigos dele. Para ser franca, eu quase que me odeio também. Eu me beneficiei de algo tão terrível! – Começo a soluçar e papai me abraça e me aconchega em seu peito. Ele é meu porto seguro, mas não me sinto segura agora.

No final, mamãe e papai me dizem a mesma coisa que Matt.

– Não se preocupe. Vai ficar tudo bem.

Vai ficar tudo bem. E nos próximos dias, acredito nisso. Meus pais me tiram do castigo. Mamãe, papai e Matt sobreviveram ao clima estranho quando a verdade veio à tona. Estranho porque mamãe abraça Matt e o agradece. Eu me encolho. Quero dizer, parece que ela está agradecendo a ele pelo irmão ter morrido.

De acordo com Matt, a mãe está tentando aceitar que estou com o coração de Eric. Não perguntei a ele por que ela me chamava de Lori. Mas isso ainda me incomoda.

No domingo, Matt está com os amigos. Eu me aconchego na cama com um livro. Alguns minutos depois, recebo uma mensagem de texto. É de Matt.

Jogando bola. A namorada do Ted está aqui. Quer vir assistir? Posso tirar a camisa.

Solto uma risada. Estou tentada. Mas me sinto... cansada. Mando uma mensagem.

Acabei de começar um livro.

Volto a ler.

Uma hora depois, acordo com um sobressalto.

– Leah? Você está bem?

Eu me sento na cama. Mamãe paira sobre mim. O livro está no meu peito.

– Acabei caindo no sono. Estou bem.

Mas, quando vou me levantar, sinto meu coração batendo no peito. *Tum! Tum! Tum!*

Verifico minha respiração. Está tudo bem. Quando mamãe sai do quarto, verifico minha pressão sanguínea. Está boa. Estou bem, asseguro a mim mesma.

A segunda-feira chega. Adolescentes obviamente não leem jornal.

Ou é o que parece, porque ninguém diz nada. Algumas pessoas me olham fixamente, mas principalmente quando Matt e eu estamos juntos. Acho que eles ainda estão tentando descobrir por que Matt Kenner está andando com Leah McKenzie à tiracolo.

Sinceramente, ainda estou tentando descobrir isso também.

Tirando isso, nada está diferente.

Nada, exceto o fato de que estou cansada.

Talvez seja a preocupação por causa do artigo. E da mentira da semana passada. Quando vou assistir à minha última aula aquela tarde, tenho dificuldade para percorrer o longo trajeto entre as salas de aula. Estou sem fôlego ao chegar lá. Estou bem, repito a mim mesma. E, quando a verifico outra vez, minha respiração já está normal.

Matt e eu cabulamos aula na terça-feira. Vamos a uma livraria. Cada um de nós escolhe um livro. Então escolhemos um livro um para o outro. Comemos pizza de muçarela no almoço, vamos para a minha casa e fazemos amor na minha cama cor-de-rosa.

Nos braços um do outro, eu amo a minha vida. Amo Matt. Amo cada segundo desse dia em que faltamos nas aulas. Quero anotar novos itens na minha lista de coisas para fazer antes de morrer e começar a ticá-los.

Matt está falando sobre recondicionar o motor do Mustang. A voz dele ao falar sobre isso está ligeiramente diferente. Perdeu um pouco do tom entristecido. Enquanto o ouço falar, caio no sono. Quando ele me acorda com beijos, fico constrangida.

Aquela tarde, antes de ele sair, Henderson liga para Matt. Yates fugiu e acabou confessando que atirou em Eric. Alegou legítima defesa. Disse que Eric foi atrás dele com a arma do pai, eles lutaram e a arma disparou. Matt coloca o telefone no viva-voz e eu ouço o detetive Henderson dizer:

– Não se preocupe. Vai ser muito difícil algum tribunal acreditar nele. Principalmente porque a bala na árvore saiu da arma dele e mostra que ele provavelmente disparou primeiro. E temos o testemunho da mãe de Cassie indicando que Yates foi o agressor, então temos indícios muito fortes.

Nós nos abraçamos e dançamos ao redor do quarto. Então me deixo cair na cama. Sinto meu coração batendo. Cheio de felicidade.

Ouço aquela música do Bob Marley, da trilha de *A Pequena Sereia*, dizendo que tudo vai ficar bem. Parece uma promessa. Uma promessa em que é muito fácil acreditar. Mas sei que *A Pequena Sereia* é um conto de fadas. Nos contos de fadas as pessoas não contraem vírus capazes de matar um coração. Nos contos de fada, não existem transplantes.

E, se um transplante ocorrer, nunca será rejeitado.

Decido verificar meus sinais vitais aquela noite e pretendo fazer isso novamente pela manhã. Tudo vai acabar bem. Só que, na manhã seguinte, quase não tenho tempo. Estou tão cansada... Mamãe tem que entrar no meu quarto para me acordar.

– Tudo bem, dorminhoca? – ela pergunta.

– Sim. – A letra da música que diz "Não se preocupe... tudo vai acabar bem" não sai da minha cabeça, mas na sexta-feira sei que isso é mentira, quando pego a mochila, vou para a última aula e não consigo recuperar o fôlego. Não é a mesma falta de ar que sinto quando Matt me beija ou quando fazemos amor. É o tipo de falta de ar que me lembra monstros. Lembra sofrimento. Não tanto o meu, mas do sofrimento de outras pessoas. Pessoas que se importam comigo.

Vou até a enfermaria. Verifico minha temperatura e a pressão sanguínea. Está tudo bem. Tudo ok.

Mas sei que não está. Eu me senti assim um mês antes de ser diagnosticada com um vírus mortal. Uma semana antes de a minha vida desmoronar. Antes de eu perder tudo. Minha dignidade. Minha identidade. Minha crença num futuro.

Saio da enfermaria, mas, em vez de ir para a aula de História, vou ao banheiro e procuro no Google "sintomas de rejeição do coração".

Sentir-se cansado ou fraco é o sintoma número um. Número dois: palpitações cardíacas. Número três: falta de ar.

Eu me lembro das vezes em que pensei o pior e depois percebi que estava apenas apavorada. Será que estou assim de novo?

Esse pensamento me impede de ligar para a minha mãe. Faz com que eu continue na escola.

Matt se encontra comigo na frente do meu armário, antes da última aula, e sugere que façamos uma visita à faculdade depois da escola. Ele diz que concordei em ir na terça-feira. Eu não me lembro. Provavelmente foi quando estava meio adormecida na cama com ele. Mas não digo nada.

Espero até depois das aulas, na expectativa de que a euforia da sexta-feira me contagie. Vou me sentir muito idiota depois que souber que não é nada. Vou me sentir como a Nova Leah outra vez.

39

Ao deixar a escola, a euforia da sexta-feira ainda não me contagiou. A sexta-feira está simplesmente uma droga.

Matt me encontra onde meu carro está estacionado. Ele me beija. Quero esquecer tudo. Quero voltar para a praia e ouvir as ondas. Anseio pelo silêncio feliz daquele dia. O jeito como senti os braços dele ao meu redor. Estar prestes a fazer amor pela primeira vez.

Ele termina o beijo.

– Aposto que sentiu minha falta hoje.

E então um pensamento me ocorre. Vou sentir falta dele pelo resto da minha vida. Engulo em seco.

– Você prefere que a gente vá num carro só até a faculdade?

– Que tal se formos na semana que vem? – sugiro.

– Não comece outra vez – ele diz.

– Não comece o quê? – pergunto.

– Não comece de novo com aquela bobagem de viver um dia de cada vez. Eu já disse: isso me assusta.

Me assusta também. Mas eu é que tenho de me preocupar com isso. Não ele.

– Não sei lidar com isso, lembra? – ele diz.

– Sim, eu me lembro. – É por isso que ele fugiu da primeira vez. É por isso que tenho que fazer alguma coisa.

Levanto o queixo.

– Você mentiu para sua mãe, não foi?

– O quê? – pergunta ele.

– Disse a ela que meu nome era Lori. – Eu uso essa desculpa, porque na verdade isso ainda me magoa.

A culpa brilha nos olhos dele.

– Eu estava com medo que ela...

– Não fosse lidar bem com isso. Parece que é algo que corre no sangue da sua família, não é? – É um golpe baixo, mas não hesito em usá-lo, porque, droga, isso me magoa também.

Eu não tinha a intenção de magoar Matt, mas simplesmente não quero que ele tenha nada a ver com isso. De todas as coisas que experimentei nesta vida, ele é a melhor.

Digamos que eu esteja imaginando coisas. Digamos que eu seja apenas uma adolescente paranoica e não esteja rejeitando o coração de Eric. Ainda assim essa é uma possibilidade.

Se não hoje, amanhã. Se não esta semana, a próxima. Se não este ano...

Nunca serei capaz de planejar o futuro em anos. Sempre estarei olhando por sobre o ombro, procurando esse monstro. E Matt não consegue lidar com isso. Ele não tem que lidar com isso.

Ninguém deveria ter que lidar com isso.

– Nossa. O que...? – ele pergunta. – O que está havendo, Leah?

Engulo as lágrimas. Não. Não. Não. Não posso deixar que ele me veja chorando.

– Talvez só tivéssemos que ficar juntos até descobrir a verdade sobre Eric. E já fizemos isso.

Ele me olha como se tivesse levado um tapa. *Eu* me sinto como se tivesse levado um tapa. Me sinto sem forças. Me sinto doente. Dou um passo na direção do meu carro.

Ele me pega pelo braço.

– Espere aí! – ele diz. Está ficando com raiva ou, melhor, frustrado. Matt não fica com raiva quanto se sente magoado. Mas isso vai magoá-lo muito menos agora do que se tiver que me assistir rejeitando o coração de Eric.

Ele já perdeu o pai.

Já perdeu Eric.

Agora vai me perder. E Eric novamente.

– Por que está dizendo isso? O que eu fiz? Se fiz alguma coisa errada ou disse alguma coisa... errada, me desculpe.

– Você mentiu. E não me ligou de volta.

– Quando não liguei de volta?

– Da primeira vez – digo. – Você me beijou e então nem me ligou. Não posso confiar em você.

Ele abre os braços, como se pedisse ao mundo que volte a entrar nos eixos.

– Eu me desculpei por isso. Estava numa fase ruim. Mas isso não é... O que realmente está acontecendo?

Dor. Vejo isso nos olhos dele, ouço em sua voz. Grandes nós retorcidos de dor se formam no meu peito. Eu preciso sair dali.

Agora.

Eu me afasto.

– Leah – ele me chama.

Entro no carro. Antes de sair do estacionamento da escola, desligo o celular e ligo o aquecedor. Está quente lá fora e mesmo assim estou com frio. Um arrepio percorre minha espinha.

Sintoma número quatro: febre.

Quando chego em casa, confirmo o sintoma número quatro com o meu termômetro. Minha temperatura está acima dos 38 graus.

Verifico a pressão sanguínea. Desta vez está baixa. Muito baixa.

Sintoma número cinco: pressão arterial baixa.

Eu me sento na cama, o celular nas mãos. Penso no que essa ligação vai fazer com a minha mãe. Com o meu pai. Penso no que vai fazer com Brandy e Matt. Até com a mãe de Matt, que ainda nem aceitou que estou com o coração de Eric. Mas sei que ela não é uma pessoa ruim. Ela criou Matt e ele é bom. Então sei que mais cedo ou mais tarde ela vai ficar triste. Será como perder Eric novamente.

Mamãe atende o telefone no primeiro toque.

– Tudo bem?

O tom dela, aquele toque de medo na voz, me perturba. Talvez ela nunca tenha superado realmente o fato de eu ter ficado doente. Talvez seja intuição materna. Quase posso vê-la esfregando a outra mão na lateral do quadril. Eu me lembro de que, por muito tempo, as mãos dela viviam esfoladas. Eu me lembro de quando ela tinha de colocar *band-aids* nelas. E estou fazendo isso com minha mãe novamente.

– Estou com febre.

– Dor de garganta? – ela pergunta.

– Não.

– Pressão sanguínea?

– Baixa.

Eu ouço aquele ruído. O jeito como ela respira. É muito sutil. Mas tão alto... Eu reconheço. É dor. É medo. Sua alma está se esfacelando outra vez.

Fecho os olhos. Me desculpe, quero dizer. Eu sinto muito.

– Onde você está? – ela pergunta.

– Em casa.

– Estou a caminho.

Desligo. Um calafrio percorre a minha espinha. Puxo minhas cobertas cor-de-rosa e me cubro até o queixo. Começo a tremer. Estou sozinha. Estou assustada. Vou morrer.

Estou com quase 40 graus quando minha mãe chega. Ela começa a surtar.

– Mãe – digo a ela. – Vai dar tudo certo. – Mas sei que não vai.

Ela liga para o meu pai e eu os ouço conversando, tentando decidir se ela me leva para o hospital mais próximo ou para o maior. O hospital de transplantes.

Decidem que é melhor o hospital de transplantes. Papai vai nos encontrar lá.

Entro no carro dela. Levo meu cobertor e meu celular comigo. Mas meu celular está desligado. E vai continuar assim.

Mamãe quase me empurra para fora de casa. Tenho dificuldade para afivelar o cinto de segurança. Ela faz isso por mim.

Está inclinada sobre o meu corpo. Consegue afivelar o cinto. Seus olhos verdes redondos e assustados se erguem e encontram os meus.

– Eu amo meu cobertor cor-de-rosa – digo.

Ela solta uma daquelas risadas que mais parece um choro. E eu acho que é as duas coisas.

Eu me inclino contra a janela e observo o mundo passar. Lembro-me de ter feito isso quando fui para o hospital fazer o transplante.

Nós não conversamos. Exceto a cada cinco minutos, quando ela pergunta:

– Tudo ok?

E eu minto:

– Tudo. – Mas, na verdade, está ficando difícil respirar.

Fecho os olhos e penso no oceano. E penso no medalhão na minha caixa de joias. Me pergunto se a garota a quem ele pertencia afastava todas as pessoas para protegê-las. Será que era por isso que ele estava vazio? Para evitar que alguém fosse magoado?

Se foi esse o caso, então não é tão triste quanto eu pensava. Então pelo menos ela amava alguém. Como eu amo Matt. E talvez isso seja suficiente.

Mamãe não vai me deixar tentar sair do carro sozinha. Ela toca a buzina e entra com tudo no acesso para o pronto-socorro. Posso ouvi-la gritando. Fecho os olhos com força, como se isso fosse me impedir de ouvir.

Quase imediatamente trazem uma maca até onde estou. Me tiram do carro. Tento ficar com o meu cobertor, mas não vão me deixar levá-lo.

No segundo em que entro no pronto-socorro, vejo papai. Em seguida vejo a dra. Hughes. Papai provavelmente ligou para ela.

Do outro lado da sala, o olhar dela encontra o meu. E eu vejo. A decepção. Até mesmo um pouco de medo. Ela realmente queria muito me dar aqueles anos. Espero ter a chance de dizer a ela que não lamento por nada. Ela só me deu meses, mas eles foram bons. Os melhores da minha vida.

Papai corre até mim. Pega minha mão. Ele está com aquela expressão de quem está carregando o mundo nas costas. E está tremendo. Ou será que sou eu?

Talvez seja eu. Eu continuo tentando sorver mais ar.

Eles me empurram para uma sala. Ouço a dra. Hughes pedir aos meus pais para esperarem do lado de fora.

Sou cercada por quatro pessoas. Percebo que devo estar realmente mal, porque não me pedem para tirar as roupas. Em vez disso, começam a cortá-las com tesouras. Tento impedi-las. Dizer que estou com o meu melhor sutiã, mas bato os dentes de tanto frio. No entanto, quando o metal frio da tesoura encosta na minha pele, solto um grito.

Quero meu cobertor cor-de-rosa de volta. Quero voltar para a praia. Quero conseguir respirar.

Uma enfermeira está colocando eletrodos no meu peito. Outra está segurando meu braço e tentando enfiar uma agulha na minha veia. Sinto a agulha entrar. E sair. E entrar de novo.

A dra. Hughes se aproxima e paira sobre mim. Ela começa a falar rápido o nome dos diferentes exames que preciso fazer. Medicamentos que ela quer que eu tome e a rapidez com que os quer administrados.

– Não consigo pegar a veia – grita uma enfermeira.

– Merda! – pragueja a dra. Hughes. – Precisamos pegar agora! O monitor cardíaco está ligado? – ela grita. – Vamos, gente! Não podemos ferrar com tudo agora!

Eu nunca a ouvi falar palavrões antes.

Os olhos dela encontram os meus brevemente. Estão cheios de lágrimas. Ela toca meu rosto. Não posso ouvi-la, mas acho que ela está dizendo que lamenta muito.

E tudo fica enevoado.

– *Você não pode fazer isso* – ouço Matt dizer.

Eu me viro até vê-lo.

– *Não posso fazer o quê?*

– *Ficar aqui. Você precisa voltar.*

– *Onde… estamos?* Olho em volta e suspiro quando vejo o oceano. Mas *Galveston nunca pareceu tão perfeita. A água está com uma cor linda, nem muito verde, nem muito azul. As ondas se avolumam e formam uma crista de espuma branca enquanto quebram. É como um poema. É tudo tão puro. A areia é tão branca...*

– Você me ouviu? – *ele diz novamente.* – Volte.

Eu me viro e olho para ele.

– *É tão lindo, Matt...*

Ele solta uma risada.

– *Ah, por favor... Eu sou o gêmeo mais bonito.*

Vozes soam na minha cabeça.

– Leah! Fique conosco. Me escute, fique conosco!

Olho de volta para Matt, quer dizer, para Eric. Sei, porque o cabelo dele não é enrolado nas pontas. Então volto a olhar para o oceano. Eu me sento na areia. É macia, fina e eu corro os dedos através dela. Quero ficar aqui.

40

Algo está errado. Matt sente isso. Ele sabe disso. Sabe desde sexta-feira à noite.

E já esperou tempo suficiente. Sobe os degraus da varanda e bate na porta. Por fim, ouve passos. Uma mulher atende. Ela está vestindo um robe. Ele supõe que seja a mãe de Brandy.

– Brandy está?

Ela pisca e fecha mais o robe.

– Não são nem sete horas e é domingo.

Sim, mas ele já estava sentado no carro, esperando, fazia duas horas.

– Sinto muito, mas é importante. É sobre Leah McKenzie.

A mãe de Brandy faz uma cara assustada.

– Ela está doente outra vez?

Ele assente. Mas reza para que esteja errado. Infelizmente, essa é a única resposta que faz sentido. Leah estava diferente e depois...

Ele ligou para ela. Dezenas de vezes. Por fim, ontem à noite, sem conseguir dormir, foi à casa dela. Era meia-noite. Havia luzes acesas. O carro de Leah estava na entrada da garagem.

Ele andou até os fundos, escalou a cerca sem fazer barulho, esperando que a qualquer minuto o sr. McKenzie aparecesse com uma espingarda. Ninguém apareceu. Ele se aproximou da janela de Leah. A luz estava acesa. A cama, vazia. Ela não estava lá.

Era meia-noite, pelo amor de Deus!

Ele foi até a frente da casa, e foi quando notou que a porta da frente estava entreaberta.

Ele ainda bateu na porta. Quando ninguém respondeu, tocou a campainha. Ninguém veio até a porta atender. Ele entrou. O medo fez seu estômago revirar. A preocupação era ser acusado de invasão domiciliar.

Mas não havia ninguém em casa. E não parecia que havia entrado algum ladrão ali. A casa só parecia vazia. Como se alguém tivesse saído às pressas e esquecido de fechar a porta. Uma emergência.

A mãe de Brandy por fim lhe dá passagem, para que ele entre.

– Vou chamar Brandy.

Matt espera na sala.

Brandy aparece de pijama.

– O que aconteceu?

– Você falou com Leah? – ele pergunta.

– Não. Tentei falar com ela ontem. Caiu direto na caixa postal. Por quê? Alguma coisa errada?

– Ela não está em casa. Nem os pais dela. A porta da frente estava entreaberta.

– Alguém arrombou a porta? – Pânico irradia da voz dela.

– Não, não me pareceu. Você sabe o número do celular da mãe dela?

– Sei. Vou pegar o celular.

Quando volta, toca o visor do aparelho.

– Vou tentar ligar para Leah primeiro.

Ele fica ali, esfregando as mãos. Ela franze a testa e ergue os olhos.

– Vai cair na caixa postal. – Ela desliga e toca a tela do telefone outra vez. Ele supõe que ela esteja ligando para a mãe de Leah. Ele espera. Ela franze a testa outra vez.

– Vai cair na caixa postal também.

Brandy se senta no sofá e deixa uma mensagem:

– Oi, sra. McKenzie. Aqui é Brandy. Estou meio preocupada. Não consigo falar com Leah. A senhora poderia retornar a minha ligação?

Ela desliga e coloca o cabelo para trás.

– Tem certeza de que não estão em casa? Dormindo?

– Andei pela casa inteira. Não tem ninguém lá.

Ele junta as mãos atrás da cabeça.

– Estou realmente preocupado. Pensei em ligar para o hospital, mas...

Brandy franze a testa.

– Se Leah ficou doente, ela está no Medical Center.

– Em Houston? – ele pergunta, lembrando o dia em que a viu no hospital.

– Sim. Eles a mandam para lá. É onde sabem tratar pacientes transplantados.

Ele assente e se vira para ir embora.

– O que vai fazer? – pergunta Brandy.

– Vou até lá.

– Por que não liga primeiro?

Ele não se dá ao trabalho de ligar. Sabe que não vão lhe dar nenhuma informação. Ele ligou várias vezes no dia em que Eric morreu. Ninguém quis lhe dizer merda nenhuma. *Por favor, meu Deus, não deixe que hoje aconteça a mesma coisa.*

Mas ele sente isso. Sente a mesma solidão opressiva que experimentou na noite em que Eric morreu.

– Leah?

O meu nome. Tento abrir os olhos. Eles parecem colados e cheios de areia. Eu me lembro vagamente de uma praia. Mas que cheiro é esse?

– Ela está acordada – ouço minha mãe dizer. Finalmente consigo abrir os olhos.

A primeira coisa que faço é tentar engolir. Não quero sentir nada na garganta. Não quero que meu peito tenha sido serrado novamente.

Não há nada obstruindo a minha garganta. E não sei se serraram meu peito.

Eu pisco. Mamãe parece exausta. Papai está ali com ela. Os olhos dele estão vermelhos. O cabelo de mamãe está despenteado. Papai está com a postura rígida.

– Vocês dois estão com uma aparência horrível.

Mamãe solta uma das suas risadas que parece um choro. Papai aperta a minha mão. Eu respiro, sinto outra vez o cheiro de algo desagradável e percebo que é o meu hálito. Faço uma careta e cubro a boca.

Estou lutando para dissipar as teias de aranha na minha cabeça, tentando me lembrar das coisas. Então, a maioria das lembranças volta. Ouço o sinal sonoro de uma máquina no mesmo compasso do meu coração. Olho em volta. Estou na UTI. Reconheço a decoração asséptica do hospital.

Olho para mamãe.

– Estou rejeitando o coração... – digo, reticente.

Mamãe pisca.

– Você estava. Mas está bem melhor agora. A febre está cedendo. A pressão sanguínea está mais alta. A dra. Hughes disse que isso é um bom sinal.

– Há quanto tempo estou aqui?

– Dois dias – diz minha mãe.

Tento umedecer os lábios, mas minha língua está seca. Vejo de novo os olhos injetados da minha mãe.

– Vocês precisam dormir.

– Estamos bem. – Mamãe sorri. Ela pega a minha mão. Sinto as palmas dela. Parecem vermelhas e esfoladas.

– Você não parece bem – eu digo.

– Por quê? – papai pergunta. – Não gostou do meu novo penteado? – Ele passa a mão no cabelo e endireita as costas.

Tento sorrir, mas não consigo.

– Água?

– Lascas de gelo. Trouxeram apenas para o caso de você acordar.

Mamãe coloca uma lasca na minha língua. Está molhada e é maravilhosa. Olho para baixo e vejo algo pendurado, saindo do meu peito.

– O que eles fizeram?

– Um cateter cardíaco, só para garantir.

Que ótimo. Outra cicatriz.

Abro a boca e me sinto fraca como um passarinho. Não tenho energia para fazer mais nada.

Mamãe coloca outra lasca de gelo na minha língua.

– Matt e Brandy estão aqui.

Eu assinto e então me lembro. Ergo os olhos.

– Faça irem embora.

– O quê? – estranha a minha mãe.

– Diga pra irem embora. Não preciso deles aqui.

– Mas querida...

– Estou falando sério. – Bato com a mão na colher que minha mãe está segurando. Ela cai no chão de cerâmica com estardalhaço. – Não quero eles aqui. Eles não têm de passar por isso.

– Passar pelo quê? – pergunta minha mãe.

– Isso! – sibilo, porque minha garganta dói. Meu coração dói. Minha alma dói.

Papai se aproxima.

– Fique calma, amor.

Mamãe afasta o gelo.

– Querida, eles se preocupam com você.

Eu olho para meu pai.

– Faça irem embora, papai. Por favor. – Começo a chorar. – Já é bem ruim que vocês dois tenham que ver isso. Por favor, faça eles irem embora! – Ouço o monitor cardíaco bipando mais rápido.

– Querida, não chore – pede minha mãe.

– Vou falar com eles – diz meu pai. – Fique tranquila, ok? Vou mandá-los embora. Prometo. – Ele se afasta.

Rolo na cama, fecho os olhos e imploro para dormir e esquecer tudo outra vez.

Ouço o *clique, clique, clique* de uma caneta. Reconheço esse barulho.

Abro os olhos e a dra. Hughes está parada ali, olhando fixamente para mim.

– Pedi à sua mãe para trazer Donald e Dumbo de volta.

Tento me sentar.

Ela larga a caneta e o bloco.

– Vou ajudá-la – diz. O zumbido eletrônico da cama se movendo preenche o pequeno espaço da UTI.

Só quando estou sentada tento realmente falar.

– Não é culpa sua.

– O que não é culpa minha? – ela pergunta.

– Você se desculpou quando eu estava no pronto-socorro. E estava falando palavrões como um marinheiro.

Ela sorri.

– Tenho certeza de que imaginou isso.

Tento sorrir de volta, mas não consigo.

– Estou perdendo o coração?

– Parece que não – diz ela. – Sim, antes você o estava rejeitando. Ele parou de bater como deveria, causando um edema pulmonar, o que significa que líquido começou a se acumular em seus pulmões. Mas nós cuidamos disso, e você parece estar respondendo aos antibióticos e aos corticoides. Administramos outro tipo de imunossupressor.

– Mas...? – pergunto.

Ela apenas levanta uma sobrancelha.

– Há sempre um "mas" – explico.

Ela cruza os braços.

– Por que estou percebendo uma ponta de vitimismo?

– Você diz isso como se eu não tivesse esse direito – rebato. – Não acha que o conquistei?

Ela semicerra os olhos.

– Só estou dizendo que você não costuma agir assim. Mas eis aqui o "mas" que você queria – diz ela. – Vou mandar fazer alguns exames para saber se há alguma sequela. – Ela pega a caneta, começa a clicar e sorri. – Não quero ser otimista demais, mas tenho que dizer que a pressão pulmonar e até a pressão das cavidades cardíacas, medida pelo catéter, parecem boas. Seu coração parece forte agora. Surpreendentemente forte.

– Ele não é meu – corrijo-a.

Ela levanta outra sobrancelha.

– Você nunca ouviu uma frase que diz: a posse constitui um direito real? – Ela toca meu ombro. – Detesto ter que arruinar o seu mau humor, mas estou me sentindo muito positiva.

Ela pega o estetoscópio e me faz respirar fundo. Quando afasta o aparelho, pergunta:

– O que está incomodando você?

Quase não respondo. Então admito.

– Estou cansada de fazer as pessoas sofrerem. De sugar a vida delas.

– Quem você está fazendo sofrer?

– Minha mãe e meu pai. Brandy e... Matt. – Eu engulo em seco e olho para ela. – E você, também. Não negue. Sua máscara caiu lá no pronto-socorro. Eu vi em seus olhos.

Ela guarda o estetoscópio de volta no bolso e pega a caneta para fazer mais anotações em seu bloco.

– Droga de máscara... – murmura. Então olha para mim. – Infelizmente, faz parte da condição humana. Se preocupar. Eu gostaria de poder oferecer algumas palavras de sabedoria. Mas o melhor que posso dizer é... vá se acostumando. As pessoas não vão parar de se preocupar, Leah.

Sinto uma lágrima rolar pela minha bochecha e a enxugo.

– Bem, retiro o que disse – diz ela. – Você pode, sim, começar a ser uma pessoa infeliz. Uma verdadeira megera. Jogue comida nos enfermeiros e nos médicos. Nós odiamos isso. Mas tenho que dizer, não vejo isso em você.

Olho para ela.

– Mas é duro. Ver as pessoas. Saber o que estou fazendo a elas.

– Sim. Mas sabe o que você não está vendo? Aqueles que perderam um filho. Ou um amigo. Ou a namorada. Essa dor é pior, Leah.

Ela fica mais ereta.

– Você não morreu. Nos deu um susto, mas, para minha surpresa, seu prognóstico parece bom. Lembre-se, eu não disse que coisas assim poderiam acontecer? Às vezes o sistema imunológico do corpo vê o coração como algo que não lhe pertence. Vou mantê-la no hospital por um tempo, por um bom tempo. Você vai fazer exames periodicamente. Não vou mandá-la para casa até ter certeza de que não há nada errado com o seu coração. Mas acho que você vai ficar bem.

— Até acontecer de novo – digo. – Ou até que eu tenha um câncer por causa dos imunossupressores, ou quando eles pararem de funcionar e eu matar este coração para sempre.

Os olhos cinzentos da médica se apertam e encontram os meus.

— Você tem razão. Não posso prometer a você que não acontecerá outra vez. E mais outra. Não posso prometer que não vai ter câncer. Mas o que você vai fazer no intervalo entre todas essas vezes é o que faz diferença. Porque assim é a vida, Leah. Sem promessas. Sem garantias. Mas, com sorte, você poderá usar esse tempo para fazer alguns sonhos se tornarem realidade.

Ela aperta meu ombro e sai. Sei que as palavras dela, lá no fundo, podem me trazer conforto, mas não estou no clima para encontrar conforto nelas agora. Estou fazendo as pessoas que me amam sofrerem. Não mereço nenhum conforto.

Eles me levam para a ala dos transplantados. Mamãe pergunta se estou disposta a aceitar companhia. Logo descarto essa possibilidade! E a lembro da promessa de papai.

Os dias passam. Não quero saber o que está acontecendo lá fora. Leio meus livros até a última página – seja noite ou dia. Então durmo e repito o mesmo no dia seguinte. Isso funciona para mim.

Mamãe e papai ficam o tempo todo ao meu lado. Tentam me encorajar a seguir uma rotina de atividades. Tento explicar que odeio rotinas e as leituras me deixam com mais sono. Mais que isso. Elas me fazem esquecer.

Ainda assim, não estou feliz. Mamãe e papai não estão felizes. Quando a dra. Hughes chega naquela tarde, ela não parece feliz também.

Clica a caneta e olha para mim.

— Há uma palavra feia que odeio usar e gostaria de saber se você já ouviu falar dela – diz.

Olho para ela.

– Acho que já ouvi de tudo. Mas gosto de conhecer palavras novas e estou sempre ansiosa para aprender mais uma.

– Depressão – diz ela.

Quase digo que a culpa é dela ou da equipe de transplante por me deixar receber o coração de alguém da minha própria cidade. Mas antes que as palavras saiam da minha boca, eu me contenho.

Faço isso porque, se dissesse, isso significaria que estou arrependida de ter o coração de Eric no meu peito. E isso não é verdade. Eu não lamento ter ajudado Matt a descobrir quem matou o irmão. Não lamento ter me apaixonado por Matt. Ou termos feito amor ou nos deitado na praia e contemplado o mar por mais de duas horas.

Mas também não lamento ter rompido com ele. Foi a coisa certa a fazer.

– Que tal um passeio pelos corredores? – ela sugere. – Vou com você.

Digo que não estou a fim e tento convencê-la de que ir ao banheiro é mais exercício do que ela pensa. Depois enterro o nariz num livro. É falta de educação. Mas pelo menos não joguei comida nela.

Mamãe e papai chegam ao ponto de fazer piadas idiotas. É realmente deprimente. E as piadas são realmente ruins. Tento me animar para alegrá-los, mas... meu coração está partido e de muitas maneiras.

Faço um acordo com a minha mãe. Se ela voltar ao trabalho, vou tentar sorrir mais.

Ela rebate minha oferta com outra:

– Se você tomar um banho, andar pelos corredores como as enfermeiras recomendam, dormir em horários regulares e sorrir mais, volto a trabalhar três dias por semana.

Eu aceito em parte.

– Vou sorrir mais.

Por mais patético que pareça, funciona. Mamãe volta a trabalhar três dias por semana. Mas percebo que papai está tirando mais folgas. Pais são tão dissimulados...

Por fim, cedo e tomo um banho.

Mas os banhos ainda são opcionais no meu mundo. Tiram o acesso do meu braço. O catéter, pendurado no meio do peito, permanece.

Todo dia um dos meus pais me traz um presentinho. No começo, sempre era um livro novo. Ontem foi um par de pantufas. Eu tenho a Minnie agora. Para mudar um pouco, calço um pé do Mickey e outro da Minnie. E, quando cruzo os pés, juro que parece que eles estão transando. Dei risada algumas vezes por causa disso.

Mamãe continua tentando me levar para o chuveiro.

– Mais tarde – eu digo e volto a enfiar o nariz num livro. Quanto mais o afundo nas páginas, menos sinto meu próprio cheiro.

Nossos pais nos amam, não importa as condições em que estamos. Ou o cheiro que exalamos. E não estou tentando impressionar ninguém. Tenho certeza de que a dra. Hughes já viu coisa bem pior. Embora não dê para saber pela expressão dela.

Ontem papai me trouxe um brinquedo: um botão "Que merda!". Cada vez que eu o aperto, ele me dá uma versão um pouco diferente da minha frase de efeito favorita. *Que bosta! Que porcaria! Que caca! Que foda!* Foi um grande presente. Ele me ajuda a manter a promessa de sorrir mais, feita à minha mãe. Mas sinto tanta falta de Matt que até os pelos do meu nariz doem.

Não que eu queira ele aqui. Ele mesmo disse. Não consegue lidar com isso. E, quanto mais penso, mais acho que a ligação dele comigo sempre foi desvendar o assassinato do irmão. Isso e o fato de eu estar com o coração de Eric. Mas, como a dra. Hughes afirmou, a posse constitui um direito real.

Também sinto falta de Brandy. Quase caio em tentação e digo à mamãe para deixá-la subir, mas depois me lembro do olhar no rosto dela no dia em que me levou ao consultório da dra. Hughes por causa da minha dor de garganta. Que tipo de amiga eu seria se a fizesse se sentir daquele jeito outra vez? E outra. E mais outra. Nunca vou ser uma pessoa normal.

Além disso, pendurado no meu peito ainda está o catéter, que mais parece um absorvente interno, onde injetam meus remédios. E Brandy desmaiaria se visse.

É a coisa certa a fazer, digo a mim mesma. E sinceramente, não preciso de amigos. Os livros são meus amigos.

Naquela noite, peço a papai para ir até a biblioteca do hospital e me trazer mais amigos. Ele me diz que eu deveria andar até a biblioteca e pegar eu mesma.

– A caminhada lhe faria bem.

Quando mamãe chega, peço a mesma coisa.

– Andar até a biblioteca pode te fazer bem. – É quando eu sei que se trata de uma conspiração, mas não sou alguém assim tão manipulável.

– Tudo bem – digo num tom irritado e começo a ler um livro que não me interessa tanto. Na manhã seguinte, ou talvez na noite seguinte – acho que é o meu décimo segundo dia/noite no hospital –, eu termino de ler o livro.

Uma enfermeira entra e sorrio para ela.

– Por acaso, você poderia dar uma passadinha rápida na biblioteca na hora da sua folga e pegar alguns livros para mim? Sou leitora voraz, por isso não sou exigente.

– Que tal dar um passeio até lá embaixo você mesma? Posso mostrar onde fica a biblioteca.

Droga! Então as enfermeiras também estão participando da conspiração.

Franzo a testa.

– Não posso.

Faço um gesto indicando o meu corpinho malcheiroso, que há dois dias – não, três dias – não toma banho.

– Puxa, taí uma boa ideia! Por que não toma um banho?

Ela sai antes que eu possa dizer não. Quando volta, digo não, mas ela não ouve. Traz com ela um rolo de película aderente e começa a embrulhar o catéter, de modo que ele não corra o risco de molhar. Depois ela desconecta os eletrodos que estão monitorando os meus batimentos cardíacos.

– Quer que eu te ajude no chuveiro?

– Não. – Odeio gente que pratica *bullying*.

– Você precisa de um banho – insiste ela.

– Sim, mas acho que vou tirar um cochilo primeiro.

Volto a me deitar e me viro de costas para ela.

Banho é algo superestimado. Além disso, no romance histórico que acabei de ler (e que era medíocre, para falar o mínimo), eles tomavam banho só uma vez por mês.

Ouço a enfermeira sair do quarto. Fico deitada na cama e percebo que já faz 24 horas que terminei o último livro. Estou ficando nervosa. Deve ser a síndrome de abstinência. Talvez eu tenha realmente que tomar um banho. Ou... também posso ir até a biblioteca fedendo e vestindo a mesma camisola que estou usando há três dias.

Depois de um cochilo de tédio que dura três horas, acordo e encontro outro presente na mesinha de cabeceira, ao lado dos restos do meu almoço. Um pacotinho. Fico um pouco ofendida ao ver que não é um livro.

Olho para baixo, para a parte da frente da camisola, e vejo que ainda há migalhas do meu almoço espalhadas ali. Espano do meu peito os restos de carne do meu taco. Viu? Ainda tenho um pouco de orgulho próprio!

Então percebo que os tacos não foram do almoço de hoje... *Ugh*. Passo a língua pelos dentes. Não sou uma completa desleixada. Escovei os dentes hoje. Ou será que foi a noite passada? Me deixo cair de costas no colchão e olho para o presente.

Está embrulhado.

Eu deveria esperar até mamãe ou papai chegarem. Seria mais educado... mas... Estou entediada. E não tenho um livro. E as pessoas que ficam vários dias sem tomar banho na verdade não são conhecidas exatamente pela sua educação. Então abro o presente.

Prendo a respiração quando vejo o medalhão. Não é... não é igual ao que encontrei, mas é bem parecido. Eu abro o pingente. E quando vejo as fotos, imediatamente começo a chorar.

Não são da minha mãe nem do meu pai.

Em cada lado do coração do medalhão há uma foto. Uma minha e de Matt e a outra de Lady e Matt.

41

Droga.

– Merda! Merda!! Merda!!! – grito. Eles deveriam acrescentar isso ao meu botão de merda.

Mamãe me pega no meu pior momento ao entrar. Estou chorando. Estou sofrendo. Estou com raiva. Preciso de alguém em quem extravasar meus sentimentos, e a minha mãe aparece bem na hora.

– Não quero isso. Pensei que papai tinha prometido mantê-los longe de mim. Se não posso contar com ele, com quem posso contar?

Ela retorce a boca, seus olhos se apertam e ela balança a cabeça e desliza a mão pelo quadril. Não a esfrega como faz quando está nervosa, mas usa o gesto como um aviso. Um aviso que não a vejo fazer há muito tempo. Mas eu o reconheço.

Ela está prestes a surtar.

E tudo bem. Podemos surtar juntas.

– Papai prometeu! – repito.

– Ele tentou – rebate mamãe. – Mas Matt não vai embora. Aquele garoto tem vindo aqui todos os dias, Leah. Todo dia ele se senta naquela sala de espera. E todo dia pede para te ver. Está partindo meu coração.

– Então faça ele ir embora. Diga que eu morri ou algo assim.
– Meu peito está sufocado.

A outra mão da minha mãe encosta no quadril. Seus olhos se semicerram. Através das fendas em que se transformaram seus olhos, juro que eles ficam de uma cor néon, como os vampiros em alguns dos meus livros favoritos.

– Não posso obrigá-la a namorar com ele – ela sibila.

Nunca ouvi minha mãe sibilar.

Ela dá um passo na direção da minha cama.

– Eu nunca te forçaria a reatar. Mas não ensinei você a ser mal-educada. E Matt merece um agradecimento por esse presente. Então vou sair do quarto e dizer a ele que pode entrar. Se tiver coragem! Porque, pode acreditar, o que ele está prestes a ver não é nada bonito!

Ela começa a sair, então se volta para trás e aponta um dedo para mim.

– Recomendo que você penteie o cabelo e limpe as migalhas do café da manhã e do almoço que ficaram na blusa desse pijama sujo.

– Não, mãe! – eu grito. – Eu não quero...

Ela sai. Bato a mão no meu botão e ouço um: "Que porcaria!".

Ouço vozes no corredor. Saio da cama. Logo antes de chegar ao banheiro, ouço a porta se abrindo. Caramba! Mamãe tinha razão. O que Matt viu não foi nada bonito. Sim, tenho certeza de que ele viu de relance um pedaço da minha bunda aparecendo na fenda da camisola de hospital.

Bato a porta, sento-me no vaso sanitário e choro.

Fico ali por uns bons dez minutos antes de perceber que o catéter pendurado no meu peito ainda está embrulhado na película aderente. E uma camisola limpa está pendurada no gancho.

Entro no box. E tomo banho.

Vestida e com os cabelos encharcados, colo o ouvido na porta para ver se ouço alguém no quarto. Nenhuma voz. Abro a porta. Não vejo ninguém, mas dali não posso ver a cadeira contra a parede. Seguro a parte de trás da camisola ao sair, para evitar que se abra.

Foi de fato uma ótima ideia, porque Matt está ali.

Está com boa aparência. Mas parece cansado também. Não abatido como meus pais ficam às vezes, mas cansado.

Meu coração vai continuar sofrendo.

Arrasto os pés até a cama e não digo nada.

– Eu sei por que você fez isso – diz ele.

– Fiz o quê? – pergunto.

– Me manteve longe. Você está tentando me proteger.

Eu não digo nada.

– O problema é que não quero ser protegido. E me deixa furioso que você tenha feito isso. Porque me magoa!

Ergo os olhos. Minha garganta está tão apertada que não tenho certeza se posso falar, mas falo mesmo assim:

– Bem-vindo ao meu mundo. – Minha visão embaça. – Você disse que não conseguia lidar com isso. Sabe quanto tempo fingi para você que eu era normal?

Aperto os lençóis nas mãos em punho.

– Estou doente, Matt. Tenho que tomar remédios todo dia, duas vezes por dia. Se algo está cru e não está cem por cento limpo, pode me matar. Aliás, os medicamentos também podem. Já se sabe que eles podem causar câncer. Mas se eu não tomar, meu coração – o coração de Eric – vai morrer. Porque meu corpo realmente quer matá-lo. Nunca vou ser uma pessoa normal. Não posso ter filhos. Não sei se vou conseguir planejar o futuro em anos.

Ele está me encarando. Há lágrimas em seus olhos.

– Estou sugando a vida de todo mundo que se importa comigo. E não posso evitar. Então vá embora, Matt. Pode acreditar, você não vai querer passar por isso! E eu não quero ver isso acontecendo. – Aponto para a porta.

Ele levanta o queixo

– Nunca pedi para você fingir. Você escondeu tudo isso de mim.

– Sim. Para você não me deixar de novo. Não vê? – pergunto, as lágrimas escorrendo pelo meu rosto. – Por favor, apenas vá embora.

– Eu disse que sentia muito não ter ligado. Disse isso naquele primeiro dia. Acha que não me arrependi? Você disse que me perdoava, mas mentiu. Nem me deu uma chance! Desistiu de mim!

Coloco a mão na boca.

– Você já perdeu pessoas demais.

Ele se levanta e anda até a minha cama. Até se senta na borda do colchão. A perna dele está tocando a minha. Estou sofrendo. Estou sofrendo muito.

– Sim, perdi muitas pessoas – diz ele. – Mas você acha que, se alguém me dissesse que eu iria perder meu pai, eu teria dito que não queria que ele fizesse parte da minha vida? Você acha que eu teria dito que não queria um irmão gêmeo? Conhecer Eric? Amá-lo? Eu quero fazer parte da sua vida, Leah.

– Por quê? – pergunto. – Por que você quer isso?

Ele se senta mais para cima na cama. Está sentado perto da minha cintura agora. Posso sentir o cheiro que emana dele. Senti falta desse cheiro. Ele estende a mão e toca a minha. Sinto a eletricidade. Ele envia ondas de desejo, necessidade e amor para mim.

Quando não responde à minha pergunta, pergunto novamente.

– Por quê? Ficar perto de mim é o jeito que encontrou de ficar perto de Eric?

Ele balança a cabeça, negando.

– Você é a pessoa inteligente mais burra que já conheci. Eu não quero fazer parte da sua vida porque você está com o coração de Eric. Ele coloca a mão sobre o meu peito, sobre o coração do irmão. Depois se inclina, os lábios muito próximos. – Quero fazer parte da sua vida porque você tem o *meu* coração, Leah McKenzie.

Ele me beija. Então me beija novamente. E de novo.

– Eu amei o medalhão – sussurro.

– Que bom. – Ele me beija outra vez.

– E também te amo – confesso.

– Que bom.

No momento seguinte, estamos nos agarrando numa cama de hospital.

Eu olho para ele.

– Não vai ser fácil.

– Quem quer coisas fáceis aqui? – ele diz. – Eu te amo.

Matt se move. O pé dele bate na mesinha de cabeceira. Algo cai no chão e ouvimos: "Que porcaria!". Nós dois rimos, o tipo de risada que faz a vida parecer mais doce. E ela é... doce.

Epílogo

28 DE MAIO

— Está pronta? – O diretor Burns me pergunta.
De jeito nenhum! Por que concordei com isso? Ah, sim, Matt e eu tínhamos pedido comida chinesa na noite anterior ao dia em que o diretor me chamou em seu escritório e me pediu para fazer isso. Eu teria dito que não se, no meu biscoito da sorte, não estivesse escrito: "Aceite o próximo desafio oferecido a você".

Lição aprendida. Nunca mais comer comida chinesa.

Ouço meu nome pelo alto-falante. Mamãe e papai levantam o polegar para mim e me dão um abraço de pais orgulhosos. Há tanta felicidade no rosto deles que quase começo a chorar. O que realmente não seria nada bom agora.

Eu abro um sorriso, endireito o capeto de formatura e ando até o pódio.

— Olá! – digo para o auditório com mais de mil pessoas.

Minhas mãos estão suadas. Meu estômago é uma pista de corrida para borboletas.

— Bem, vocês já sabem o meu nome. Também já devem saber que só estou aqui neste palco esta noite porque nosso prefeito, que faria um discurso para nós hoje, teve um pequeno contratempo.

Todos riem porque, graças aos noticiários, todos sabem que ele foi pego com uma garota de programa. Nem se importou que estivessem em plena luz do dia, dentro de um carro estacionado em frente ao tribunal, com fotógrafos nas proximidades e expondo tatuagens que ninguém sabia que ele tinha.

Eu respiro.

– Sem alternativa, o sr. Burns perguntou se eu preencheria a lacuna deixada pela ausência do prefeito. Ele parece achar que estou qualificada, provavelmente porque... estou tentando sobreviver ao meu terceiro coração. E porque até agora não fiz nenhuma tatuagem.

Mais risos ecoam e me sinto melhor.

– Falando sério agora, um vírus chamado miocardite matou o meu coração. Os médicos me deram um artificial. Mas ele era como um pneu reserva: não dá pra rodar muito com ele. Então alguém cheio de coragem e a família dessa pessoa me deram seu coração quando ela morreu. E vou falar mais sobre isso daqui a pouco. – Engulo a emoção que ameaça fechar minha garganta.

– Alguns de vocês podem ter notado que mudamos nosso lema de formatura. Ele era "Viva um dia de cada vez". Eu só concordaria em falar se fosse autorizada a mudá-lo. Nosso novo lema é "A arte de fazer o amanhã".

Olho para cima, na direção da faixa com o lema, pendurada acima de nós. As pessoas aplaudem. Eu endireito um pouco mais a coluna.

– Decidi falar sobre algumas lições que aprendi enquanto estava com meus dois primeiros corações.

"Muitas vezes nos dizem para não vivermos no passado. E esse é de fato um bom conselho. Se não tivermos cuidado, o ontem pode roubar nosso hoje e nossos amanhãs. Mas também não podemos esquecer o passado. Ele faz parte do mapa que nos trouxe onde estamos hoje. O ontem guarda segredos, boas lembranças, ótimas lembranças e outras muito ruins. Ele contém os nossos erros. Alguém disse que nossos erros na verdade só significam que estamos tentando. Mas também podem significar que precisamos tentar um caminho diferente.

"Então, se nos esquecemos do nosso ontem, não vamos aprender as lições que aprendemos com os nossos erros. Vamos perder algumas lembranças preciosas. Para todos nós, formandos, isso significaria que esqueceríamos o colegial. Esqueceríamos como ele era horrível e como também foi fantástico. Esqueceríamos aqueles beijos roubados no corredor, a torta de atum do refeitório e como era bom tirar nota dez. Esqueceríamos como aprendemos a nos defender. E não sei vocês, mas preciso me lembrar dessas lições, para aplicá-las enquanto sigo em frente. E já as apliquei. Jurei a mim mesma que nunca mais vou comer torta de atum."

Eu respiro enquanto eles riem.

– Então havia esse antigo lema, "Viva um dia de cada vez". Esse é realmente um bom conselho. Se vivemos no presente, isso significa que estamos absorvendo mais, cuidando mais, curtindo mais. Lamentando menos. E assim todo mundo sai ganhando, mas só se lembrarmos que a nossa jornada não termina aqui. Todos provavelmente já ouvimos a frase "Viva como se fosse morrer amanhã". Estou aqui para dizer que isso não é tão fácil quanto parece.

"Sei, por experiência própria, que a lição do amanhã foi a mais difícil para mim, porque... parecia que a miocardite estampava um prazo de validade no meu traseiro.

"Eu estava apavorada demais para contar com o amanhã. Não só eu, mas todas aquelas pessoas que se importavam comigo. Cada vez que eu olhava para elas, sabia que eu as estava deixando arrasadas e estava prestes a deixá-las. Uma médica muito inteligente me disse que se preocupar faz parte da condição humana e você não pode impedir as pessoas de fazerem isso. Mas eu ainda pensava que, se eu não contasse com o amanhã, elas não ficariam tão decepcionadas se eu não conseguisse.

"Quando parei de pensar no amanhã, também parei de aspirar, de querer e de sonhar. Eu não estava pensando na faculdade. Eu não estava planejando o meu futuro, porque não achava que tivesse um. Mas não pensar no amanhã é tão ruim quanto ficar preso no ontem.

"Para planejar nosso futuro, precisamos nos lembrar do ontem, viver um dia de cada vez, mas sonhar com o amanhã. Apenas três semanas atrás eu me candidatei a uma faculdade. Quero me formar em Inglês e me tornar escritora um dia.

"Nunca me candidataria ou sentiria a emoção de viver meus sonhos se alguém não tivesse assinado o cartão de doador. Nunca saberia como é me apaixonar ou me formar no colegial. E nunca teria visto o orgulho no rosto dos meus pais hoje, quando coloquei esta toga e este capeto."

Olho para a multidão e vejo minha mãe chorando, abraçada a papai.

– Olho para eles. Olho para a felicidade deles e vejo que o coração que ganhei não foi apenas um presente para mim, mas para eles também. Todos os pais aqui presentes devem saber o que é isso.

"Então, por favor, prove que a minha médica está certa. Prove que se preocupar é uma condição humana. Inscreva-se para ser doador, de modo que outros lá fora possam experimentar a arte de fazer o amanhã. E, enquanto você estiver vivo, seja criativo com sua própria vida. Você só tem uma. Faça com que ela seja importante. Viva, não como se você fosse morrer amanhã, mas como se o amanhã fosse uma promessa."

Tiro meu capeto e saio do palco. Ouço palmas, que continuam por um bom tempo. Matt e Brandy estão do outro lado do palco. Brandy, com lágrimas nos olhos, grita:

– Arrasou!

Matt me pega no colo e me gira no ar.

Eu não tenho certeza se arrasei, mas estou feliz por ter aceitado o desafio. Talvez eu não desista da comida chinesa.

Começam a chamar os nomes de todo mundo que vai receber o diploma. Depois muitas pessoas me procuram para agradecer pelas minhas palavras. Quando a multidão começa a se dispersar e vejo alguém querendo falar comigo, quase perco o fôlego.

– Você veio! – exclamo. Mandei um convite a ela, mas não esperava que viesse.

– Claro que vim! – diz a dra. Hughes, com lágrimas nos olhos. – E só para você saber, acho que nunca fiquei tão orgulhosa do meu trabalho quanto nesta noite. Você é incrível.

Dou um abraço apertado na minha médica. Quando ela se afasta, vejo quem está atrás dela.

Sinto meu estômago se contrair no mesmo instante. A sra. Kenner se aproxima. Não consigo decifrar a expressão dela.

– Matt tem razão. Não há ninguém neste mundo que eu gostaria mais que tivesse ficado com o coração do meu filho. E acho que posso dizer isso em nome dos meus dois filhos.

– Obrigada. – Nós nos abraçamos e é então, neste momento, que sinto meu novo coração se sentir em casa no meu peito. Eu precisava desse abraço. Eric precisava desse abraço.

É então que as últimas sombras de culpa que eu sentia por estar viva se desvanecem. É então que finalmente me sinto confortável na minha própria pele, confortável em ser a Nova Leah. Então percebo que estou realmente pronta. Pronta para o meu futuro. Pronta para ver aonde esta nova vida louca vai me levar.

Caro leitor,

Aconteceu 35 anos atrás. Um homem encantador, de cabelos encaracolados e cintilantes olhos azuis, com quem eu tinha saído três vezes, disse que precisávamos ter uma conversa séria. Sentado num sofá naquela noite, ele me disse que tinha uma doença renal policística e havia uma boa chance de ele levar uma vida difícil dali para frente. Ele tinha sido informado de que, aos 40 anos, talvez tivesse que fazer diálise. Ele me disse que estava se apaixonando por mim e achava que era justo que eu soubesse disso.

Eu me lembro de ter olhado para ele e dito:

– Por que diabos você não me disse isso em nosso primeiro encontro? – Porque, caramba, eu já estava meio apaixonada por ele! Menos de um ano depois, eu me casei com ele, para o bem ou para o mal.

Como cuidou muito bem de si mesmo, ele só precisou fazer diálise aos 53 anos. Nós fizemos o que tínhamos de fazer: entramos na lista de transplantes. O tipo sanguíneo dele fez com que levasse mais tempo para encontrarmos uma correspondência. Logo a diálise cobrou seu preço, e não foi apenas a doença renal que tentou roubá-lo de mim, seu coração também.

Não se passava um dia sem que eu não rezasse, implorando por um milagre. Sem que eu não me perguntasse como iria sobreviver sem o amor daquele homem, seu senso de humor e impressionante brilho nos olhos.

Como Leah, consegui esse milagre quando alguém aceitou doar seus órgãos, e meu marido teve uma segunda chance na vida.

Enquanto escrevo estas linhas, eu me lembro de quantas vezes me perguntam "Que livro seu você mais gosta?". Eu sempre dizia o título daquele que estava escrevendo na ocasião, porque parecia mais próximo de mim. Não posso mais fazer isso. Embora esta história seja uma ficção, a emoção em suas páginas vieram diretamente do meu coração e do coração do meu marido, do nosso sofrimento, do nosso medo e do milagre que vivenciamos.

E embora o meu marido seja o tipo de pessoa que raramente se lembra dos seus sonhos, quando acordou daquele transplante de rim, ele começou a ter um sonho recorrente. Um sonho breve e sucinto onde, ao acordar, ele se deparava com um velho com o rosto bem próximo ao do meu marido, olhando para ele.

Quando descobrimos que o rim era de um homem de 65 anos, isso nos deu arrepios. Os médicos nos garantiram que os medicamentos é que poderiam causar aqueles sonhos vívidos. E talvez fosse isso. Ou talvez não. De qualquer maneira, a experiência inspirou o enredo deste livro.

Espero que tenha gostado da história. Espero que ela o inspire a viver sua vida ao máximo. A começar agora sua lista de coisas para fazer antes de morrer e a ticar cada um dos itens. Espero que você até decida se tornar um doador, para ajudar outra pessoa a ter uma segunda chance na vida.

Obrigada,
CC

Impresso por :

Graphium
gráfica e editora
Tel.:11 2769-9056